陳查禮探案全集 6

CHARLIE CHAN CARRIES ON

陳查禮接手

厄爾・畢格斯◎著
劉育林◎譯

臉譜

陳查禮探案全集 6

陳查禮接手

Charlie Chan Carries On

作　者	厄爾・畢格斯 Earl Derr Biggers
譯　者	劉育林
特約編輯	曾淑芳
發 行 人	蘇拾平
出　版	臉譜出版
發　行	城邦文化事業股份有限公司 台北市信義路二段 213 號 11 樓 電話：(02)2396-5698 / 傳真：(02)2357-0954 郵政劃撥：1896600-4 城邦文化事業股份有限公司 城邦網址：http://www.cite.com.tw
香港發行	城邦（香港）出版集團 白港北角英皇道310號雲華大廈4 / F，504室 電話：25086231 / 傳真：25789337
新馬發行	城邦（新、馬）出版集團 Cite(M) Sdn. Bhd.(458372 U) 11, Jalan 30D/146, Desa Tasik, Sungai Besi, 57000 Kuala Lumpur, Malaysia 電話：603-9056 3833 / 傳真：603-9056 2833 57000 Kuala Lumpur, Malaysia
初版一刷	2002 年 1 月 10 日

ISBN　957-469-745-2

定價：330 元

目次

【第一章】雨中的畢卡第利大道

倫敦的畢卡第利大道上，蘇格蘭警場的杜夫探長正行走在雨中，遠遠的，他聽到隔著聖詹姆士公園的國會大廈的大鐘敲了十下。此刻是一九三〇年二月六日的夜晚，大家務須記住跟杜夫探長相關的這個時刻，雖然在這個案件裡，時間相較起來並不重要。在法庭上，時間從未被視為證據。

雖說他的性情原本凝斂，此刻卻感到很浮躁。也只不過是今天早上的事，一個又臭又長的案件結束了，他坐在法庭看著那位法官，頭上戴著不吉利的黑色無邊帽，宣判了一個愁容滿面、無足輕重的瘦小男子上絞刑臺。唉，事情就是這麼回事！杜夫心裡想道。一個沒種的殺人兇手，良知、人性一樣也沒有。在逮到這傢伙之前，蘇格蘭警場在他的指揮下，可真歷經了好一場追捕的過程。最後的勝利憑藉的是毅力，以及他本身的一點點運氣。截獲兇手寫給貝特昔公園路一個女人的信，當即從平淡無奇的字裡行間看出了兩重含意，於是堅持追查下去，直到將整個犯罪構圖拼湊完整，大事於焉底定。現在全結束了。而接下來呢？

杜夫繼續走著，身上的阿爾斯特大衣裹得緊緊的，雨滴不斷從舊氈帽的帽沿滴落。過去三個小時，他一直坐在大理石拱門戲院裡，觀看著銀幕上的風景畫面，希望把心思帶離此時此地。片子是在南太平洋拍的——棕櫚樹搖曳的海岸，蔚藍的晴空，滿地的陽光。杜夫一面看，一面想起過去在舊金山結識的一位朋友，一位同行，這人十分謙虛，就在如此的美景底下追查人犯。那地方一年到頭都是六月天，貿易風低語般拂過滿樹花朵，而那位友人正在研究著線索。想到這裡，杜夫探長不禁露出了微笑。

他從公園巷逛到畢卡第利大道，並沒有確切的目的地，他心中的許多回憶此刻正盈滿胸臆。不久之前，他還是藤蔓街警察局的分局探長，掌管著刑事組。倫敦西區原本是他的辦案活動範圍，在雨中模糊呈現的光輝中，他看到一家會員制俱樂部，他曾經在那裡透過簡單的幾句問話，逮捕到一位捲款潛逃的銀行界名人。另外一間晦暗的店面讓他想起一個身穿巴黎晚禮服的法國女人遭到謀殺，那天早晨他就蹲在店門口察看死者的遺體。柏克萊白色的門面使他想起一名兇狠的勒索者，那傢伙是剛洗完澡被抓的，整個人嚇呆了，只能束手就擒。幾英呎外的半月街地鐵站前面，杜夫曾在一名皮膚黝黑的人耳邊輕輕講了幾句話，眼看著那人臉色整個轉白。有個儀態優雅的殺人兇手，紐約警方急著想逮到他，有天正在阿爾巴尼舒適的座位裡用早餐，杜夫伸手拍了他的肩上。馬路對面的王子餐廳，他曾一連兩個禮拜在那裡用晚餐，監控著穿著體面晚禮服的凶嫌，他以為能成功的將邪惡的祕密隱藏在心中。他現在來到了畢卡第利圓形廣場上，在一個記憶猶新的夜晚，他曾經和鑽石大盜哈頓・賈登展開一場殊死搏鬥。

雨勢加大了，更為賣力的打在他身上。他走到一處入口，望著眼前的景象：紐約百老匯時代廣場的倫敦版，安靜而內斂。數不清的招牌閃著黃色燈泡，在大雨中明滅著，街上一小灘一小灘積水反映著燈光。杜夫覺得有需要找個伴，沿著廣場邊緣而行，最後走進一條光線較暗的街道。距離路燈大約兩百英呎處有一幢冷冷的建築，一樓窗戶加裝鐵條，前面還點了盞晦暗的燈。藤蔓街警察局他很熟，沒兩三下便登上大門的台階。

分局探長哈雷是杜夫的繼任者，正一個人待在辦公室裡。他很瘦，帶著倦容，看到老友來訪，臉上登時有了光彩。

「是老杜啊，請進請進，」他說：「我正想找人聊聊。」

「那敢情好，」杜夫回答道，他脫下滴水的帽子、潮溼的大衣，坐了下來。從敞開的門看向另一間辦公室，一堆探員在那裡，人手一份晚報。「今晚很安靜，是吧？」

「對啊，謝天謝地，」哈雷回答道。「我們待會兒要去突擊一家夜總會，你也知道，那碼子事已是我們時下最主要的消遣了。噢，對喔，我好像又該向你道賀了。」

「道賀？」杜夫的濃眉揚了揚。

「對呀，就是保洛那件案子嘛，你知道的。法庭還特地對杜夫探長表示讚揚哩——出色的辦案，精確的推理，以及諸如此類的。」

杜夫聳一聳肩。「噢，是那個，謝謝你啦，老兄。」他把菸斗拿出來裝菸草。「不過那件事情已經過去，明天就會忘了。」他沈默片刻，接著又說：「我們還不是就是這麼一回事？」

哈雷搜尋著杜夫的表情。「很自然的反應，」他點點頭，「每次了結掉一件傷腦筋的案子，我也有同樣的感覺。老弟啊，你需要的是工作，一個新的懸案。在兩件案子中間的空檔，實在沒啥值得在意的。我說啊，如果你有……」

「我有啊！」杜夫提醒他。

「話是不錯，你的確有。你說過去的已經過去，我同意這個看法很好，不過在還沒忘掉之前，我可不可以誠心誠意的讚美兩句？你在這件案子裡的表現堪稱典範——」

杜夫打斷對方的話。「不要忘了，我運氣好。」他說：「正如同我們的老長官菲德烈克爵士一向講的——賣力的偵辦，自身的聰明，另外加上運氣，而在三者之中，運氣顯然最為重要。」

「啊，是啊！」哈雷應道：「可憐的菲德烈克爵士……」

「我今晚想起了他，」杜夫接著說：「也想起了逮到兇手的那位中國偵探。」

哈雷點點頭。「那個夏威夷的老兄，陳警官，他全名叫什麼來的？」

「嗯，陳查禮。不過他現在的職務可是檀香山警察局的督察了。」

「這麼說，你有他消息？」

「是啊，每隔一段很長時間，」杜夫點燃了菸斗。「即使再忙，也還是會聯繫，總之我忘不了老陳。兩三個月前我還寫信給他，詢問近況。」

「那他的答覆是?」

「嗯,他的回信早上剛到。」杜夫從口袋裡拿出一封信來。「沒什麼新聞。」他又補充了一句,笑著。

哈雷靠在椅背上。「不管怎樣,聽聽信上怎麼講吧!」他提議道。

杜夫抽出兩張信紙,展開來,裡頭的文字是用地球另一端警察局的打字機打的,他先看了半晌,唇邊依然留著隱微的笑容,開始唸起那封致蘇格蘭警場探員、語氣異常謙和的信:

可敬的朋友:

大函遠渡重洋耗時而來,將昔日的愉快記憶帶入鄙懷。財富是為何物?當你寫下一長串朋友名單,答案即在其中。得知足下於百忙之餘,尚能憶及德薄如陳查禮者,更是令區區感到富不可言。

角色對調一下,我本身也從未將足下忘卻。請恕我放肆直言,足下信中之示意其實大謬不然,往日贊語而今仍迴盪腦海,為不當之驕傲所圍繞。

來函詢及有何最新消息，非常抱歉，委實無足道者。雨水由簷霤滴入故窽，正是在下平日生活之真實描述。檀香山的命案不多，恬靜即是享福，我也不應有任何怨言。東方人明白，有的時候應該打魚，有的時候應該曬網。

偶爾也會有點不耐，因為曬網的時候太多。為何不耐呢？會不會我已經失去了東方人的特質，在閒不下來的美國社會生活了太久？無所謂，我只要壓抑住這個想法就好。對於不大重要的工作，我只是沉靜以待。但有時候夜晚獨坐涼台，眺望著沈睡的市區，我會莫名的盼望電話突然響起，傳來重要的訊息。不可能啦，我的女兒如是說，她在本地學校接受優秀的英語教育。

欣聞神明給了尊駕不同的待遇，我常想，足下生活在大城市裡，這便是造化，如此足下的長才便不致埋沒，如同止水般的停滯。電話每每響起，足下便得應要求展開行動，我深知勝利女神總會眷顧於你，當足下的友誼光降時，我便有如此的感覺。中國人，你知道，是個心靈感應很靈的民族。

承蒙足下好意，關切的詢及我的子女。他們的陣容快速累積，為數已有十一之譜。我記得先賢有句名言：『治國易，齊家難。』而我仍奮不顧身的前進。長女蘿絲現在是美國本土一所大學的學生，當我首次認識到美式教育的真實花費時，總算明白子女的名單到此為止是為上策。

我要再次對足下的來信表示萬千感謝，說不定哪天我們還有重逢的機會，雖然我們之間相隔的千山萬水令人畏懼，使這樣的想法宛如夢幻。無論如何，請接受我寄予的最新問候，也祝福每一件任務你都能順順當當的走過。

你的朋友　陳查禮敬上

杜夫讀完，把信慢慢摺起來。抬頭一看，見雷夫一臉難以置信的表情。

「是很有意思，」他老兄說：「但是，呃，這個……內容幼稚了點。寫這封信的人，該不會就是逮到殺死菲德烈克．布魯斯爵士兇手的人吧！」

「你別被老陳的遣詞造句騙了，」杜夫笑道：「他可比表面上看來要有深度多了。耐心、機智和賣力的工作——這幾個心理素質蘇格蘭警場可沒有獨家專利。說真的，老哈，那位陳查禮督察正好可以為這一行增光。只可惜他窩在檀香山那樣一個小地方……」他眼前再度閃過銀幕上面沙灘旁都是棕櫚樹的海岸。「不過話又說回頭，像他那樣甘於恬淡的人，也正是世界上最快樂的人吧。」

「或許是吧，」哈雷回答道。「但是你我都不會有機會去嘗試的。咦，你該不是要走了吧？」他看到杜夫站起來。

「是的，要去忙我的事了。」總局探長答道。「剛剛來的時候我心情很低落，不過現在好多了。」

「你還未婚是吧？」哈雷問道。

「結了婚就沒完沒了，要幹任何事的時間都沒有了。」杜夫說：「我是跟蘇格蘭警場結了婚。」

哈雷搖了搖頭。「那樣並不夠啦。但是這不干我的事，我只能希望兩件案子中間的空檔不會拖得太久，那樣對你並不好。」他幫杜夫穿上大衣。「當你桌上的電話──那句話陳查禮怎麼說來的──突然響起傳來重要的訊息──然後呢，老弟，你整個人又會變得機伶起來。」

「雨水呀，」杜夫聳了聳肩：「從簷霤滴入故窽。」

「但是你很愛聽那聲音，這你心知肚明。」

「對，你說得沒錯。」總局探長說：「其實呢，沒聽到那樣的聲音我是不會快樂的。再見了，祝你夜總會的突擊行動大有斬獲。」

翌日早晨八點，杜夫精神奕奕的走進他在蘇格蘭警場的辦公室。他又恢復了往常輕鬆愉快的模樣。他的雙頰紅潤，這是從前在約克夏農田工作留下來的成績，離開約克夏之後，他加入大都會警察署。他打開書桌抽屜，在早上寄來的一小疊郵件中搜尋著，最後拿起他訂閱的《電訊報》，點燃一根上好的雪茄，開始悠然自得的瀏覽新聞。

八點十五分電話突然響起。杜夫停止閱報，眼睛瞪著電話。電話鈴聲再度尖銳響起，持續的，彷彿是在求援。他把報紙放下，拿起聽筒。

「早安，老弟，」說話者是哈雷，「我部下那邊傳來消息，昨晚勃倫飯店有個男人被殺了。」

「勃倫飯店？」杜夫重複說了一遍。「你這話當真？」

「我知道那地方聽起來不像會發生命案，但命案還是發生了。」哈雷回答道：「死者是觀光客，在睡夢當中遇害，人來自美國的底特律或諸如此類的鬼地方。我當然立刻就想到你，尤其咱們昨晚那樣談過之後。除此之外，這裡也是你的老管區，像勃倫飯店氣氛那麼精緻的地方，你想必知道怎麼做才對。我跟上面的人講過了，等一下你就會接到命令。我現在人在飯店，帶一組助手盡快開車過來吧。」

哈雷掛上了電話。杜夫的上司匆匆走進辦公室來。

「有個美國人在半月街被殺了，」上司說：「地點好像是勃倫飯店。哈雷先生要求我們協助，還特別提到你。他這主意很好，你去吧，老杜。」

杜夫人已經走到門邊，穿起了大衣，戴上了帽子。「我這就去了，長官。」

「很好！」當他趕著下樓梯時，聽到上司在背後這麼說。

沒過多久，他鑽進停在路邊的一輛綠色小包車。也不知從哪裡跑來一名指紋鑑識人員和一名攝影人員，一言不發的加入此行。綠色小包車駛過短短的德比街，右轉到倫敦的行政地區。

昨晚的雨已經停了，今早卻濃霧漫天，路況迷濛，他們緩緩穿行其中，耳朵不時聽到汽車的喇叭聲以及尖銳的口哨聲。左右兩旁亮著街燈，黃色的燈光在灰茫茫的世界中顯得蒼白無力。倒是在濃霧背後，倫敦依然如常的運作著。

這些景象跟昨晚在銀幕上的畫面對比何其分明。這裡沒有燦麗的陽光、翻滾的白浪，也沒有迎風點頭的棕櫚樹。然而杜夫此刻可沒在想著南太平洋，那些畫面僅在心中一閃而逝。他彎腰駝背的坐在小車中，前方路面霧氣瀰漫，他的視線想穿透過去，但卻徒勞。眼前的道路將會帶他到達遠方。他幾乎忘了周遭所有的事，也包括他那位老友陳查禮。

與此同時，陳查禮也沒想到他的朋友杜夫。在地球的另外一頭，這個二月天還不到黎明——事實上這裡還是昨天。檀香山警察局的這位胖探員正坐在家裡的涼台，恬靜而漠然的對待著未來的命運。他從潘趣盂山的家看下去，視線越過閃爍不定的都市燈火，蜿蜒的威基基海灘在熱帶的月色下反射著白光。他是個好靜的人，這是他生命之中最為寧靜的時刻之一。

蘇格蘭警場杜夫探長桌上的鈴聲他並沒有聽到，那輛綠色小包車也並沒有在他眼前飛奔而過。他即使做夢也不可能看到倫敦著名的勃倫飯店裡有間天花板挑高的客房，一個老傢伙躺在床上，再也不會動了，人是被一條綁行李的皮帶勒住喉嚨，氣絕而死。

也許中國人的心靈感應畢竟不那麼靈吧。

【第二章】勃倫飯店裡的迷霧

把勃倫飯店和謀殺案扯在一起多少有點悖乎常理，但很不幸的事實就是如此。這家雅緻的飯店坐落在半月街已有一百多年歷史，傳統色彩很濃。據說，山繆．勃倫當初是以獨門獨幢的民宿型態發跡的，生意越做越好後，房間的數量逐漸增加，今天已有十二幢這樣的房子結合為一體，飯店不僅在半月街有著寬廣的門面，甚至往後一直延伸到克拉吉街，那裡還有一處入口。

因為是那麼多幢建築雜亂拼湊在一起，故當客人行走在上面樓層的走廊時，會發現自己置身在迷宮之中，爬上了三層樓梯，要下的樓梯可能只有兩層半，而且不時還會遇到最古怪的轉角，突然發現一扇門或者拱道出現在眼前，想都沒有想到。因此這裡的僕役很辛苦，既要為客房添火加煤炭，熱水還要用老式的熱水瓶送去，因為浴室並沒有幾間，設備又很馬虎。

但是可別以為勃倫飯店的設備不夠現代化，隨隨便便就能要到一間套房。外來客若能住進這家飯店都是一項殊榮，尤其在倫敦社交旺季，那更是一種分外的恩寵。每當這個時候到來，勃倫飯店就會湧入各地望族、著名政治人物和文人雅士，到處都是名流。有一次飯店裡住進了一位流亡元首，說是流亡，往來的卻都是顯赫人物。社交旺季一過，勃倫飯店近幾年的門面就有點撐不住，連美國客上門來也允許他們住了。而現在，二月一個漫天大霧的早晨，飯店樓上死掉一個美國人，真是令人唏噓不已。

杜夫從半月街的入口進入光線晦暗、寂靜無聲的飯店裡面，感覺上好像進了大教堂。他脫帽佇立著，好像在等候風琴送出第一個音符，然而一個個從身旁走過、穿著粉紅色制服的服務生卻干擾了這個幻影。沒有人會把他們誤認為唱詩班的孩子。他們讓人回想起當年山繆．勃倫以一間房子起家的樣子，每一個都如此，幾乎沒有例外。畢生歲月奉獻給飯店的服務生，胖的、瘦的，每一位都戴著眼鏡，散發著老式的氣息。

一名總管模樣的服務生從服務台後面起身，步履沈重的走向杜夫探長。

「早啊，彼德，」杜夫說：「這裡是怎麼回事？」

彼德愁眉苦臉的搖了搖頭。「令人困擾的意外，長官。一位從美國來的先生，住在三樓二十八號房，就在後面。人死了，他們告訴我的。」他聲音顫抖著，越說越小聲。「這都是讓那些外來客住進來的緣故。」他又補充了一句。

「無疑是這樣，」杜夫笑道。「我很遺憾，彼德。」

「我們都很遺憾，先生。我們都覺得好難過。亨利！」他叫喚一位正坐在旁邊板凳上難過的年輕服務生。「長官，亨利會帶你去你想去的地方。請容我這麼說，這案子交到像你這種能手的手中，肯定萬無一失。」

「謝謝你，」杜夫回答道。「哈雷探長到了嗎？」

「他在樓上，長官。就在那個出問題的房間。」

杜夫轉向亨利。「你帶這兩個人到二十八號房，」他指著一起來的攝影及指紋鑑識人員說。「彼德，我想先跟肯特先生談一下。你不用麻煩，我猜他在自己的辦公室吧？」

「我想是的，長官。他的辦公室你知道怎麼走。」

勃倫飯店的總經理肯特穿著光鮮的西裝、灰色的背心和領帶，西裝左邊翻領還插了一朵粉紅色玫瑰花。雖說衣著上滿像一回事的，人卻一點都不高興。他的辦公桌旁邊坐著一位滿臉鬍鬚、學者模樣的男子，滿臉愁容，一言不發。

「請進來吧，杜夫先生，請進，」老總立刻站起來說：「這可真是我們今早碰到的頭一樁運氣的事，你竟會被派來這裡，出乎我的預料。這件事真是一場糊塗，杜夫探長，一場糊塗。假如你們盡可能不要張揚，那我最後——」

「我懂你的意思，」杜夫打岔道：「不幸的是，命案和新聞媒體總是如影隨形。我想要知道死者是什麼人，他什麼時候來的，誰跟他一起來，還有其他你能給的事實。」

「那人名叫休．摩里斯．德瑞克，」肯特回答道：「住宿登記上說他來自底特律，我想是美國一個城市吧。他是上星期一三號那天來的，由紐約出發，從南安普頓上岸後直接坐火車來到這裡，同行有他女兒波特太太，一樣來自底特律，還有他的孫女。他孫女叫什麼來的……我一下忘了。」他轉向滿臉鬍鬚的男子，「那位小姐叫什麼名字，勞夫頓博士？」

「潘蜜拉。」對方以一種冰冷、生硬的語氣說道。

「噢，對，是潘蜜拉．波特小姐。喔，對了，勞夫頓博士，請容我介紹一下，這位是蘇格蘭警場的杜夫探長。」兩人彼此點了個頭。肯特轉向杜夫。「關於死者個人的事，勞夫頓博士能講的比我還多。事實上，他很清楚這整團人的事，你知道的，他就是領隊。」

「領隊？」杜夫不解的唸道。

「是啊，此行的領隊。」肯特補充說明。

「此行？你意思是說死者是跟團旅行，此行還有導遊？」杜夫看著勞夫頓博士。

「我其實不是導遊，雖然在某種情況下我是，」勞夫頓回答道：「很顯然的，杜夫先生，你並沒有聽說過勞夫頓巡弋世界之旅，我主辦這種形式的旅遊已經十五年了，合作對象是諾瑪旅行社。」

「我真是孤陋寡聞，」杜夫冷漠的回答。「這麼說來，休・摩里斯・德瑞克先生是在進行環球之旅，而帶團者是閣下。」

「請容我解釋一下，」勞夫頓插嘴道：「嚴格說來，我們此行並非環遊世界。環球之旅只用在一個大團體，乘坐一艘大船航行整個行程。而我所安排的內容大不相同，要換很多趟火車，換搭很多艘船，比較起來是個非常小的團體。」

「怎樣才稱之為小？」杜夫問道。

「今年只有十七個人同行，」勞夫頓說：「那是昨晚的情況，當然今天就變成十六個人了。」

杜夫的滿腔鬥志不禁猛往下沈。「人可真多啊，」他說道。「嗯，勞夫頓博士——喔，對，你是學醫的吧？」

「喔，不是，我是哲學博士，頭銜非常多。」

「是，是，你們此行在昨晚之前曾發生過麻煩嗎？有沒有發生任何你覺得失和、嫌隙的事？」

「荒唐！」勞頓脫口而出，人站了起來，在辦公室裡走來走去。「那是沒有的事，沒有的事。我們從紐約到這裡的航程十分辛苦，團員彼此間真的罕得相見，當上星期一抵達這家飯店時，大家都是不折不扣的陌生人。我們是結伴到外面走了幾趟，但是他們仍然……你聽我講，杜夫探長！」他失去了鎮定，鬍鬚底下的臉激動得發紅。「我現在的處境很艱難，花了十五年辛苦建立的事業——我的名譽、地位——都很可能因此毀於一旦。看在上天的分上，千萬別認為團員裡面有人殺了德瑞克，那絕無可能。一定是哪個偷偷跑進來的賊，或者飯店的服務生——」

「很對不起，」飯店老總情急的嚷了起來，「你仔細看看我們的服務人員，大家在一起工作好多年了，這些聘雇人員絕無可能涉案，我敢用性命打賭。」

「那就是外頭的人幹的，」勞夫頓說，他的腔調近乎懇求，「我這一團的人絕不可能幹這件事。我選人的標準很高，每次在一起的都是最好的人。」他把手放在杜夫的手臂上。「請原諒我的鹵莽，探長，我相信你會秉公處理。只是，現在的情況對我來說太嚴重了。」

「我知道，」杜夫點點頭。「我會全力幫你的忙。不過你這個團體的成員我必須盡快偵訊，你能否幫忙一下，把他們全部集合到一個房間裡好嗎？」

「我試試看，」勞夫頓回答道：「現在他們有幾位可能外出了，但十點以前肯定都會回來。我們十一點要到維多利亞火車站搭火車，再轉搭道夫迦萊郵輪。」

「你們十一點鐘要從維多利亞火車站出發？」杜夫問道。

「噢，對啊。我剛剛應該告訴你的，我們要在那個時刻離開。可是現在應該怎麼辦呢，杜夫探長？」

「那就難講了，我們再看看吧。」杜夫說：「肯特先生，不介意的話，我現在要上樓去了。」

他並未等候答覆，隨即走了出去。一名電梯服務生送他上了三樓，中間還得意洋洋說了許多自己曾孫的事。他在二十八號客房見到了哈雷。

「噢，杜夫，你來了，」藤蔓街的探長說：「快進來吧。」

那個房間很大，瀰漫著鎂光燈的味道。裝潢方面，如果維多利亞女王也進來的話，她老人家肯定會脫掉軟帽，坐在最靠近的扶手椅上，並且有一種回到家的感覺。床鋪在最裡頭的凹室，遠離窗戶，床上躺著一個男人的屍體，年紀不小了，六十幾快七十了吧，杜夫猜想道。死者脖子上還纏繞著細行李的皮帶，當偵探的不用看也知道是被勒死的，因為死者生前分明劇烈掙扎過。他佇立觀看此一新出現的謎。外頭的霧漸漸散去了，樓下人行道傳來一名街頭藝人演奏〈金幣中的銀線〉，這些街頭藝人不時在倫敦的街區出沒。

「法醫來了嗎？」杜夫問道。

「來過了，把驗屍的結果報告過後就走了，」哈雷答道：「他說這傢伙大約死了四個小時。」

杜夫走上前去，用手帕將屍體上的皮帶取下，交給採指紋的人，然後仔細檢視了休．摩里斯．德瑞克身上所有的一切。他抬起死者左手，將握緊的拳頭扳開來看，右手經如法炮製時，引起了他的興趣，不由得發出一聲驚歎。在那幾根瘦而僵直的手指中間有個明晃晃的東西——一條細長的白金錶鏈。杜夫鬆開那隻握緊東西的手，錶鏈落在床上，一共有三個環結，尾端是根小小的鑰匙。

哈雷走上前來，兩人一同研究杜夫手帕上的東西。鑰匙的一面刻著「3260」四個數字，另一面刻著「俄亥俄州 坎東 德意志保管箱鎖具公司」幾個字。杜夫看了一眼枕頭上那張失去血色的臉。

「好傢伙，」他輕輕的說：「他想要幫我們，把行兇者的錶鏈扯下來。天啊！還緊緊的抓在手裡。」

「這東西很重要！」哈雷說。

杜夫點點頭。「或許吧。不過哈雷呀，這案子的美國味似乎越來越濃，跟我胃口不太合。我可是個倫敦偵探。」

他在床邊蹲下來，以更近的距離檢查著地板。有人進到房間來了，但是杜夫正埋首眼前的工作，沒去分心。等最後抬起頭來時，眼前的景象卻讓他倏的站了起來。跟前站著一位苗條嫵媚的美國小姐，正望著他，那雙眼睛即使不去細看，光憑偵探的本能也覺得頗為特殊。

「噢，呃，妳早。」當偵探的說。

「你早，」女孩神色凝重回答道。「我是潘蜜拉．波特，德瑞克先生是我外祖父。你看起來好像是蘇格蘭警場的人，一定想要跟家屬談一下吧。」

「那當然。」杜夫同意道。這女孩子相當冷靜沈著，但那雙淡紫色的眼睛還留有淚痕。「聽說這次的旅行，妳母親也是其中一員？」

「我母親太悲痛了，」女孩解釋道：「她也許等一下會來。但目前我是唯一能面對這件事的人，你有話要問我嗎？」

「這次的不幸，妳認為事出有因嗎？」

女孩搖搖頭。「我想不出，真的，這件事簡直難以置信。我外祖父是世界上最善良的人，連一個仇人都沒有。你知道，這真的太荒謬了。」

樓下的克拉吉街傳來〈長路漫漫〉的琴聲。杜夫轉向一名現場蒐證人員。「把那個窗戶關掉，」他揚聲命令道。「在底特律，妳外祖父很出名？」他又問那個女孩。「底特律」這三個字他不太會唸，重音竟發在第一音節。

「噢，是啊，那已經好多年了，他是最早投入汽車製造業的幾個人之一，五年前退休，不當總裁了，但還是公司董事。最近這幾年他很熱衷慈善事業，捐款好幾十萬，大家對他十分推崇，凡是認得他的，沒有人不喜歡他。」

「這麼說，他很有錢？」

「那當然。」

「那誰……」杜夫頓了一下，「對不起，這只是例行性的訊問：妳外祖父的財產將由誰繼承？」

女孩睜大眼睛望著杜夫。「啊，我根本沒有想到。據我想，那些錢如果不是捐給慈善團體的話，就是留給我母親。」

「而同時，也留給妳？」

「我還有我弟弟。大概是這樣吧，這有關聯嗎？」

「沒有吧，我想。妳最後看到妳外祖父是什麼時候，我是指他人還活著的時候？」

「昨晚剛吃過晚飯的時候。我跟我母親要到戲院看戲，但是外祖父不想去。他說他累了，再加上，唉，看人家演戲他實在欣賞不來。」

杜夫點點頭。「這我明白。妳外祖父耳聾。」

女孩吃了一驚。「你怎麼知道？噢……」她順著杜夫的視線看去，只見桌上放著一副助聽器，還接著電池。女孩突然掉下淚來，但又立刻恢復自制。「唉，是的，那是我外祖父的。」她補充道，伸手要去摸。

「拜託，請別碰。」杜夫趕緊說。

「噢，是，我不碰。那東西我外祖父經常戴著，但是不怎麼有用。他昨晚想早一點上床，要我們自己去，因為他預計今天會很累。你知道，我們今天本來是要去巴黎的。我們還警告他可別睡過頭了，我們住二樓。他說不會的，因為他交代服務生每天早上八點之前把他叫醒。今早八點半的時候，我們在大廳等他一起來吃早飯，飯店經理便把這件不幸告訴了我們。」

「妳母親受到很大的打擊？」

「怎麼會不呢?這麼駭人的事!她暈過去了,最後我總算把她扶回房裡。」

「妳沒有暈倒?」

女孩有點睥睨的望著杜夫。「我可不是遇到事情就會暈倒的那種人,晴天霹靂一般倒是真的。」

「那是很自然的。請原諒我的冒昧,這件事真是令人難過。」

「謝謝你。你還要問我什麼嗎?」

「目前沒有。我很希望在走之前,妳能夠安排我去見妳母親一面。妳想必明白,我必須見她一面。不過那是稍後的事,現在我要到樓下房間會見你們此行其他團員,妳不一定要參加——」

「沒那回事,」女孩脫口而出,「我當然要參加。我可不怯懦,更何況,我也想好好見一下同行的人。大家都還沒好好認識一下呢,這一路搭船過來太辛苦了。我會出席的。這件事真是太沒有意義,太殘酷了。在還沒有明白案發原因前,我絕不會罷休。如果有任何事需要我協助的話,呃,你要如何稱呼?」

「我是杜夫探長,妳的想法我很樂意配合。」他應道:「這件案子我們將一同來探尋謎底，波特小姐。」

「我們會破案的，」她說：「這案子一定要破。」然後她才首度將視線看到床上。「我外祖父他……他對我那麼好。」她的聲音破掉了，隨即跑了出去。

杜夫佇立看著她的背影。「好個優秀的女孩子，是吧？」他告訴哈雷說。「令人驚奇的是，有多少美國女孩子會像她這樣？好啦，我們來看看吧，現在我們掌握到了什麼？一小段錶鍊和一根鑰匙，到目前為止還算好。」

哈雷露出不太好意思的樣子。「老杜，我真是個混蛋，」他說：「另外還有別的東西擱在屍體旁，法醫找到的。那顯然是不經意留下來的。」

「什麼東西？」杜夫問。

「這個。」哈雷拿給他一個軟羊皮製的小袋子，看起來有些歲月了，袋口用繩結束住，分量不輕。杜夫拿到寫字檯上，鬆開繩結，把袋裡的東西倒出來。他不禁露出瞠目結舌的表情，皺緊眉頭，滿臉困惑。

「這……這是啥玩意兒，哈雷？」

「石頭，」哈雷說：「各種形狀，大小不一的小卵石。有一些表面還挺光滑，可能在哪個海灘撿的。」他用手撥散開來。「只有這些毫無價值的小石頭，沒別的。」

「看不出個名堂，你不覺得嗎？」杜夫自言自語道，他轉向身邊一名助理，「你算一下，把石頭收回袋子裡。」助理上前做這件事時，杜夫到一張老式的椅子坐下，慢慢的看著這個房間。「這件案子大有名堂。」他說。

「你說得對。」哈雷應道。

「一個於人無害的老人，由女兒和外孫女陪伴展開環遊世界的快樂之旅，卻被人勒死在倫敦一家旅館裡。一個耳朵重聽、處世和善的老先生，以善心義舉著稱，卻在睡夢中驚醒，一手抓緊行兇者的錶鍊。但是他的力氣處於劣勢，皮帶越收越緊，而兇手最後一個動作，卻是在床上丟下一小袋莫名其妙的石頭。這你怎麼解釋，哈雷？」

「我得說我摸不著頭緒。」

「我也是。不過我倒是注意到一兩件事，你想必一樣吧？」

「我可沒你那麼在行，老杜。」

「少來。別謙虛了，老兄，你只是沒用到眼睛罷了。假如有個人站在床沿跟另一個人展開殊死鬥，那他的鞋子一定會相當程度的破壞地毯上的絨毛，尤其這裡是那麼厚的老地毯。老哈，這片地毯上卻沒有遭到用力踩踏後的痕跡。」

「哦？」

「一點痕跡都沒有。還有，你看看這張床鋪。」

「老天！」哈雷眼睛睜大起來，「我懂你意思了，這張床當然被人睡過，不過——」

「對極了。床鋪的兩個角上，被單還塞在墊子底下，整個外觀上太整齊了點。這張床上會有人奮力掙扎一直到死嗎，哈雷？」

「我想不會，老杜。」

「肯定是不會，」杜夫思前想後的注視著他。「沒錯，這裡是死者的房間，他的財物都還在，助聽器也放在桌上，衣服還放在那椅子上。但是我有個感覺，休·摩里斯·德瑞克是在另一個地方遇害的。」

【第三章】心臟衰弱的人

講出這一驚人的看法後，杜夫一時沈默下來，眼睛看著虛空。這時飯店老總出現在門口，圓圓的臉上依然充滿擔憂的表情。

「這裡我似乎可幫上一點忙。」他說。

「謝謝你，」杜夫回答道：「我想找最先發現命案的人談一下。」

「我想也是，」老總應道：「第一個發現死者的是這個樓層的服務生馬丁，我去把他找來。」他到門邊招了個手。

來的是一名年輕的僕役，年紀比其他服務生來得輕，一臉茫然，緊張得很。

「你早，」杜夫一面說，一面拿出記事本來。「我是蘇格蘭警場的杜夫探長。」年輕的服務生聽了，越發不知所措。「我要你告訴我今早這裡發生的所有事情。」

「是的，長官。我——德瑞克先生關照過我，要我早上叫他起床，因為客房裡面沒有電話，他喜歡到樓下用早餐，又怕睡過頭。長官，叫他起來要花點力氣，因為他耳朵幾乎聽不見。有兩次我都要到門房那裡拿鑰匙，開門進他的房間。

「今早七點四十五分的時候，我來敲他的門，敲了很多下，但是沒有任何反應。最後我到門房那裡拿鑰匙，但是門房告訴我說，鑰匙昨天不見了。」

「門房的鑰匙不見了？」

「是的，長官。樓下那裡還有一副主鑰匙，所以我下去拿。我並沒有覺得哪裡不對勁，前兩天也是這樣，我敲門他也沒聽見。後來我打開這間房門，走了進來。有一扇窗戶是關的，窗簾整個放下來；另一扇則打開，窗簾拉了起來，光線從那裡進來。整個房間看來井井有條，德瑞克先生的助聽器放在桌上，衣服也在一張椅子上。我再走到床邊，長官，然後就立刻報告給管理部門了。以上就是我所能告訴你的了，長官。」

杜夫轉向肯特。「門房的鑰匙是怎麼回事？」

「那真的很奇怪，」老總說：「如你所知，這是幢老式房子，打掃的女傭並沒有配客房鑰匙給她們。假如客人把門鎖上外出，女傭就無法進去打掃，除非去門房那裡拿鑰匙。像住隔壁二十七號房的伊蓮．史派色太太，她也是勞夫頓博士旅行團的一員，昨天就把房門鎖了外出，雖然我們的服務生告訴她別那麼做。

「女傭迫不得已去向門房拿鑰匙才得以進入，離開時鑰匙還插在鑰匙孔裡，繼續去進行打掃工作，過後不久她回來找鑰匙時，鑰匙卻不知去向了。到現在那根鑰匙仍不知道在哪裡。」

「那是當然的，」杜夫笑道：「今天清晨四點，那根鑰匙無疑被派上了用場。」他看了哈雷一眼。「這是有預謀的。」哈雷點點頭。「飯店還有其他事情是我們應該曉得的嗎？」他繼續問肯特。

飯店老總想了起來。「有的，」他說：「警衛報告說，夜裡發生了兩件很奇怪的事。那個警衛年紀不輕了，我要他到一個空房間躺下來休息休息。我已經叫人去找他了，等一下就會過來。我寧可你從他口中知道這兩件事。」

勞夫頓來到門口。「噢，杜夫探長，」他說：「我們有幾名團員還在外面，不過人我已經盡可能找齊。按我先前講的，十點之前他們都會回來飯店。像這層樓就住著好幾位，而——」

「請等一下，」杜夫打岔道：「我對這個房間兩旁住的人很感興趣，肯特先生告訴我說，二十七號房住的是史派色太太。勞夫頓博士，史派色太太如果在的話，你可以帶她來這裡嗎？」

勞夫頓出去了，杜夫走向床邊，用被單將死者的臉蓋上。從床邊回過身來，只見勞夫頓又進來了，身邊還陪著一位三十歲左右的女人，衣著方面很有一套。她以前無疑是個美女，不過從倦怠的雙眼以及唇邊加深的紋路看來，繁華已然逝去。

「這位是史派色太太，」勞夫頓介紹道：「這位是蘇格蘭警場的杜夫探長。」

女人注視著杜夫，突然產生了興趣。「你為什麼找我談？」她問。

「我想，妳知道今早這裡發生了什麼事吧？」

「我什麼都不知道。早餐我是在房裡吃的，直到現在才出了房門。當然啦，這裡人聲嘈雜我是聽到了。」

「住這裡的先生昨晚被人殺了。」杜夫簡單扼要的說，一面觀察著她的臉，女人的臉色變白了。

「謀殺?」她失聲叫道，身體輕微搖晃起來。哈雷趕緊送一張椅子靠到她背後。

「謝謝你，」她機械式的點點頭。「你是指德瑞克先生，那位可憐的老好人?他人那麼好，怎麼會……這太可怕了。」

「是很不幸，」杜夫首肯道。「妳的房間和這裡只相隔一道薄薄的門，那道門一直都鎖上嗎?」

「那當然。」

「兩邊都栓住了?」

女人的眼睛半瞇起來。「這邊這一側我不知道，我那邊是栓上的。」杜夫話語中的機關落了空。

「夜裡頭妳有沒有聽到什麼異常的聲音，像是掙扎、喊叫之類的?」

「我沒聽到雜音。」

「那就奇怪了。」

「有什麼好奇怪的?我一向睡得很熟。」

「這麼說，命案發生時，妳可能已經睡著了?」

女人遲疑了一下。「長官，你問得很有技巧，對吧？我當然不知道命案是什麼時候發生的。」

「噢，不，妳怎麼會知道？我們認為那時大約是凌晨四點。在過去二十四時內，妳有沒有聽到有人在這房間裡講話？」

「我想想看。昨晚我去戲院——」

「一個人嗎？」

「不是，跟史都華．費維安先生一起，他也是我們一行的成員。當我十二點左右回來時，一切都很平靜。不過昨天傍晚我是聽到有人在這裡講話，我正要換衣服下去吃晚餐，話講得很大聲。」

「哦？」

「其實幾乎是到了爭吵的地步。」

「一共幾個人在講話？」

「只有兩個，都是男的，德瑞克先生還有——」她停了下來。

「另一個人的聲音妳認得？」

「我認得，他的聲音很獨特，我指的是勞夫頓博士。」

杜夫立刻轉向旅行團領隊。「昨天傍晚吃飯前，你在這個房間跟死者有過爭吵？」他斷然問道，勞夫頓博士的臉色變得很難堪。

「不是那樣，我不會說是爭吵，」他否認道。「我來告訴他今天行程的安排，他劈頭就批評起團裡頭的人事。他說團裡面有一些成員，和他當初預期的不太一樣。」

「也難怪他那麼說。」史派色太太插嘴說。

「當然啦，我這個人是很愛面子的，這樣的批評我聽了很不習慣。」勞夫頓接著說：「是沒錯，今年因為美國景氣不好，我被迫接納了兩三位通常不予考慮的團員。但是不管他們生活背景為何，肯定都沒有問題。我不滿德瑞克先生的講法，因此交談稍微升溫了。但是這樣的誤會根本不會導致……」他額頭往床上一點，「這樣的情況。」

杜夫轉向那個女人。「談話的內容妳沒有聽見？」

「沒有，我聽不清楚說了些什麼。當然我沒有特別去聽，只知道氣氛有點僵。」

「妳府上哪裡呢，史派色太太？」杜夫問。

「舊金山，我丈夫是做仲介生意的，他太忙了，這一趟沒辦法陪我。」

「妳是第一次出國嗎？」

「噢，那倒不是，我出國好幾次了。事實上，我環遊過世界兩次。」

「真的嗎？你們美國人真是天生的旅行家。我已經要求參加勞夫頓博士此行的成員馬上到樓下開個會，能麻煩妳也參加嗎？」

「沒問題，我立刻下去。」說完她就走了。

採指紋的人走過來，將綑行李的皮帶交給杜夫看。「杜夫先生，這上面什麼都沒有。」那人說：「我猜是行兇過後把它擦乾淨，拿的時候還隔著手套。」

杜夫拿著那條皮帶。「勞夫頓博士，你注意到團員裡頭誰有這條皮帶嗎？這似乎——」他停了下來，對方臉上的反應令他訝異。

「這就怪了，我有件老式的旅行箱就是用一模一樣的皮帶綑起來的。那皮帶是還沒離開紐約之前買的。」

「請你去拿來好嗎？」探員提議道。

「可以呀！」博士首肯，隨即離開。

飯店老總走上前來。「我去看一下那名警衛是否準備好了。」他說。

他走後，杜夫看了哈雷一眼。「咱們這位領隊似乎踩進了深水區裡。」他說。

「他手上戴著手錶。」哈雷說。

「我也注意到了。他是一直戴著那支錶呢，還是另有一支懷錶，連著白金錶鏈的懷錶？這真是胡扯，果真如此的話，他將會一無所有，畢生的事業毀於一旦。要說不在場證明的話，這倒是很好的一個理由。」

「除非他在精打細算後，想調整自己的事業。」哈雷推測道。

「對。那樣的話，他對這整件事自然產生的難堪反應，就是個很好的偽裝。話又說回來，他幹嘛要提到他也有一模一樣的皮帶……」

勞夫頓回來了，人似乎有點懊惱。「很抱歉，警官，我那條皮帶不見了。」

「哦？那這條有可能是你的。」杜夫把皮帶拿給他。

博士仔細看了一遍，「我也這樣認為！」

「你最後一次看到它是什麼時候？」

「星期一晚上，當我卸下行李的時候。我把行李箱放進衣櫥裡，之後就沒再動過。」

他眼露懇求的看著杜夫，「有人想嫁禍給我。」

「想必如此。你的房間有誰去過？」

「每一位團員都去過。他們進進出出的，詢問行程的各項問題。我並不認為哪個團員涉入本案，過去這五天來，全倫敦的人都大可進來我的房間，你們也知道，打掃房間的女傭要求我們外出時別把門鎖上。」

杜夫點點頭。「請不要沮喪，勞夫頓博士。我不相信你會傻到用那麼容易認出來的皮帶把人勒死。這點我們先按下，現在請告訴我，那個房間裡住的是誰？」他指著相隔一道門的另一個房間。「那間大概是二十九號房吧？」

「那間住的也是我們的團員，紐約的華特．哈尼伍先生，家財萬貫，人非常好。」

「他在的話，請帶他來這裡好嗎？然後你繼續去集合團員吧。」

博士走後，杜夫起身去試德瑞克這房間通往二十九號房的門。門的這一側鎖住了。

「那條皮帶可惜了，」哈雷輕輕的說：「我想它讓勞夫頓博士置身事外。」

「好像吧，」杜夫同意道：「除非那個人有那麼狡猾——這是我的皮帶——我當然不會用它來殺人——它是在我衣櫥裡被偷的——不會的，一般人不會狡猾成那樣。不幸的是，我覺得不能把這位領隊當心腹，而在破案之前，我們會需要一名團員當心腹。」

一名高大英俊的男子站在門口正要進來，年齡看起來快四十了。「我是來自紐約的華特．哈尼伍，」他說：「發生了那麼不幸的事，我感到很難過。我是住二十九號房。」

「請進，哈尼伍先生，」杜夫說：「看來你已經知道發生什麼事了。」

「是的，吃早飯的時候聽說了。」

「請坐吧。」紐約客如囑坐下，以那樣的年齡而言，他的氣色感覺上紅潤了點，頭髮卻漸漸灰白了。他看起來是那種年齡不大，卻吃苦耐勞過的人。杜夫聯想到史派色太太——嘴唇邊線條明顯的紋路，倦怠的雙眼，卻不時流露出老於世故的光芒。

「你一直到吃早餐才得知這件事，之前一無所知？」偵探問道。

「一無所知。」

「這很怪吧？」

「你這話什麼意思？」哈尼伍的臉上掠過警戒的表情。

「我的意思是命案就發生在隔壁，這你也知道。你卻沒有聽到什麼喊叫或掙扎？」

「什麼都沒有，我睡覺的時候什麼都聽不見。」

「如此說來，命案發生的時候，你正在睡覺？」

「完全正確。」

「那樣的話，你知道命案發生的時刻囉？」

「嗄，噢，不，當然不。我只是推測說，當時我一定睡著了，否則我一定會聽到。」

杜夫露出笑容。「原來如此。請問一下，你房間和這裡相隔的門一向是鎖上的嗎？」

「噢，是的。」

「兩邊都鎖上了？」

「沒錯。」

杜夫的眉毛揚了揚。「你怎麼知道這邊的上了鎖？」

「噢，昨天早上我聽到這層樓的服務生想要叫醒這位老先生，我於是把我那邊的鎖打開，以為這樣能進來這裡，但是他這邊也鎖上了。」

哈尼伍老江湖的模樣消失了，額頭開始冒汗，臉色變得慘白。杜夫甚感好奇的看著對方。

「我好像在哪裡聽過你的名字。」

「大概吧。我在紐約是戲劇製作人，在倫敦也從事了一點這樣的工作。你想必也聽過我太太的名字──女演員西碧兒．康威，她是在你們這裡崛起的。」

「噢，我聽過。她也跟你一道嗎？」

「沒有。兩個月前我們起了小小的爭執，她離開我跑去聖雷蒙，那地方在義大利的里維耶拉，她現在人在那裡。我們這一趟會去那邊，希望能見到她，化解彼此的衝突，說服她在此後的行程跟我環遊世界。」

「原來如此。」杜夫點點頭。紐約客拿出一根香菸，正要用打火機去點。他的手抖得很厲害，猛一抬頭，發現杜夫正注視著他。

「這件事讓我非常震撼，」他解釋說：「我在船上認識了德瑞克先生，很喜歡他這個人，還有就是，我的健康情形也不太好，這是我為什麼出來旅行的原因。我太太離開後，我的精神崩潰了，醫生建議出來旅遊。」

「很遺憾你的健康不佳，但這有點古怪吧，哈尼伍先生？一個精神那麼緊張的人竟能夠睡得那麼熟。」

哈尼伍吃了一驚。「我，呃，睡眠方面從來不是問題。」他回答道。

「那你真幸運，」杜夫對他說。「我等一下要在樓下會見旅行團的所有成員。」探員再度把這件事說明了一遍，要這位紐約客到樓下等。哈尼伍走出聽覺範圍後，杜夫轉向哈雷。

「你看法如何，哈雷？」他問。

「好像挺膽戰心驚的，對吧？」

「我沒見過情況比他更糟的人，」杜夫同意道：「他知道的比講出來的多，而且還倉惶失措的——但真該死，這又不能當作證據。慢慢來吧，老哈，我們要放慢一點，但是絕不能忘掉哈尼伍。命案發生的時候他知道，那道門兩邊上鎖的事他也知道。他曾經精神崩潰過——我們得承認他看起來是那樣，但是他卻睡得跟嬰兒一樣熟。沒錯，我們必須注意這位哈尼伍先生。」

肯特又進來了，這回還陪伴著一位老僕役，看上去是個很勸勉的人。

「這位是伊班，我們的夜間警衛，」老總介紹道：「你想聽聽他看到的事情了嗎，警官？」

「現在就聽，」杜夫回答，「你要告訴我們什麼呢，伊班？」

「是這樣的，先生，」老頭說：「我每個整點鐘響的時候會巡邏一次這整幢旅館，昨晚兩點左右當我來到這層樓，看到一位先生站在其中一個房間的門口。」

「是哪個房間？」

「我有點眼花，先生，但我想是二十七號房。」

「二十七號，那是史派色那個女人的房間。請接著講。」

「嗯，先生，當他聽到我的聲音時，立刻轉身走到我所在的樓梯口，說道：『晚安，我恐怕走錯樓了，我的房間在樓下。』他看起來是位紳士，是住店的客人，所以我讓他過去了。也許我應該詢問他一下的，先生，但是我們勃倫飯店從未對客人失禮過，直到現在都是如此，因此我未予考慮。」

「你看見了他的臉嗎？」

「看得很清楚，先生，走廊上有燈，假如他還在的話，我可以認出他來。」

「好極了。」杜夫站起來，「我們立刻帶你去看一下勞夫頓旅行團的成員。」

「請等一下，先生。我還見到了另一件事。」

「哦？什麼事？」

「我凌晨四點再巡視這層樓的時候，燈卻不亮了，走廊烏漆抹黑的。我心裡想，大概燈泡燒壞了，於是想把手電筒拿出來。就當我把手伸進口袋的時候，突然意識到有人站在我旁邊，先生，夜裡頭靜悄悄的，我能夠感覺到他的呼吸，氣息很深。我拿出手電筒，扭亮燈光，看到那個人身上穿著灰色西裝，先生，然後手電筒就被敲掉了。我們就在樓梯口扭打起來，但是我已經不年輕了，他外套的口袋是被我糾住了——右邊的口袋。我拼命想抓住他，而他拼命想掙脫，隨即聽到衣服扯破的聲音。接著他打了我一拳，我倒下去，悶絕了兩秒，等恢復過來，他已經不見了。」

「但是你很確定他穿的是灰色西裝？而你扯破了他外套右邊的口袋？」

「那兩點我都很肯定，先生。」

「你想這個人跟凌晨兩點碰到的是不是同一個？」

「我無法肯定，後來這個似乎比較重一點。但那也可能是我的想像。」

「然後你怎麼做？」

「我到樓下，告訴夜間的門房，兩人一起徹徹底底的巡視了整幢旅館，並沒有驚動任何住店的客人，不過沒有找到任何人。我們也討論過報警——但是先生，這是一家聲譽卓著的飯店，似乎——」

「非常對。」飯店老總打岔道。

「似乎盡可能不讓報社的人知道，這樣最好。」警衛繼續說：「所以我們沒有進一步的動作，但是肯特先生今早到達的時候，我當然兩件事都向他報告了。」

「伊班，你在勃倫飯店服務很久了嗎？」杜夫問。

「前後四十八年了，先生。我剛來的時候還是個孩子，才十四歲。」

「真是了不起，」當偵探的說：「請你到肯特先生辦公室等我好嗎？待會兒還需要你幫忙。」

「我很樂意，先生。」警衛回答道，隨後離開。

杜夫轉向哈雷。「我要下樓去會見那個環遊世界旅行團，」他說：「不介意的話，老哈，當我跟那些人會談的時候，你或許可以帶幾個局裡的人，去看一下他們的房間。肯特先生想必很樂意帶你們去。」

「我很不願這樣做，」肯特不悅的說：「但是如若必須如此的話……」

「恐怕必須如此。一條扯斷的錶鏈，一件右邊口袋被撕裂的灰色西裝——光這樣案子很難破，哈雷，但是我們當然不敢有任何輕忽。」他轉向正在採指紋以及攝影的兩個人。「你們弄完了嗎？」

「快了，長官。」採指紋的答道。

「你們兩個在這裡等我，把東西收拾收拾。」杜夫吩咐道。他和哈雷、肯特出去到外面走廊，然後站住，四下看了一下。「這條走廊只有四個房間，」他說：「二十七、二十八和二十九號房，住的人分別是史派色太太、可憐的德瑞克和哈尼伍。此外是第三十號房，你能告訴我誰住那裡嗎？哈尼伍隔壁那間？」

「那裡住的是一位派屈克·泰特先生，也是勞夫頓旅行團的一員，年約六十歲，儀表堂堂——就一個美國人來說。」肯特回答道：「他是美國的刑事訴訟律師，我想很出名。不幸他的心臟衰弱，隨行有一個人陪同——一個二十出頭的年輕人。你下樓一定可以見到泰特先生，還有他的同伴。」

杜夫獨自下去一樓，勞夫頓博士正在一個房間門口焦慮的走來走去。杜夫瞥見門內華麗但已褪色的地毯上，一小群人在等著。

「噢，杜夫探長，」博士迎接他道：「我沒能找齊全部的人，還有五、六個人沒來，不過已經快十點了，他們應該很快就會進來。噢，又來了一位。」

一名肥胖但架勢十足的男人從克拉吉街的飯店門口進來，沿著走廊走來。他那白得出奇的銀髮使他顯得格外突出——就美國人來說是如此。

「泰特先生，」勞夫頓開口道：「為你介紹一下，這位是蘇格蘭警場的杜夫探長。」

老人伸出手來。「你好嗎，警官。」他的聲音很宏亮，「我該沒聽錯吧，這裡發生了命案嗎？真沒想到，太令人難以置信了。誰？我可以請教一下嗎——是誰被殺死了？」

「先進去吧，泰特先生，」杜夫回答道：「等一下你就全知道了。這是件很令人遺憾的事。」

「說得也是，」泰特轉身穩穩的跨過了門檻。他佇足看了一下裡頭的人，之後低低哼了一聲，撲倒在地上。

杜夫是頭一個上前的人，他將老人翻過身來，關切的注視著老人的臉。老人的臉跟二十八房的死者一樣的蒼白。

【第四章】杜夫忽略了一個線索

緊接著杜夫身邊出現了一位年輕人，英俊的臉上有率真的雙眼，此刻卻有點震驚，他從瓶子裡倒出一粒珍珠般小小的物體，放在手帕裡壓碎，然後放在派屈克．泰特先生的鼻下。

「這是亞硝酸醚，」他解釋道，眼睛看了杜夫一下。「我想會讓他很快就能恢復過來，他交代我萬一發生這種情況時必須這樣處理。」

「喔，你是陪泰特先生出來旅遊的嗎？」

「是的，我叫馬克．甘乃威，泰特先生因為有這種毛病，所以雇用我來陪他走這一趟。」

未幾，地板上的人動了一下，張開了眼睛。他的氣息很沈重，臉色比頭髮的顏色還要白。

杜夫看到對面牆上有一道門，走過去，發現裡面是個小房間，有一張寬敞舒適的臥榻。「甘乃威先生，你最好扶他來這裡，」他說：「他還太虛弱，不能夠上樓。」年輕人二話不說，攙住老人的手臂，扶進去臥榻上躺。「你在這裡陪他，」杜夫說：「我等一下再來跟你們談。」他回到大房間，將背後的門帶上。

他站立片刻，四顧著勃倫飯店這間大會客室，原設計者室內裝潢的主題是一大片紅地毯以及胡桃木家具，經歷了那麼多年仍完好無損。此外還有個書架，上面擱了幾本書，桌上擺了一疊本地的報紙，牆上貼著業已發黃的運動海報。

那群穿著時髦的人現在都已在這陳腐的房間就座，正一臉嚴肅的看著杜夫探長，而杜夫則覺得他們有些焦慮。在戶外，太陽終於穿透了晨霧，一道強烈的日光從多格玻璃窗射進來，照亮了那一張張臉。那一張張臉，正是杜夫未來好一段長時間要好好研究的對象。

他轉向勞夫頓。「還有好幾名團員缺席是嗎？」

「是的，有五個人。這並不包括小房間裡的兩個，噢，對，以及波特太太。」

「沒關係，」杜夫聳聳肩，「我們可以開始了。」他拉了張小桌子到房間中央，坐在旁邊拿出記事本來。「在場的各位都知道發生了什麼事吧，我是指德瑞克先生昨晚被人殺死在第二十八號客房內。」沒有人吭聲，杜夫於是接下去講，「請容我自我介紹一下：我是蘇格蘭警場的杜夫探長，首先我要講的是，各位在場者，還有其他同屬這一團體的成員，從現在起都必須留在勃倫飯店裡，直到蘇格蘭警場解除限制為止。」

一位戴金邊眼鏡的小個子男人立刻跳起來。「你聽我說，先生，」他高聲說道：「我要立刻脫離這個團體，我很不習慣跟命案扯在一起，像我老家麻州的匹茲菲德──」

「是，謝謝你。」杜夫冷冷的說：「我幾乎不知道從何開始，那就你先來好了。」他拿出鋼筆。「請問貴姓？」

「我叫諾曼．芬維克。」但是他唸做芬「尼」克。

「請你把姓氏拼一遍。」

「芬──維──克。你知道，這是個英國姓。」

「你是英國人嗎？」

「英國後裔。我的祖先於一六五〇年遷到麻薩諸塞州，在大革命的時候他們全部效忠祖國。」

「那可是很久以前的事了，」杜夫苦笑道：「不太能融入現在的時空環境。」他看著這位極力想討好英國人的小個子，心中有點厭惡。「你這趟旅遊是一個人嗎？」

「噢，不是。我跟我妹妹一起。」他指著一位面無血色、灰頭髮的女人：「她叫蘿拉．芬維克。」

杜夫又記了下來。「現在請告訴我，昨晚發生的那件事，你們兩位知情嗎？」

芬維克先生怫然道：「你這話什麼意思？」

「好了，好了，」杜夫分辯道：「我在這裡很忙，時間浪費不起。你們有沒有聽到、看到乃至察覺到跟這宗命案有關的任何事情？」

「沒有，警官。這我可以替我妹妹答覆。」

「你們今天早上有離開這間飯店嗎？喔，有。去了哪裡？」

「我們去西區逛了一趟，想最後再看一眼倫敦，我們很喜歡這個城市。這是很自然的，因為我們都是英國後裔。」

「是、是。對不起。我必須再進一步——」

「請稍等一下，警官。我們很想立刻脫離這個團體。我是說立刻。我們不想跟……」

「我已經告訴你們什麼是必須做的了。那件事情非常明確。」

「那太好了，先生。我們會去找我們的大使，他是我叔叔的老朋友。」

「儘管去找好了。」杜夫叱道。「下一位是誰？噢，潘蜜拉小姐，我們已經談過了。還有史派色太太，我們剛剛也見過，妳旁邊的這位先生……」

那人自行作答。「我叫史都華．費維安，來自加州的戴蒙特。」他的皮膚曬得頗黑，身材很瘦，若非右額頭有道深刻的疤痕，五官還挺英俊的。「我與芬維克先生深有同感，我們為何要因為這件事受到限制呢？以我來說，死者跟我素不相識，我甚至沒跟他講過話，這房間裡其他的人我也不認得。」

「有一個人是例外。」杜夫提醒他道。

「噢，是，有一個人是例外。」

「你昨晚帶史派色太太到歌劇院看歌劇是嗎？」

「是的。我們還沒來這趟前就認識了。」

「你們是相約來旅行的嗎？」

「你問得太莫名其妙了！」女人發作道。

「你這不是問過頭了嗎？」費維安發怒的質問道。「是很巧合，我跟史派色太太已經一年沒見面了，當我抵達紐約，發現她也是旅行團一員時，你知道我有多驚訝嗎。如果這樣我們就不能往來，當然沒那個道理。」

「那當然，」杜夫語氣和緩的說：「德瑞克先生被人殺害的事，你一無所知？」

「我怎麼會知道？」

「你今早有沒有離開過這家飯店？」

「當然有。我去逛了一下，想在伯靈頓拱廊商店街買幾件襯衫。」

「還買了別的嗎？」

「沒有。」

「你是從事哪一行的，費維安先生？」

「沒有。偶爾打打馬球。」

「你額頭那道疤，無疑是打馬球時留下來的？」

「是沒錯，幾年前狠狠的摔了一跤。」

杜夫環顧了一下。「哈尼伍先生，再問你一個問題。」

哈尼伍取下嘴邊的香菸，手顫抖著。「什麼事，杜夫警官？」

「你今早有外出嗎？」

「噢，我，嗯——沒有。早餐過後我就進來這裡，看了幾份舊的《紐約論壇報》。」

「謝謝你，旁邊那位先生呢？」杜夫看著那位中年人，鷹鉤鼻長長的，眼睛卻意外的小，衣服的料子雖然也不錯，情況看起來很過得去，但跟這夥人在一起卻總覺得有點不搭。

「我是隆納德．基恩上尉。」他說。

「在部隊服務過嗎？」杜夫問。

「噢，是……」

「我知道基恩先生是陸軍的，」潘蜜拉．波特打岔道，她看了杜夫一眼。「他告訴我他以前在英國陸軍待過，曾經跟軍隊去過印度和南非。」

杜夫轉向基恩上尉。「這是真的嗎？」

「這個……」基恩遲疑了一下。「那並不是真相。我可能是……浪漫了一點。你知道，搭船來這一趟，路上又有位漂亮的女孩……」

「我明白，」當偵探的點了點頭。「在那種情況下一個人只是想讓人印象深刻，跟事情的真相無關。很多人都這麼幹過。基恩上尉，你在部隊裡待過嗎？」

基恩再度遲疑了起來，蘇格蘭警場若要查明真相，距離檔案太近了，還是別撒謊為妙。

「很抱歉，」他說：「我……上尉這頭銜挺神氣的，其實我並不是。」

「你是做什麼工作的？」

「目前沒有。以前是個……機械技師。」

「你為什麼會參加這次旅行？」

「噢，當然是為了觀光嘛。」

「我相信此行並沒讓你失望。昨晚上的事，你知道案情嗎？」

「我毫不知情。」

「我猜你今早也出去逛了一下吧？」

「是的，我去美國運通辦事處兌現一張支票。」

「你不是只帶旅行支票嗎？」勞夫頓博士打岔道，他的生意頭腦又復活了。

「我另外帶了幾張別的支票，」基恩回答道：「這樣有違法嗎？」

「我們合約上有提到——」勞夫頓正要開始，但是杜夫插嘴打斷他的話。

「現在只剩下坐在角落的那位先生，」杜夫說道。他朝那位身穿斜紋軟呢西裝的高個子男士一點，這位團員拿著一根分量不輕的手杖，一隻腳僵直的挺在前面。「先生，請問你貴姓？」

「約翰．羅斯，」那人說：「我來自華盛頓州的塔科瑪，從事伐木業。這次的旅遊我盼望了好多年，做夢也沒想到會發生這種事。我的過往就像一本攤開的書，警官，你想聽的話，隨便挑哪一頁我都會大聲的唸給你聽。」

「你有蘇格蘭血統，對吧？」杜夫問。

「我的口音還那麼明顯嗎？」羅斯笑笑。「按理說不會，天曉得我已經在美國住那麼久了。我發現你在看我的腳，既然大家都把額頭上的疤和心臟衰弱的毛病解釋過了，那我告訴你吧，幾個月前我在紅杉樹林裡出了事，我太愚蠢了，竟然讓一棵樹倒下來壓住了右腿。骨頭斷掉好幾塊，他們已經盡量幫我縫了。」

「真可憐。你知道這件命案相關案情嗎？」

「一無所知，警官。很抱歉我幫不上忙。德瑞克這位老先生人很好，我在船上跟他處得很熟，我們兩個人胃口都不錯。我很喜歡他這個人。」

「我猜你也一樣——」

羅斯點點頭。「是的，我今早出去走了一趟。到處都是霧。你們這個城市挺有趣的，警官。你也應該到太平洋沿岸走走。」

「但願能把太平洋沿岸搬來這裡，」杜夫回答道：「尤其是那裡的氣候。」

羅斯深感興趣的坐直了起來。「你去過那裡嗎，警官？」

「幾年之前，去沒多久。」

「你對我們那裡的人有什麼看法？」伐木人追問道。

杜夫笑了起來，頭搖一搖。「改天再問我吧，」他說：「我現在有急迫的事情要處理。」他站起來。「請大家在這裡稍等一下。」隨即走了出去。

芬維克走到勞夫頓博士身邊。「你聽好，你必須把費用退還我們。」他開口道，灼灼的目光從鏡片後面穿透過來。

「那你為什麼語焉不詳的說你找錯了房間？」杜夫問道。

「對飯店的服務人員，我是不會講什麼我想找本書看的，他不會感興趣。我只是把我第一個想到的話講出來。」

「我看你是有這種習慣。」杜夫應道，他注視著基恩半晌。那是張猥瑣的臉，總覺得他對這樣的嘴臉並不會有多大顧惜，但是他必須承認這個解釋聽起來夠合理了。不過他還是決定要盯住這個人，一個狡猾機警又不說真話的人。

「很好，」杜夫說：「謝謝你，伊班，你可以走了。」他想到哈雷還在樓上搜來搜去。「各位先在這裡等一下，等我說可以離開了，大家再離開。」他也不理會群起的抗議，逕自走到小房間去。

他把連接兩個房間的門關上後，看到派屈克．泰特正直挺挺的坐在臥榻上，手上還拿了杯飲料，甘乃威在一旁細心看護著。

「噢，泰特先生，你好起來了，」杜夫說：「這真是太好了。」

老人點點頭。「還好，」他說：「沒什麼事。」原先宏亮的聲音現在變成虛弱的喃喃自語了。「我有這種毛病在身，所以要這位年輕人陪著我。我相信他會很細心照料我的。剛剛可能太興奮了點，你知道，謀殺案——我幾乎沒期待過。」

「嗯，可不是嘛！」杜夫也坐了下來。「先生，如果你現在已經好多了——」

「先等一下，」泰特伸手阻止道：「我想你不會介意我如此好奇吧，杜夫先生，只是我還不知道是誰遇害了。」

偵探搜尋著對方的臉。「你確信自己禁得起——」

「胡說，」泰特說：「不管怎樣我都沒關係啦，這件不幸的事到底發生在誰身上？」

「是底特律的休・摩里斯・德瑞克先生。」杜夫說。

泰特頭垂下來，靜默了半晌。「我認識他很多年了，接觸得很少，」末了他說：「杜夫先生，他是個很有操守的人，慈悲為懷。怎麼會有人要殺掉他呢？你碰到的問題很有名堂。」

「而且很困難，」杜夫接著說：「我想要跟你討論討論。我記得你住的是三十號房，很靠近這案件發生的地方，昨晚你幾點就寢呢？」

泰特看了看身旁的年輕人。「是十二點吧，馬克？」

甘乃威點點頭。「大約十二點稍過一會吧。是這樣的，長官，我每晚到泰特先生的房間唸書給他聽，讓他入睡。昨晚我是十點開始讀的，十二點過幾分的時候他就睡著了，我於是離開，回我二樓的房間。」

「你多半都讀些什麼？」杜夫好奇的問。

「推理小說。」甘乃威笑道。

「唸推理小說給一個心臟不好的人聽？我以為這會刺激——」

「少來了，」泰特打岔道：「那種書裡頭的刺激才一點點。我在家鄉幹了好多年刑事律師，談起謀殺這兩個字——」他忽然停了下來。

「你是想說，」杜夫慢條斯理的說：「謀殺這個主題，依你看，並不算什麼刺激。」

「是又怎樣？」泰特虛火上升。

「我只是感到奇怪，」杜夫接下去說：「為什麼今早這宗謀案會造成你的病症嚴重發作？」

「這個嘛，親身經歷和紙上談兵大不相同，甚至跟法庭上辯論的也不一樣。」

「不錯，那倒是！」杜夫同意道。他沈默下來，手指頭在座椅的扶手上彈來彈去，忽然他轉過頭，用機關槍似又快又準的問題向這位律師開火。

「你昨晚沒聽到三樓的任何動靜？」

「沒有。」

「沒有人呼叫、喊救命？」

「真的沒有。」

「沒有一個突然遭到攻擊的老人在呼喊？」

「警官，我告訴過你了——」

「問問題的人是我，泰特先生。我在樓下走廊遇見你，你看起來氣色好得很。你聽到了發生命案的流言，卻不知道死者是誰。你步伐穩穩的踏進會客室的大門，看了一下裡頭的人，然後就倒在地上，好像遭到致命的打擊。」

「我心臟每次發作的時候就像這——」

「哦，是嗎？還是你看到房間裡的哪個人——」

「不！不是！」

「應該是哪張臉讓你——」

「我告訴你不是！」

老人眼中噴出火焰，拿杯子的手顫抖起來。甘乃威趨近前來。

「對不起，長官，」他鎮定的說：「你問得太超過了，泰特先生有病在身。」

「我知道，」杜夫緩緩的同意道：「很抱歉，我錯了，應該道歉。我竟然忘了，你看——光顧著自己的工作，把什麼都忘了。」他站起來。「不過呢，泰特先生，我還是認為你先前站在門口時，很震驚的突然發現了什麼，我打算把那個查出來。」

「你愛怎麼想都隨你。」老人回答道。杜夫出去時，心中還留著這位刑事大律師的印象：臉色蒼白，氣息沈重，坐在維多利亞式的沙發上，對蘇格蘭警場充滿了鄙夷。

哈雷已經在大廳裡等候了。「旅行團每一位男士的房間都找過了，」他報告道：「沒有扯斷的錶鍊，沒有口袋被撕破的西裝。什麼都沒找到。」

「當然找不到，」杜夫回答道：「事實是今早每一個男性團員都出過門，犯罪證據自然都帶出去了。」

「我現在必須回藤蔓街警局，」哈雷接著說：「你忙完後會去找我吧，老杜？」

杜夫點點頭。「你先走吧。那個街頭音樂家在彈奏什麼啊？〈長路漫漫〉？真的咧，哈雷，這案子還真見鬼的長路漫漫。」

「就怕是那樣，」哈雷回答道。「回頭局裡見。」

杜夫回過頭時，原本皺著的眉頭不見了。潘蜜拉．波特在門口向他招手。他立刻走過去。

「長官，」她說：「我在想，你現在如果要見我母親的話，我可以帶你去找她。」

「好啊，」杜夫說：「我馬上跟妳上樓去。」他走進會客室，最後一次叮嚀此刻不得離開勃倫飯店，便解散了那群人。「另外那五個團員我也要見到。」他對勞夫頓說。

「那當然。他們一進來，我就通知你。」勞夫頓首肯道。他往大廳走去，芬維克還跟過去嘮叨。

到了套房門口，杜夫等女孩進去，聽到她們母女在房裡短暫討論了幾句。潘蜜拉回到門口，請杜夫進去。

他發現起居室的布幔全拉了下來，慢慢適應裡頭的晦暗後，才注意到角落暗處的躺椅上有個女人。他走近了些。

「媽，這位是杜夫探長。」潘蜜拉．波特說。

「噢，是。」女人低聲的應道。

「我沒有離開過艙房，」女人說：「潘蜜拉倒是四處去逛，每當她應該來陪我的時候，卻總是跟雜七雜八的人聊個不停。」

杜夫拿出一小條斷掉的錶鏈，末端還連著一根鑰匙，遞給女兒。「妳跟人交談的時候，有沒有注意到這錶鏈在誰身上？」

女孩注視了一番，搖搖頭。「沒有。誰會去注意別人的錶鏈？」

「這根鑰匙也沒有印象？」

「非常抱歉，沒有。」

「給妳母親看一下。波特太太，妳見過這錶鏈或鑰匙嗎？」

婦人聳了聳肩。「不，我沒見過。世界上到處都是鑰匙，你這樣查不出名堂的。」

杜夫把東西放回口袋，站了起來。「我想就這樣吧！」他說。

「說真的，整件事一點意義也沒有，根本毫無道理。」婦人埋怨道：「我希望你能查出真相來，但我不相信你辦得到。」

「我無論如何要試試。」杜夫向她擔保說。出去之後，他知道自己碰到了一位空無一物的女人。女孩也跟他進入走廊。

「我以為你若是來見一下我母親會比較好，」她說：「這樣你或許會明白為什麼我們家的發言人會是我，甚至可說是由我來做主，假如你要這樣想的話。我媽媽一向不夠堅強。」

「我了解，」杜夫回答道：「我盡量不再來打擾她。潘蜜拉小姐，這案子就妳跟我接觸了。」

「都是為了我外祖父。」她鄭重的點頭。

杜夫回到二十八號客房，他那兩名助理已經把東西收拾好，正在等著。

「都弄完了，杜夫先生，」採指紋的說：「收穫恐怕非常少。不過，這個很奇怪。」

他把死者的助聽器拿給杜夫。

杜夫接在手裡。「這個有什麼毛病？」

「上面沒有半點指紋，」另一名助理說：「就連床上死者的指紋也沒有，擦得乾乾淨淨。」

杜夫瞪著那個小儀器。「擦得乾乾淨淨？這就怪了。假如這位老先生和他的助聽器原先是在飯店的某一處——假設他在那裡遇害，再被搬回這裡，連助聽器也一起帶了回來……」

「長官，你講的我聽不懂。」助理說。

杜夫笑了笑。「我只是自言自語而已。好了吧，小伙子，我們得走了。」他把助聽器放回桌上。

雖然杜夫只把鑰匙納入懸疑線索，並沒有懷疑到助聽器上頭，然而休．摩里斯．德瑞克卻是因為耳聾而死在勃倫飯店的。

【第五章】在蒙尼卡牛排館午餐

他們到了樓下，杜夫吩咐兩名助理立刻把蒐證的資料送回局裡，再讓司機開回綠色的小汽車在勃倫飯店等他。他在飯店內的走廊逛了一圈，遇到了勞夫頓，他老兄還是一副憂心忡忡的樣子。

「另外那五名團員回來了，」博士說：「我請他們到剛剛那間會客室等你，他們相當浮躁，希望你現在就去見他們。」

「那我們走吧！」杜夫體諒的說，隨即跟勞夫頓一起進去那間會客室。

「各位都知道這裡發生了什麼事，」領隊對團員說：「這位是蘇格蘭警場的杜夫探長，他想跟大家談談。杜夫先生，這是艾馬．班勃伉儷、麥司．米欽伉儷，還有拉提摩．露絲太太。」

杜夫端詳著這批奇異的組合。這些老美真是有趣，他想道，種族、社會階層和生活態度都不同，卻會在一起旅行，還維持著表面上的和諧。嗯，眼前正好是族群的融合。他正要伸手去拿記事本，那位叫艾馬．班勃的人卻忽然走上前來，熱情的握著他的手。

「幸會呀，警官，」他大聲說道：「哇，等我們回亞克朗時，這件事可有得聊了，半路上居然發生了謀殺案，還有蘇格蘭警場等等的——就像在你們英國的推理小說看到的一樣！我看過很多那樣的推理小說，雖然我太太說看那個沒出息，可是每天晚上從工廠下班回家，累都累死了，我才不要看任何硬梆梆的東西——」

「哦？」杜夫打岔道：「你先停下來一下，班勃先生。」班勃停下來，滔滔不絕的話匣子一時止住了。他是個個性隨和的胖子，想法天真，沒有城府，是那種英國人觀念裡的典型美國人。他手中還拿了一具攝影機。「你老家是哪裡？」杜夫問。

「亞克朗。你聽過亞克朗吧，俄亥俄州的亞克朗？」

「現在聽過了，」杜夫笑道：「你是來旅遊的？」

「是啊。老唸著要出來玩，都已經唸了好幾年了。今年冬天生意不怎麼好，我合夥人對我說：『艾馬呀，你這五年老吵著要去環遊世界，幹嘛不花點老本錢去走一趟呢？反正這次華爾街股市大崩盤，你的損失也不大。』嗯，錢我是有，因為我又不搞投機。穩穩當當的投資，這是我的座右銘。我也不怕花點錢，因為我知道基礎穩的話，時間到了就會翻本。我預計一切恢復正常，哈定也會從俄亥俄州崛起——到時我們也差不多返回亞克朗了。比如說這個銀行重貼現率……」

杜夫看了一下手錶。「班勃先生，我找你們來，是想詢問你們知不知道二十八號房那不幸事件的相關案情？」

「你說對了，真的是不幸！」班勃回答道：「這位老先生人很好，是你會想要認識的那種，也是我們美國的一位大人物，跟所有出來玩的人一樣，很有錢，結果卻有人把他殺了。我告訴你吧，這對整個美國是一大打擊。」

「你對案情一無所知？」

「不是我幹的，假如這是你的意思的話。我們亞克朗生產很多輪胎，才不會把製造汽車的人殺了，他是我們最好的主顧。不知道，先生，這對我和奈蒂都是個謎。你看到我太太吧，這位就是。」

杜夫向班勃太太的方向行了個禮，她是個容貌漂亮、衣著華麗的女人，因為不用經營工廠，顯然比她丈夫更有時間講究生活的精緻。

「真是幸會！」杜夫說：「我猜你們出去倫敦街上逛了一圈？」

班勃把攝影機拿給他看。「這台舊機器挺好用的，我想多拍點影片，」他解釋說：「但是啊，外面霧太大了，不知道拍出來的效果怎樣。你可以說這是我的嗜好，等這一趟旅行結束回去，希望有足夠的影片放它個幾個月，騙騙那些來我家打橋牌的人，這樣我便滿足了。」

「所以你早上都在攝影？」

「那當然。太陽不久之前剛出來，我才真的進入狀況。後來奈蒂告訴我說：『艾馬，我們趕火車要遲到了。』我才停止拍攝。總之，我早上是出去拍風景了。」

杜夫坐著研究他那本筆記。「亞克朗好像靠近一個叫做什麼的地方，」他說，把記事本翻了翻。「接近俄亥俄州的坎東是吧？」

「這兩個地方只隔了幾英哩，」班勃回答道：「你知道吧，麥金萊是坎東人。我們一向稱俄亥俄是總統的故鄉。」（譯註：William McKinley 是美國第二十五任總統。）

「噢，是！」杜夫含糊的說。他轉向拉提摩．露絲太太，一個眼神銳利，看不出年紀，舉止頗有教養的老女人。「露絲太太，關於這件命案，妳有什麼線索可以告訴我嗎？」

「很抱歉，警官，」她回答說：「我沒有什麼能說的。」她的聲音低沈而悅耳。

「我一輩子都在旅行，但這件事還是頭一次碰到。」

「妳府上哪裡？」

「噢，加州的帕薩迪納——如果說有的話。我有間房子在那兒，可從沒待過一天。我一直出門在外，到了我這個年紀，這件事讓我好好想了一想。陌生的地方，陌生的臉孔。德瑞克的事讓我大吃一驚，他是個很好的人。」

「妳今早出門去了？」

「是的，我到柯松街跟一位老朋友共進早餐。她是位英國女人，二十年前我住上海的時候認識了她。」

杜夫看向麥司．米欽，眼中露出感興趣的意味。米欽是個黝黑、強壯的人，頭髮剪得短短的，下唇突出。他不像班勃見到從蘇格蘭警場來的人那麼的興奮，事實上，他一副愛理不理的樣子，甚至可說是帶有敵意。

「你府上哪裡呢，米欽先生？」杜夫問。

「你問這個跟案情有何關聯？」他反問道。他伸出毛茸茸的手去摸領帶夾，領帶夾上面有顆大鑽石。

「噢，你告訴他吧，麥司，」他太太說，她有一頭紅髮。「那又沒有什麼好丟人的。」她看向杜夫。「我們是芝加哥人。」

「好吧，是芝加哥，」她丈夫粗聲粗氣的說：「那又怎麼樣？」

「對這件命案，你們有沒有什麼事情要告訴我的？」

「我又不是警察，」麥司說：「我這樣子像嗎？你自己去查吧。至於我，沒什麼好講的。而我的律師，嗯，又不在這裡，我不想講。你懂我的意思嗎？」

杜夫看了勞夫頓博士一眼，他老兄今年的環遊世界之旅果真吸收了一些怪人。博士顯然覺得尷尬，眼睛看向他處。

米欽太太也顯得很不安的樣子。「好啦，麥司，」她不以為然的說：「你那麼彆扭幹嘛，又沒人懷疑你。」

「妳少管，」他老兄說：「這裡我來應付。」

「你今天早上去哪裡了?」杜夫問。

「買東西。」米欽簡答道。

「你看這顆鑽石,」她老婆伸出肥胖的手。「我在一家店的櫥窗看到了,對麥司說,你要我記得倫敦的話,那就是了。於是麥司就走進去。他就是愛花錢,你去問芝加哥那些小伙子。」

杜夫歎了一口氣,站了起來。「我不會耽誤你們太久!」他對那一小群人說。接著他又把誰都不得離開勃倫飯店的話講了一遍,讓那五個人離開。勞夫頓轉身面對著他。

「杜夫先生,結果你問出了什麼沒有?」他想知道,「我這次的行程當然都排好了,多耽擱一天,情況就會攪混在一起。船期的問題,這你知道,一路上的船期都排好了——那不勒斯、塞德港、加爾各答、新加坡等等的。你有沒有接獲上級授權你扣留哪幾名團員的訊息?有的話,留下他們,讓我們其他人離開。」

杜夫一向平靜的臉上困擾的皺著眉頭。「老實說好了,」他說:「我從來沒遇到這種情況,現階段我還無法確定未來要怎樣做,必須去跟上級商量。今早會有位驗屍官過來相驗,案子無疑會拖上一兩個禮拜。」

「一兩個禮拜！」勞夫頓失聲叫道，顯得很失望的樣子。

「我很抱歉。我會盡可能加快腳步，但是我可以告訴你，在破案之前，我很不希望看到你恢復行程。」

勞夫頓聳了聳肩，「我們再看看吧！」

「那當然！」杜夫回答道，兩人分手。馬克·甘乃威在走廊上等著。「能打擾一下嗎，警官？」兩人到附近的椅子坐下。

「你要告訴我什麼嗎？」偵探疲倦的問。

「是有一件事，可能與案情無關。昨晚我離開泰特先生要下二樓時，看到電梯對面有一個男人躲在陰暗處。」

「怎樣的男人？」

「噢，你別太驚訝。那不是別人，而是我們的朋友基恩上尉。」

「喔。他好像是想向你借本書？」

「也許吧。那個機械技師是很喜歡看書，我也發現過他在看書，但是他並沒有帶多少書。」

杜夫注視著甘乃威的臉，他相當喜歡這位年輕人。「請問一下，」他說：「你認識泰特先生多久了？」

「只是從出發旅行到現在而已。我去年六月剛從哈佛法學院畢業，司法界似乎沒有提供我們太多就業需要，一位朋友告訴了我這份工作，我想旅行，而且像泰特先生這樣的人似乎能給我一些法律上的指點。」

「你得到指點了嗎？」

「沒有，他不太講話。他需要細心照顧，假如像今早的病情再多發作個幾次，我看我得回波士頓了。」

「你今天是第一次碰到泰特先生心臟病發作嗎？」

「是的，到目前為止他似乎一直都很好。」

杜夫靠向椅背，把菸絲填進菸斗裡。「告訴我一下你對這群人的印象如何？」他提議道。

「噢，我想我的觀察力並不特別強，」甘乃威笑道：「在船上的時候是認識了其中幾位，這個旅行團的基本特色似乎是各種人都有。」

「說說基恩吧。」

「他是個愛吹牛的人，而且鬼鬼祟祟的。我不知道他哪來的錢，你知道，玩這一趟很貴的。」

「死者德瑞克在船上很露臉嗎？」

「十分的露臉。他這位老先生對誰都沒有惡意，也很喜歡跟人家來往，這對我們其他人來說就有點辛苦了。你知道吧，他的耳朵重聽，不過我以前在大學時代帶過團康，所以覺得還好。」

「你認為勞夫頓怎樣？」

「他這人有點疏遠，學識很豐富，本行的東西很懂，你應該聽聽他談倫敦塔的那段話。大部分時間他都記掛這個記掛那個，一副心不在焉的樣子。這也難怪，有這麼一團人需要照顧。」

「那哈尼伍呢？」杜夫點燃了菸斗。

「在船上沒看過他，直到最後一天早上才見到面。我猜他一直沒離開艙房吧。」

「他對我說，坐船這段期間跟德瑞克先生處得很熟。」

「他騙你的啦。大家排隊要上南安普敦碼頭的時候，我就站在他們兩個中間，還為他們介紹。我很確定他們之前沒講過話。」

「那就有意思了，」杜夫思索的說：「你今早有沒有注意到哈尼伍的樣子？」

「注意到了，」甘乃威點點頭：「好像見到鬼了，對吧？我愣了一下，心想，怎麼臉色那麼差。但是勞夫頓告訴我說，這一次旅行的成員裡，有病在身和上了年紀的特別多。我本以為這一趟很愉快的咧。」

「像波特小姐就很漂亮呀！」杜夫指出道。

「對呀，那也是她引人注目的地方。這麼漂亮的小姐竟會被我遇上，我真是走運！」

「米欽這個人呢？」

年輕人臉色亮了起來。「噢，他真是個核心人物，渾身金光閃閃。上岸當天，他開了三瓶香檳酒請客，除了班勃夫婦、基恩、我以及年紀較大的露絲太太外，其他人都沒參加。露絲太太對我說她是個很爽快的人，從不錯過任何事。所以我們就舉行了第一次晚會。完了之後，就只有基恩，還有幾名看起來怪可怕的乘客被麥司抓進吸菸室裡。」

「還滿快樂的嘛，是嗎？」

「嗯，並非如此。但是好好觀察過麥司之後——即便是香檳酒，也無法彌補主人的缺失。」

杜夫大笑起來。「謝謝你告訴我基恩的這條線索！」他站起來。

「請不要認為這一定有什麼特別含意，」甘乃威回答道：「我本身並不是好說閒話的人，但是德瑞克先生對大家那麼好。唉，我想我們還會再見面的。」

「這也無可奈何！」杜夫對他說道。

當偵探的跟飯店老總講幾句話之後，出去外面街上，那輛綠色的小汽車正在等著。他剛要進入車內，背後有個愉快的聲音叫住了他。

「嘿，警官，請你轉過頭來好嗎？」杜夫轉過去，艾馬．班勃站在人行道上笑得很開心，他拿著攝影機，正準備拍攝。

「對，就是那樣，」他大叫道：「好，你戴的帽子脫下來好嗎，你知道，光線不怎麼好。」

杜夫心裡嘀咕著，照辦了。那位亞克朗來的人眼睛瞇著看快門，一手捲著捲軸。

「笑一個，好，這是拍給我那些老鄉看的！好，往旁邊移一點，一隻手放在車門上，等回去讓他們看到一定高興死了，蘇格蘭警場的大偵探調查過環遊世界旅行團的神祕命案，正要離開倫敦的勃倫飯店……好了，請上車，就是這樣，開車上路吧，謝啦！」

「真他媽的！」杜夫喃喃自語的向司機說：「請你載我到藤蔓街。」

不久他們來到警察局前。警局隱沒在倫敦西區的心臟地帶，街道那麼短又那麼不重要，大多數倫敦市民都不知道這個地方。杜夫下了車，進到警局裡，哈雷正在他的辦公室。

「弄完了嗎，老杜？」哈雷問。

杜夫疲累的望了哈雷一眼。「這案子哪弄得完！」他看了一眼手錶，「快中午十二點了，老哈，跟我去吃頓午餐吧。」

哈雷正有此意，不久他們已在蒙尼卡牛排館入座。點過菜後，杜夫呆坐了半晌，眼望著虛空。

「提起精神來吧！」他的老友說。

「提個大頭喔！」杜夫回答道：「你曾經遇到過這樣的案子嗎？」

「你幹嘛這樣無奈？」哈雷問。「這只是件普通的命案。」

「就犯罪本身而言，沒錯，是夠簡單的了，」杜夫同意道：「在普通情況下，最後也無疑會破案。」他拿出記事本來。「可是你想想這個情況：我這裡面已記下了十幾個人的姓名，其中一個可能就是我要找的人。到目前為止情況還可以，問題是這些人在旅行，去哪裡呢？老兄啊，是環遊世界。我要找的嫌疑者就在這小小的團體裡，除非立刻發生了什麼意外事件，否則他們又要展開旅程了。勞夫頓剛剛告訴我，他們要去巴黎、那不勒斯、塞德港、加爾各答還有新加坡。離案發地點越來越遠。」

「但是你可以把他們留下來。」

「我能嗎？謝謝你替我想到這個。我可不能那麼做。一旦我有充分證據，兇手是會被留下來，但是我必須馬上得到證據，否則事情就會鬧得國際化、複雜化——美國大使館，甚至美國大使，然後上頭會把我找去：喂，你憑什麼扣留這些人？你有什麼證據說當中的一個殺了人？你聽我說吧，哈雷，這種情況沒有先例，以前從沒有發生過這種事，現在終於要發生了，我可真走運，它就發生在我身上。噢，我還差點忘了，這還得要感謝你。」

哈雷笑了起來，「你昨晚還在盼望說要接另一件懸案咧！」

杜夫搖搖頭。「懂得享受寧靜的人才是真正的幸福。」他含糊的說，這時牛排和啤酒送過來了。

「你訊問過了那群人，結果一無所獲？」哈雷問。

「掌握不到一件確切的事。沒有一個人和案情有關聯，即便是間接的關聯也談不上。模模糊糊的疑點是有一些，幾件奇怪的事。但是沒有一件可以讓我把任何一個人扣留住，沒有一件可以說得動美國大使，甚至我的直屬上司。」

「你的記事本寫得烏鴉鴉一大堆，」藤蔓街的探長說：「你何不把問過話的人整個過濾一下，也許會發現一點亮光也說不定呢？」

杜夫拿起記事本。「我問第一個的時候你也在場：潘蜜拉．波特，一個漂亮的美國女孩，她決心把殺她外祖父的兇手找出來。咱們的朋友勞夫頓博士，他昨晚跟死者起了一點口角，行李繩還成了做案工具。史派色太太，聰明，反應快，突然問她問題，她也不上當。而哈尼伍先生──」

「噢，對，哈尼伍，」哈雷插嘴道：「看到他那個表情，我就會懷疑他。」

「你去跟陪審團說吧！」杜夫挖苦的回答，「他看起來是有問題。我自己也相信是他幹的，但是那又怎樣？那樣又有什麼進展？」

「住下面樓層的你也談過了？」

「談過了。我還見到住第三十號房，一個叫做派屈克．泰特的先生。」他講起泰特在會客室門口突然心臟病發的事，哈雷聽了臉上一片嚴肅。

「這你如何解釋？」他問。

「我懷疑他被會客室裡看到的某件事或某人給嚇住了。但是他是地球另一邊著名的刑事律師，可能還是交叉質詢的高手，他不想講的事，而你能讓他講出來，那你一定是天才。話又說回來，他也可能沒什麼可講。他很肯定的告訴我說，他的心臟病發作純粹是突然。」

「話雖如此，他一定跟哈尼伍一樣，把話悶在心裡。」

「是很有可能。另外還有一位。」他講起了隆納德．基恩上尉的事。「他昨晚上三樓幹什麼，天才曉得。他是個穿褲子的狐狸，這點絕錯不了。人很狡猾，聽他講話就知道是個騙子。」

「其他人呢？」

杜夫頭搖了搖。「到目前為止看不出個名堂：泰特身邊有個不錯的年輕小伙子；一個額頭有疤的費維安先生，是個打馬球的，總覺得他跟伊蓮・史派色太太有某種牽連；另外有個跛了腳的人叫羅斯，在美國西岸從事伐木業；另外還有對兄妹，姓芬維克，老哥是個目中無人的傢伙，卻很怕死，似乎決心要脫離這個旅行團。」

「哦，他真的想脫離？」

「是啊，但是可別被騙了，說要脫離根本毫無意義，他連殺一隻兔子的膽量都沒有。哈雷，只有四個人需要注意：哈尼伍、泰特、勞夫頓，還有基恩。」

「那旅行團的其他人你並沒有見到？」

「噢，我見到了。但是他們並不相干：一對姓班勃的夫婦來自名叫亞克朗的地方，丈夫是開工廠的，身邊帶了一架攝影機，著迷得很。他以前沒旅行過，說要把環遊世界拍到的東西帶回家。不過稍等一下，他說亞克朗離俄亥俄州的坎東很近。」

「噢，對。鑰匙上面的地址。」

「不錯。但是他並不是嫌犯，這我敢確定，他不是那種人。另外還有位露絲太太，年紀不小了，到處都去過。我猜她跟勞夫頓一樣，無可避免的要到處跑。還有一對夫妻來自芝加哥，還真是挺麻煩的，丈夫叫麥司．米欽——」

哈雷的叉子掉了，「米欽？」他重複唸了一遍。

「對呀；那是他的姓，有什麼不對？」

「沒什麼，老杜，顯然你忽略上頭送給我們的一份資料了，好幾天以前的。這個叫米欽的好像是芝加哥的一名黑道大哥，最近聽勸歇手，不再搞暴力犯罪了——可能也只是暫時。」

「那就有趣了！」杜夫點點頭。

「可不是嗎？他原來混得好好的，卻被迫退出，無論是個人、他的部屬，還是生意上的競爭對手，『把他們做掉』這句話我想都適用。最近因為某個原因，他被說動放棄大哥的地位，離開了芝加哥。紐約警方建議我們在他過境的時候好好注意一下。據猜測，他在本地的幾個老朋友會想要算算老帳。麥司．米欽可說是芝加哥的頭號公民。」

杜夫沈思起來。「午飯過後我要另外找他談談。」他說：「可憐的老德瑞克，人並沒有被機關槍打得滿身是洞。不過我想，即使裡頭住了一個麥司．米欽，勃倫飯店的氣氛仍然會有一種抑制的效果。好，我就直接去找那傢伙談。」

【第六章】十一點離開維多利亞站的火車

吃過午餐後，杜夫和哈雷回藤蔓街警察局，兩人找出遭到遺忘、塵封已久的世界地圖集，杜夫立刻翻到美國。

「老天吶，你看這是什麼國家！」他吃驚道：「老哈，如果你問我的話，我會說它大得令人不安。噢，這裡是芝加哥，麥司．米欽住的地方。好了，底特律又在哪？」

哈雷歪過頭，未幾指著這個密西根州的城市。「在這裡，」他說：「相隔不遠，在這麼大的一個國家裡看來。怎樣？」

杜夫靠向椅背。「我在想，」他緩緩說道：「兩個城市相隔得那麼近，這是個事實，一個是芝加哥的黑幫大哥，另一個是底特律大富翁，兩人之間是否有什麼牽連？德瑞克很有名，受人尊敬，但是有些事你永遠無法預料。私酒，哈雷你知道吧，私酒會通過底特律的邊境運過去，這是我去美國的時候曉得的。米欽至少是兼差在賣私酒，他們之間曾有過磨擦、宿怨嗎？那些小石頭是怎麼軋上一腳的？也許是在湖岸撿來的吧。噢，我知道，聽起來是很黑，但在美國，任何事情都有可能。老哈，這一點很值得查。」

在哈雷的鼓勵下，杜夫出發到勃倫飯店去查。麥司．米欽傳話到櫃台，杜夫可以到他的房間找他。杜夫看到他的時候，這位知名的角頭老大身上只穿著襯衫，腳下踩著拖鞋，頭髮亂亂的，說是在午睡。

「午睡讓我有精神，懂我的意思嗎？」他說。他的態度比早上來得友善。

「很抱歉吵到你了，」杜夫說：「不過我有一個問題……」

「我懂了，想對我麥司嚴詞逼供是嗎？」

「我們這裡可沒這個！」杜夫對他說。

「哦？」麥司應道，聳了聳肩。「唔，如果不是，那你是要用別招對付我們美國人。唉，我還以為我們在自己的國家吃得很開，但看來還有一些事情需要學。好吧，有何貴幹呢，警官？有話快說，我們才剛聊到要去露天市集逛逛哩！」

「昨晚這家飯店出了件命案。」偵探開口道。

麥司笑了起來。「你以為我是誰，鄉下來的老土嗎？我知道這裡出了件命案。」

「米欽先生，根據接獲的情報，我相信殺人是你的老本行。」

「說下去。」

「如果硬要我說的話，是你的一項嗜好。」

「我懂你的意思了。好吧，也許我有時候必須做掉幾個人，但那是他們自找的，懂嗎？而且他們的事又跟你無關，那些都發生在我們美國。」

「我知道，但是現在在你身邊出了件命案，我，呃，不得不……」

「你想來窺探我，嗯？好，放馬來吧，但是你只是在浪費時間。」

「你參加這趟旅遊之前，認識德瑞克先生嗎？」

「沒有，我在底特律聽說過他，底特律我常去，但是從未跟他認識。我在船上跟他聊過，一個很不錯的老傢伙，假如你認為我用領帶套他脖子的話，那你就大錯特錯了。」

「麥司是全世界最善良的人，」他太太插嘴說，她正慢條斯理的打開一個皮箱。

「也許那時他要吩咐手下把幾個壞人除掉，但是他們是不適合活下去的。而且他現在已經離開老本行了，是不是，麥司？」

「是啊，我退出了！」她老公同意道：「你聽懂了嗎，警官？我現在退休了，努力想逃出這一切，像別人一樣，快快樂樂的旅行。你可以說，我才剛放下棍子，一隻小鳥就掉下來，還幾乎是掉在我的膝蓋上。」他歎了一口氣。「似乎人只要混過黑道，無論他走到哪裡，都無法擺脫得了。」他愀然不樂的說。

「你昨晚什麼時候就寢？」杜夫問。

「我們什麼時候上床睡覺？我們去看了一場秀，真人演的，懂嗎？但是調子好慢——老天，我就是忍不住打瞌睡。後來我想碰碰運氣，到一家劇院，想看一點有動作的，結果那裡更完蛋，我們又不是沒事情好幹，所以就出來了。回到這裡大約十一點半，十二點鐘上床。之後這家飯店發生了什麼事，我就不知道了。」

「他就像剛才講的，洗手不幹了，」米欽太太說：「這是為了我們的兒子好，他正在唸軍校，成績很不錯，會跟槍發生關係好像也很自然。」

雖然一無所獲，杜夫還是笑了起來。「很抱歉打攪了，」他站起來，說：「但是我的職務是每一條線索都查，這個你想必了解。」

「那當然，」麥司和氣的說，他也站了起來。「你要幹你的正事，就像我要幹我的一樣——或說像我以前一樣。另外呢——聽好，如果有什麼要我幫忙的話，打個招呼便成。我可以跟條子合作，或是作對。這一次我是願意合作，你聽懂了嗎？做這樣的事看來也沒什麼不好，沒意義的話我也不會做。好了，警官，」他拍了拍杜夫的厚背，「你如果要人幫忙的話，儘管來找我麥司·米欽。」

杜夫道別後，出去到外面走廊。米欽說要提供援助的話，他聽了並不怎麼興奮，但是他似乎真的需要某方面的協助。

他在一樓遇到勞夫頓博士，團長身邊是位年輕人，手拿著手杖，剪裁合宜的西裝上還插著一朵梔子花，派頭十足。

「喔，杜夫先生，」勞夫頓打招呼道。「介紹這位先生給你認識，吉羅先生，美國大使館的副書記，他來查詢昨晚發生的事。這位是蘇格蘭警場的杜夫探長。」

吉羅先生是位青年才俊，美國大使館的大帥哥，他們同僚經常睡上一整天，然後把睡衣脫下，換上晚宴服，為他們的國家徹夜跳舞。他態度高傲的向杜夫點個頭。

「審訊什麼時候舉行呢，警官？」他問道。

「明早十點！」杜夫回答。

「哦，如果到時候沒有發現新案情，我想博士的行程可以如計畫恢復囉？」

「那我就不知道了！」杜夫悶聲道。

「是嗎？那麼說你手上有證據，可以把博士他們留在這裡？」

「唔，倒也不是那樣。」

「那是可以扣留某些團員囉？」

「我想要留下全部的人。」

吉羅先生揚起了眉毛。「憑什麼？」

「噢，這個……」向來能幹的杜夫頭一次為難起來。

吉羅先生憐憫的對他笑笑。「說真的，老兄，你這樣挺荒謬的，」他說：「在英國你可不能幹那樣的事，這你也知道。除非偵訊後你手中的證據比現在要多，否則你就得放手。我跟勞夫頓博士已經仔細討論過整個案情了。」

「德瑞克是這個旅行團的某位成員殺的。」杜夫頑固的反駁道。

「哦，證據在哪裡？殺人動機是什麼？你可能對，可能是信口開河。說不定是哪個跑來飯店闖空門的。」

「兇手有條白金錶鏈。」杜夫說。

「老兄啊，即使是那樣，也很可能是跟這個團體毫無關係的人。你很清楚，證據，你必須有證據。否則的話，非常抱歉，勞夫頓博士和他的團員必須馬上恢復行程。」

「我們會考慮考慮！」杜夫臉色不豫的回答道。他告別了吉羅先生，心中的困擾很難掩飾得了。這位派頭十足的年輕人讓他頗不以為然，更令他厭憎的是，除非曙光乍現，否則他也看得出這位吉羅先生的預料無疑會化為事實。

第二天早上審訊，說的無不是已經曉得的案情。飯店僕役和旅行團成員重複敘述前一天告訴過杜夫的話，裝著石頭的小袋子引起相當大的關注，但是因為無法解釋，關注很快就沒了。本案顯然沒有充分的證據可留置任何人，下次的審訊延到三個禮拜後。杜夫看到吉羅先生在法庭另一端向他微笑。

接下來的幾天杜夫忙得像個瘋子。旅行團是不是有人去買了條錶鏈，用以替換在飯店裡打鬥時被扯斷的那條？他造訪了倫敦西區的每一家銀樓，甚至不在西區的許多家店也跑了。當舖或二手服飾店是否處理了一件灰色西裝，而該件西裝的口袋被扯破了呢？

這些店也地毯式的查訪過了。又或者，該件西裝是否被打包，不經意的扔了呢？偌大的倫敦，每一件棄置的包裹杜夫都一一檢查過了，徒勞無功。他的臉色越來越嚴肅，眼神越來越疲憊。上頭不滿的聲音警告他說，他的時間不多了，勞夫頓已經準備好要啟程。

波特母女預定星期五搭船回美國，時間距離德瑞克被發現死在勃倫飯店的房間正好一個星期。星期四早晨杜夫和這對母女最後談了一次，母親似乎比先前更顯得徬徨無助，女兒則一言不發，思緒重重。杜夫感到前所未有的懊惱，向她們道別。

又過了毫無斬獲的一天，星期五下午回蘇格蘭警場時，大吃一驚，潘蜜拉·波特竟在辦公室裡等他。和她在一起的是拉提摩·露絲太太。

「哈囉，」杜夫吃驚道：「波特小姐，我以為妳搭船走了。」

她搖搖頭。「我不能走，什麼事情都還沒解決，懸在半空中，我們的問題還沒有答案。我不走，我找了個女傭陪我媽走了。我要跟這個團一起出發。」

杜夫曾聽說過美國的女孩子是隨心所欲的，卻還是大吃一驚。「那妳母親怎麼說？」

「噢，她當然大吃一驚。但是我要很遺憾的告訴你，我經常讓她這麼驚訝，現在她已經很習慣了。露絲太太答應照顧我，當個舊式的監護人，露絲太太你見過吧？」

「噢，當然見過，」杜夫點點頭。「很抱歉沒問候妳，露絲太太。潘蜜拉小姐把我嚇了一跳。」

「我了解，」露絲太太笑道：「這位小姐精力很旺盛，是不是？嗯，我一直喜歡這樣的人。她母親跟我剛好有共同的朋友，所以我願意幫忙。為什麼不呢？這孩子當然感到好奇，我也是。我願意立刻花五千美元知道是誰殺了德瑞克，以及殺人的原因。」

「這兩個問題都不容易回答。」杜夫對她說。

「對，我想也不容易。辛苦你了，那麼難的案子。不知道你曉不曉得，勞夫頓的環遊世界旅行團下周一就要出發。」

杜夫的一顆心沈了下來。「我預料到了，不瞞妳說，這對我是個壞消息。」

「看開點吧，」老太太說：「沒有事情會像看起來那麼壞的，我活了七十二歲，很清楚這一點。我和潘蜜拉會一路走下去，眼觀四面耳聽八方，時時刻刻留神。是吧，親愛的？」

女孩點點頭。「我們必須追根究底，沒有成功之前絕不罷休。」

「太好了！」杜夫說：「我真想雇妳們來這裡上班。整團的人都要走，是吧？」

「無一例外，」露絲回答道：「今早我們在飯店裡開了個會，那個姓芬維克的傢伙想要造反，但是失敗了。本來就應該失敗，一個不明事理的人是起不了作用的。至於我來說，即使全團被殺得只剩我一個，我還是要繼續走下去。」

「原來芬維克想製造事端？」杜夫自言自語的大聲說：「開會的時候應該找我的。」

「勞夫頓不要你參加，」老女人告訴他：「勞夫頓很有意思，我不太了解他。對於我不了解的男人，我也不會去喜歡。好了，總之呢，芬維克想要破壞行程，但是看到人孤勢單，也就把面子問題擱一邊去。所以我們都要繼續出發——一個快快樂樂的大團體，並且裡頭還藏了個兇手，要不然就是我猜錯了。」

杜夫露出笑容。「我想妳通常不會猜錯。」

「也不是每次都準，不過我這次並沒猜錯，對吧？」

「我想妳並沒有。」杜夫保證道。

她站起來。「嗯，我已經旅行了一輩子，有點煩了，但這就像飲料一樣，令人上癮。我希望參加勞夫頓博士辦的旅遊能好好享受一點樂趣——噢，親愛的，對不起。」

「沒關係啦，」潘蜜拉．波特笑道，同樣站了起來。「我並不想掃人的興。在一路上，如果能的話，我想幫忙解開這個謎，雖然疑雲重重，我也希望能樂觀一點。」

杜夫深表贊同的看著她。「妳真是個樂觀進取的人，波特小姐，」他說：「曉得妳要繼續這趟行程，我精神為之一振。星期一出發前，我還會過去看妳們，之後也一定會保持聯繫。」

送走兩個女人後，偵探發現他的桌上有張條子，要他立刻去見上司。他進到督察長的辦公室，才知道上頭為什麼要找他。

「杜夫先生，情況莫可奈何，」督察長說：「美國大使親自對這件案子表達關切，我們同意讓那個旅行團離開。別一副那麼失望的樣子吧，老弟，你也知道，這種事情涉及到引渡條約。」

杜夫搖搖頭，「這案子不當場解決，以後就不太可能解決了。」

「你這個理論很具爆炸性。仔細去查一下本部的檔案，很多件大案子都花了幾個月的時間調查，譬如克里平殺妻案。」

「長官，話雖那麼說，我們也很難眼睜睜的看著那一群人到處亂跑，天知道他們要跑哪裡去。」

「我了解你的立場，老弟。你不能扣留基恩那傢伙嗎？拘票我們可以安排。」

「從他身上查不出什麼的，長官，這我敢肯定。要留人的話，我寧可是哈尼伍，甚至泰特。不過當然，我並沒有證據這樣做。」

「麥司·米欽這個人呢？」

「可憐蟲一個，拼命想跟這類事情撇清關係。」

督察長聳了聳肩。「這樣吧。你去領隊那裡取得整個行程，如果行程有任何改變，讓他理解一定得通知你。還有，半路上如果有任何團員脫隊，他也必須立刻讓你知道。」

「那一定的，長官，」杜夫點點頭。「那樣的話好處很多。」

「至於目前，你還是在倫敦繼續調查，」上司接著說：「調查沒有結果的話，我們會派一個人盯住這個旅行團，那個人他們並不認識。我恐怕不能派你，杜夫先生。」

「我了解，長官。」偵探說。

他回到自己的辦公室，困擾而且絕望。但是他的事情一大堆，並不會受到這種心境的干擾。禮拜六一整天，乃至所有商店都關上大門、不利辦案的禮拜天，他仍在為這個謎題搜索、訊問、探討著。哈雷調派人手來協助，還講了些樂觀的看法，但這些都沒有用，勃倫飯店的謀殺案依然懸而未解，情形正和那個大霧的早晨，那輛綠色小汽車停在飯店壯麗的大門口時一樣。

星期一早晨，杜夫來到維多利亞車站，叫一名蘇格蘭警場的警探出這樣的任務是很奇怪。他是來向那個旅行團說再見，跟他們一一握手，並祝他們旅途愉快的。他心裡頭很清楚，在那麼多雙他握的手裡頭，就有一雙在勃倫飯店勒死了休・摩里斯・德瑞克，時間是二月七日清晨。

他走到十一點鐘開往多佛的火車月台，勞夫頓博士熱誠的迎接他。旅行團團長露出興高采烈的樣子，彷彿國小學童即將要放長假似的，很起勁的握住了杜夫的手。

「很抱歉我們必須離開了，但你也知道，旅行就是這麼回事，」他態度幾近輕浮的說：「我們的行程你那裡有吧，你若想加入，我們隨時歡迎。怎樣，班勃先生？」

杜夫聽到背後一陣機器嘰嘰軋軋的聲音，回頭卻見班勃正忙著弄他那架沒完沒了的攝影機。那位從亞克朗來的人立刻把機器交給左手，騰出右手來跟杜夫相握。

「很遺憾這件案子讓你吃癟了，」他和善但毫無講話技巧：「蘇格蘭警場的人從來不會這樣的——偵探小說這麼說。不過我們這件事可不是偵探小說，我猜在現實生活裡情況是不一樣的，對吧？」

「我認為現在放棄希望還太早了點！」杜夫回答道。「噢，對了，班勃先生——」他從口袋中拿出連著三個環的鑰匙，「這東西你有沒有見過？」

「開偵查庭的時候見過，不過那時離得很遠，」他說。他接過鑰匙細看了一下。「你想知道我對這東西的看法嗎，長官？」

「樂意承教。」

「好吧，這是美國某家銀行保管箱的鑰匙，」來自亞克朗的傢伙解釋道：「一個外出旅行的人除了行李箱的鑰匙之外，最有可能攜帶的便是這種鑰匙。我們那裡的銀行通常會交給租用保管箱的人兩支鑰匙，所以說不定還有一支一模一樣的鑰匙流落在外頭。」

杜夫聽到這條新的線索，再次好奇的細看著那支鑰匙。「那這家公司——俄亥俄州坎東的德意志保管箱與鎖具公司，應該是說那家銀行就在你們俄亥俄州那一帶囉？」

「噢，大錯特錯。那是一家大公司，他們的保管箱和鎖具行銷全美國，那有可能是舊金山、波士頓或者紐約，任何地方都有可能。不過我若是你的話，也會對那支鑰匙動腦筋。」

「是啊，」杜夫說：「當然啦，也許是因為鑰匙握在死者手上，因而誤導了我。」

班勃胡弄著他的攝影機，頭立刻抬起來，「可別那麼說！」

他老婆走了過來。「噢，看在老天的份上，艾馬，」她說：「把攝影機收起來吧，你快把我弄瘋了。」

「為什麼？」他可憐兮兮的問道：「沒什麼看頭，對吧？我看這裡只是個車站，難不成它是個頹圮的城堡、博物館或別的東西？我拍昏頭了，已經分不出這個那個的了。」

派屈克．泰特和他身邊的年輕人踱了來，老人步履穩健、雙頰紅潤，氣色似乎不錯。總覺得他臉上也稍稍感染了勞夫頓的喜悅之情。

「噢，杜夫探長，」他說：「看來我們要說再見了。很可惜你運氣不佳，不過你一定不會放棄吧。」

「那很難！」杜夫回答道，凝視著他的眼睛，「我們蘇格蘭警場沒這種習慣。」

泰特與他對望了半晌，然後眼神飄向月台。「嗯，你說得是，」他含糊的說：「這是我一向曉得的。」

杜夫轉向了甘乃威。「波特小姐終於要與你同行了！」他說。

甘乃威笑了起來。「我聽說了，我們姓甘的人又交上了好運道。好運和歹運，各式各樣的運氣我們都碰過。」

警探走到月台另一端史派色太太和史都華・費維安那裡。費維安的道別冷冷的，不甚友善，女人同樣不很懇切。不過站在附近的隆納德・基恩上尉卻絲毫不會讓人感到不懇切，杜夫想，他握手握得太殷切了吧。跛著腿的約翰・羅斯也一樣，但沒過多久杜夫就把兩人興奮的反應擱在一邊了。

「希望哪天能在太平洋岸見到你。」羅斯對他說。

「說不定喔！」偵探頷首道。

「拜託開心點吧，」另一個人笑道：「很希望帶你去看一下我們那裡的紅杉，那是全世界最好的樹種。」

哈尼伍來到月台上。「可不是每一個旅行團都有蘇格蘭警場的人來送行喔！」他說。他的語氣盡量放輕鬆，眼神卻有點異樣，杜夫感到他手心在冒冷汗。

杜夫再向露絲太太和波特小姐道別，然後是米欽夫婦。他看了一下錶，走到勞夫頓那裡。「還有三分鐘要開車，芬維克兄妹人呢？」

博士不安的低頭看著月台。「我不知道，他們答應要來的。」

一分鐘過去了，全旅行團的人除勞夫頓其餘人都上了車。忽然間，在月台另一頭，芬維克兄妹出現了，用跑的，跑到時已氣喘吁吁了。

「哈囉，」杜夫說：「正擔心你們不來了。」

「噢……我們……來了，」芬維克喘著氣說，他妹妹已經上車了。「總之，趕了點路。但不過，」他彈了一下手指頭，「要是再發生那樣的怪事，我們就退出旅行團。」

「不會再發生什麼怪事了！」勞夫頓很篤定的向他保證道。

「我很高興你跟我們一道走！」芬維克對杜夫說。

「噢，我不跟你們去。」偵探笑道。

「嗄，你不去？」小個子目瞪口呆的望著他。「你意思是說整個案子你放棄不管了？」月台上傳來車廂關門的聲音。

「上車吧，芬維克先生！」勞夫頓大叫一聲，半提式的把他拉上車廂。「再見了，杜夫探長！」

火車開始移動了，杜夫站在月台上看著火車的背影，直到看不見為止。有個傢伙在那個旅行團裡，那旅行團會一路前往巴黎、義大利、埃及、印度，直到世界的盡頭。

偵探喟歎的轉過身來。他曾陷入短暫的幻想，幻想自己如願的上了那列特快車，任何人都看不到他，而他則仔細的看著那一張張讓他好奇的臉。

如果他在那車上，大概會發現華特·哈尼伍獨自一人窩在包廂裡，臉貼向玻璃窗，望著倫敦單調的後院景物消逝而去。他張開嘴巴，雙眼凝視著，額頭滲出細小的汗珠。

包廂的門打開了——幾乎無聲無息，但卻不是察覺不到，那聲音剛好夠讓哈尼伍猛的轉過頭，臉上一陣驚惶。「噢，哈囉！」他說。

「哈囉！」芬維克答道，他進入包廂，後頭跟著他那位蒼白安靜的妹妹。「我們可以進來坐吧？我們來得晚了，其他座位都有人佔了。」

哈尼伍用舌頭潤了潤唇。「沒關係，進來坐吧！」

芬維克兄妹就座，窗戶外面是那座灰濛濛的大都市不甚可愛的一面，仍繼續飛逝。

「嗯，」芬維克終於開口了，「我們終於離開倫敦了，謝天謝地。」

「是啊，我們終於離開倫敦了！」哈尼伍覆誦著，他拿出手帕擦拭了一下額頭，那驚懼的表情正漸漸從他臉上散去。

【第七章】蘇格蘭警場的仰慕者

在隔週星期二的晚上，杜夫探長再度來到藤蔓街警察局，進到哈雷的辦公室。那位分局的探長看到了老朋友，同情的露出了微笑。

「我不用問也知道你現在的心情。」他說。

杜夫脫下大衣帽子，擱在一張椅子上，然後一屁股在哈雷的辦公桌旁坐下。

「我表情有那麼痛苦嗎？」他說：「好吧，是沒錯，老哥。這可不是一件可慶賀的事。我在勃倫飯店瞎混，一直混到自己都覺得快一百歲了。每一家商店查下來，跑得腳痠死了。殺死德瑞克的兇手實在很精，現在線索都涼掉了。」

「你快要累壞了，」哈雷對他說：「歇會吧，老弟，試試看完全不一樣的調查方式。」

「我是在想新的辦案手法，」杜夫點頭道：「我們有從死者手上取下的鑰匙。」他把班勃的話告訴哈雷。「現在兇手身上很可能有一模一樣的一支鑰匙。我或許可以跟上那個旅行團，搜查每一個團員的行李，但是他們都認識我，困難重重。即使我們派一個他們不認識的人去，那人的任務也很艱鉅。也許我可以去美國，造訪每一個成員的故鄉，弄清楚是不是有人擁有一個三二六〇號的銀行保管箱。而即便是那樣，也還是有困難。不過我今天下午去跟督察長談過了，他滿贊成的。」

「這麼說，你很快就要去美國了？」哈雷問。

「可能吧，我們明天會決定。但是老天，這任務好吃力！」

「我知道，」哈雷點點頭：「但我覺得跑這一趟是對的，如果兇手真有那支一模一樣的鑰匙，他老早扔了。」

杜夫搖搖頭。「不會，我不相信他扔了。」他不以為然道：「這樣做的話，等於得跑回他那家銀行，說兩支鑰匙都丟了。那將會招來不少關注，極具危險性，這件事他無疑想越隱密越好——不可能的，我很肯定，如果他是我想的那種人，在任何情況下，他都會保留另一支鑰匙。哈雷呀，他會把它藏起來，那是個小東西，可以藏得很技巧，技巧到我們怎麼搜也搜不到。督察長想得沒錯，美國這一趟勢在必行——雖然這讓我很擔心。但話說回來，我雖然黔驢技窮，但就此罷手我絕不甘心。」

「就此罷手的話也不像你的為人，好自為之吧，老弟。」哈雷答道：「以前從來沒看過你為一件案子如此費心過，別擔心，你會否極泰來的。那位陳查禮是怎麼說的——勝利女神總會眷顧於你。他有這樣的預感，而且按照他的話講，中國人是心靈感應很靈的民族。」

杜夫的臉上慢慢綻放出笑容。「好個老陳，我真希望他跟我一起辦這個案子。」他頓了一下。「我留意到檀香山也是他們這趟旅程之中的一站，」他若有所思的補充道：「但不過現在離那還遙遠得很，而且勞夫頓帶著這麼些雜牌部隊，在抵達檀香山之前還會有很多事情發生哩。」他忽然下定決心似的站了起來。

「要走了嗎？」哈雷問。

「是啊，來到你這兒感覺很舒服，只是我忽然想到，光是坐在這裡，我什麼進展也沒有。辦案子要能堅持，這是老陳的方式——耐性、努力和堅持。我要再去勃倫飯店看一下，那兒說不定有什麼名堂，某個我還不曉得的名堂——若有的話，我現在就要去找出來，不成功便成仁。」

「你又回到平日的口氣了，」他的老朋友說：「那就去吧，祝你好運。」

再一次的，杜夫又沿著畢卡第利大道踽踽獨行了，原先午後的細雨轉成了大雪，凌厲到足以侵透他的衣領，困擾著他，讓他在人行道上步履蹣跚。他呼著氣，一邊咀咒著英國的氣候。

勃倫飯店面向半月街的大門口內，晚間輪值的門房正在櫃台後面當班。他把晚報擱向一旁，視線越過眼鏡上方，和藹的端詳著從蘇格蘭警場來的警探。

「晚安，警官，」他說：「天啊，外頭可是下雪了？」

「可不是麼，」杜夫回答道：「咦，我很少在這裡見到你是吧，二十八號房的美國人被殺的那晚你記不記得？」

「那我可忘不了，長官。那是很讓人困擾的一件事，我在勃倫飯店待了大半輩子。」

「喔，可不是麼。那天晚上的事你近來有沒有仔細想過？是不是還有什麼是你不曾告訴過我的？」

「是有一件事，長官，我正打算再見到你時告訴你。我恐怕到到現在還沒告訴你那封電報的事吧。」

「什麼電報？」

「是那封晚上十點鐘送來的電報，長官。收件人是休·摩里斯·德瑞克先生。」

「有一封要給德瑞克先生的電報？是誰收下的？」

「是我收的，長官。」

「是誰送到德瑞克先生的房裡？」

「是馬丁，德瑞克那一層樓的服務生。他當時才剛下完班，而我一時找不到其他的服務生，就問他可不可以把電報送去給德瑞克。」

「馬丁現在人在哪裡？」

「我不曉得，長官。可能他還在員工餐廳吃晚餐吧，我可以差人去找。」

然而杜夫已經向一位年長的服務生招手，那人正很舒適的在穿堂另一頭的長板凳上休憩著。「快來！」他喊道，同時給了那人一先令。「那個樓層的服務生馬丁，趁他還沒下班走掉前，你去幫我找他過來。去員工餐廳那裡找看看。」

老服務生迅即消失了蹤影，杜夫又回頭找門房說話。「這件事之前就該讓我曉得了！」他表情不悅的說。

「你真的認為這件事很重要嗎，長官？」門房茫然的問。

「發生了這種案件，每一件事情都很重要。」

「是的，長官，這種事情你比我們任何人都內行。我自己當時有些慌亂……」警探轉過頭去，馬丁已經來了。突然間被抓過來，他嘴巴還在嚼著東西。「你找……」他把東西吞下去，「你找我嗎，長官？」

「是的。」杜夫已經擺好了架勢，他的話語清脆明白。「休·摩里斯·德瑞克先生在二十八號房被人殺害，你那天晚上十點送了封電報到他房間去嗎？」

他大感意外的發現，雙頰一向紅潤的馬丁當場臉色變白，一副快支持不住的樣子。

「是的，長官。」他吃力的說。

「我猜想，你把電報拿上樓去，然後敲他的房門是嗎？之後發生了什麼事？」

「噢，這個，長官，德瑞克先生，他出來開門，收下了電報，還向我道謝，並且給了我小費……給得很慷慨……然後我就離開了。」

「就這樣？」

「是的，長官，就這樣。」

杜夫粗魯的抓住了那位年輕人的胳臂——他故意這麼做，有蘇格蘭警場的權威當靠山。服務生蜷縮起來。

「你跟我來！」杜夫說道。他把服務生推入經理的辦公室，裡頭空無一人，光線有些晦暗。馬丁被用力推到一張椅子上坐下，杜夫摸索經理辦公桌燈的開關，將它打開，將整個燈光移到馬丁身上，再去把門重重關上，回來跟那位年輕人對坐著。

「你在騙我，馬丁，哼，我可沒心情聽你胡扯！要耗咱們來耗吧，」他開口道：「瞎了眼的人也知道，你是在騙我，但這下你完了。講真話吧，夥計，否則的話……」

「是的，長官，」服務生吞吞吐吐的說，差點要哭出來。「我很抱歉，長官。我老婆曾勸我告訴你全部的經過，她唸了又唸，說：『去告訴他吧。』但……但是，我卻不知道怎麼做。你知道嗎，我收了人家一百英鎊。」

「什麼一百英鎊？」

「是哈尼伍先生給我的一百英鎊，長官。」

「哈尼伍給你錢？為什麼？」

「你不會把我抓進牢裡吧，杜夫探長。」

「你再不講的話我就立刻抓你去關，快講！」

「我知道我做得不對，但一百英鎊可不是小錢，而且收下那筆錢的時候，我對謀殺案一無所知……」

「你省省吧！哈尼伍為什麼要給你一百英鎊？——從頭開始講，照實講，否則我立刻逮捕你！你拿電報去給德瑞克，敲了第二十八號房的房門，然後呢？」

「門就開了，長官。」

「嗯，那當然。誰開的門，德瑞克嗎？」

「不是的，長官。」

「什麼！那是誰開的門？」

「是哈尼伍先生，長官。他住第二十九號房。」

「原來是哈尼伍開的門？他怎麼講？」

「我把信封交給他，說：『這是送來給德瑞克先生的。』他看了一下，就說：『德瑞克先生在二十九號房，我們今晚換房間睡。』」

聽了這話，杜夫的心臟差點跳出來，那久違的狂喜之情終於來了，席捲著他。

「喔，」他說道，「然後呢？」

「我去敲第二十九號房，那本是哈尼伍先生的房間。過了一下，德瑞克先生才出來開門。他穿著睡衣，長官，接過電報後，他向我道謝，給了我小費。然後我就離開。」

「那，那一百英鎊呢？」

「隔天早上七點我來上班的時候，哈尼伍先生按鈴找我，那時他又回到了二十九號房，長官。他要我別將前一晚換房間的事講出去，然後就給我兩張五十英鎊的鈔票。他這個舉動簡直讓我呼吸停住了，因此我就允諾他，還發了誓。八點前一刻，我發現德瑞克先生在二十八號房遭人謀殺，當時我嚇壞了，這是真的。我……簡直沒辦法思考，長官，我就是怕成那樣。然後我在走道遇到了哈尼伍先生，他提醒我：『你向我保證不講出去喔，我發誓我跟這件命案無關，馬丁，你要堅守承諾，你將不會後悔的。』」

「因此你就堅守承諾？」杜夫語帶譴責的說。

「我很抱歉，長官。電報的事沒有人問起，如果有的話，情形就不一樣了。我很害怕，長官，把嘴巴閉上似乎是最好的一條路。回到家後，我太太說我這樣做不對，然後她就一直請求我把這件事說出來。」

「你以後好好聽你老婆的話吧，」杜夫奉勸道。「勃倫飯店的臉都給你丟光了。」

馬丁整個臉又變白了。「請別那麼說，長官。現在你要如何發落我？」

杜夫站了起來。整件案子被這個懦弱的年輕人耽擱成這樣，雖然應該嚴懲，但他卻發現自己辦不到。他一直在等待祈求的就是這樣的新發現，現在既出現了，他的心情輕鬆起來，快樂得不得了。

「我沒工夫理你了，」他說：「你剛剛在這裡告訴我的，除非我要你說你才能對人說，明不明白？」

「非常明白，長官。」

「在沒經過我許可前，你不得辭掉這間飯店的工作，或是離開你現在的家，嚴格遵守這些限制，一切就會跟往常一樣，平安無事。你回家告訴你太太她是對的，替我問候她。」

他留下那名服務生頹喪的待在經理室裡汗流浹背，踏著輕快的步伐走上大街上。太高興了，下了那麼久的雨後來了那麼點雪，正是倫敦所需要的。英國的氣候可真是好，正好可以讓男人勤奮的工作，精神抖擻，充滿了能量。看著吧，馬丁講的這件事將會讓杜夫探長生命的前景整個為之改觀。

他一面想著那名服務生的話，一面走著。「德瑞克先生在二十九號房，我們今晚換房間睡。」那樣的話，德瑞克一定是在第二十九號房被人謀殺的，但是到了隔天早晨，他又回到了二十八號房自己的床上。唔，這跟杜夫原先想的完全吻合。「我有個感覺，休．摩里斯．德瑞克是死在另一個地方。」他曾如此說過，他那個感覺是對的。假使當時就這麼循線查下去，哪會像個呆子一樣亂鑽。這位警探的鬥志一時高昂了起來。

隔天早上又回到了他自己的床上。那會是被誰移回去的？哈尼伍，跑不掉的。是誰謀殺了他呢？除了哈尼伍，又會有誰？

但是等一下。假如哈尼伍意圖謀殺的話，他幹嘛還換房間呢？也許是他耍花招吧，這樣他就能讓兩房之間的門打開，方便接近死者。不過他已經把客房管理員的鑰匙偷在手了，沒必要耍這個花招。而且假若他意圖行兇的話，他會氣定神閒的告訴馬丁換房間的事嗎？

不，他不可能。杜夫似乎從迷霧裡看見微露的曙光。雖然事情不會跟他打的如意算盤那麼吻合，案情依舊撲朔迷離。但是有一件事情是可以確定的，哈尼伍跟這件事情有某種牽扯，馬丁的指證足以立刻將這位紐約的百萬富翁從歐洲大陸召回來。一旦蘇格蘭警場再度掌握到這個人，紛亂的案情便可抽絲剝繭了。

杜夫又從頭想一遍。哈尼伍和德瑞克換房間，又將此事告訴馬丁，似乎不像有行兇的意圖，那不可能！這樣的決意一定是後來才形成的。也許是那封電報……

走到附近的電報局時，警探才發現已臨近夜晚關門的時間了。他出示相關的證件，要到了德瑞克二月六日晚間收到的電報副本。那只是一封生意上的聯繫。「董事會投票決議於七月一日實質調漲售價，請予許可。」其內容顯然不是案情的答案，不過杜夫還是很感謝有這封電報。

搭計程車返回蘇格蘭警場，他打電話到上司家裡。上司從橋牌桌跑來接聽，起先希望他能長話短說，不過杜夫把新發現的案情扯開來談之後，長官也開始分享了部屬的興奮之情。

「那個旅行團現在到哪裡了？」

「根據行程表，長官，他們今晚會離開巴黎，前往尼斯，然後在那裡待上三天。」

「很好，那你明天去維多利亞車站搭早上的里維耶拉特快車出發，不要急，欲速則不達，這樣你星期六稍早就會抵達尼斯。明天你臨走之前跟我見個面，祝你順利啊，老弟，看來我們終於有所進展了。」

說完上司又回去打他的橋牌了。

杜夫跟哈雷開心的通過電話後，回去辦公室打包行李。第二天早上八點，他進到督察長室，上司從保險箱裡拿出一疊鈔票來，把它們交給了杜夫，那是為這種任務所保留的專款。

「你的車票訂了吧？」

「訂了，長官，來這裡的路上訂的。」

「你請法國警方為我們留住哈尼伍，等我必要的公文安排妥當，這件事我必須立刻跟總部接洽。再會了，杜夫先生，祝你好運。」

杜夫所要的正是展開行動，於是他鬥志昂揚的搭車前往多佛港，英倫海峽風浪險惡，但是這對他而言沒有什麼。到了晚上，火車駛到了巴黎近郊，開始沿著環城鐵路緩緩而行，走走停停過了許多站。抵達里昂站後杜夫總算鬆了一口氣，通往里維耶拉的路平直的在他們前方展開。

他在座位上享受了一頓豐盛的晚餐，一面觀看著巴黎的城牆消逝在薄暮之中，一面思考著華特．哈尼伍這個人。難怪這個人在當天早上案發之後那麼驚惶，杜夫回想到，當初要是逮住了這個人，那這一趟長長的旅程就可省了。不過事情終究會水落石出的，擔這個心是很傻的——可他們向來如此。很快他就會帶著哈尼伍打道回府了，說不定他的口袋裡還會裝著那位仁兄的供詞，坦承罪行。哈尼伍這個人並不是個狠角色，在杜夫目前所遇到的人裡頭，他還不算個人物。

第二天早上快到十點時，杜夫搭乘的計程車來到了尼斯的精緻大飯店的園門，這家飯店的名字是在勞夫頓給他的行程明細表裡頭發現的。精緻大飯店位於一大片開闊地的中央，坐落在高高的山頭上，俯臨著城市和蔚藍的海洋，占地很大，花木叢生。杜夫分辨得出柑橘樹和橄欖樹，高大的柏樹這裡一棵那裡一棵，即便在里維耶拉的驕陽下也仍舊是綠蔭森森。計程車司機鳴放著聲嘶力竭的汽車喇叭，幾經遲延之後，方見大門口服務生出來幫客人提行李。杜夫跟在僕役後面，這條碎石子路一直通到飯店側門，頭頂上是高大的棕櫚植物，走道兩旁遍植芬芳的紫羅蘭。

進到飯店大廳，頭一個看見的人是滿臉鬍鬚的勞夫頓博士。第二個見到的人讓他感到十分驚訝，那是個法國人，一樣滿臉鬍鬚，跟麗池大飯店門口的接待員一樣穿著鑲金裝飾的制服，炫麗得很。兩人在談著什麼事，鬍鬚幾乎接觸到鬍鬚，而勞夫頓一臉憂心，抬頭的瞬間，看到了杜夫。

「喔，杜夫探長，」他說道，臉上掠過一絲陰影。「你來得好快，我完全沒想到會這麼快。」

「你預期我會來？」杜夫感到奇怪的說。

「那當然啊。介紹一下，隊長先生，這位是蘇格蘭警場的杜夫探長──這位是恩希格隊長。」他轉向杜夫，「從這位先生身上所穿的制服，你想必可以猜出他是本地警察主管。」

那名法國人立刻趨前，握住杜夫的手。「真是幸會，我本身是個蘇格蘭警場的仰慕者。杜夫先生，我想你如遇上了我們在本案遇到的蠢事，必會提出嚴厲的指責，但是我懇請你不要。死者的遺體有留在原地嗎？沒有。兇槍有留在現場不動嗎？連一下下都沒有。所有人都摸過它，從大廳副理、兩名跑腿的服務生到一名門房，總共有五到六個人吧。結果如何呢？指紋我們是無望了，這麼愚蠢的事，你想像得到嗎——」

「對不起，稍等一下，」杜夫打岔道，「遺體？兇槍？」他轉向勞夫頓：「告訴我怎麼回事？」

「你不知道嗎？」勞夫頓問。

「我當然不知道。」

「可是我以為——不管怎麼說，你來得太快了。呃，我現在懂了，你是已經出發前來這裡的途中。好吧，探長先生，你來得可真是巧。昨天晚上，可憐的華特．哈尼伍在這家飯店的庭院裡自殺了。」

杜夫有好一陣子說不出話來。蘇格蘭警場正動身前來找他，而華特．哈尼伍卻自殺身亡了。毫無疑問，他是畏罪自殺的，他先殺死德瑞克，然後殺死自己。本案終結了，然而杜夫了無欣喜，反而有一種失望，滿不是味道。案子結束得太容易了。整個來說太容易了。

「但哈尼伍先生是自我了結的嗎？唉，杜夫探長，」隊長說道：「我們並無法確定。剛才已經說過了，因為飯店員工的愚蠢行為，兇槍上的指紋已遭破壞。沒錯，槍是在死者身邊發現的，看起來像是從他手上掉落下來的樣子。現場無人目擊。但話雖如此，我仍然非常歡迎蘇格蘭警場專家的意見。」

「你沒發現遺書，或任何這類的訊息嗎？」

「唉，沒有。他的房間我們昨晚搜過了，今天我來這裡想再搜索一次。你若是肯幫助我的話，我是非常樂意的。」

「我會先跟你合作個一陣子。」杜夫說道，態度上有所保留。

隊長行了個禮，走開了去。

杜夫立刻回到勞夫頓身上。「請把你所知道的全部告訴我！」他吩咐道。兩人在沙發上坐了下來。

「我只讓旅行團在巴黎停留三天，試著彌補在倫敦的耽擱。」他開口道：「我們是昨天早上來到這裡的，到了下午，哈尼伍決定要去蒙地卡羅一趟，他邀請露絲太太和波特小姐同行。傍晚六點，我坐在大廳這裡和芬維克談話，他真是這趟行程讓人討厭的人，請別講出去——然後我看到露絲太太和波特小姐從側門那邊進來。我問她們玩得如何，她們說非常開心。而哈尼伍呢，她們說，正在外面園門那裡付車錢給司機，隨後就會進來。她們上樓去，芬維克又繼續向我嘀嘀咕咕，接著外面傳來一聲尖銳的響聲，但是我並未在意，以為那是汽車排放廢氣的爆炸聲，或是輪胎爆了——你知道他們在這裡是怎麼開車的。未幾，露絲太太從電梯衝出來，她一向是個最為鎮定的女人，但她臉上的表情讓我吃了一驚，像是處於十分激動的狀態——」

「等一等，」杜夫插嘴道：「這些你都跟那位隊長說了嗎？」

「沒有。我以為保留下來告訴你會比較好。」

「很好，請接下去。露絲太太人很激動……」

「極度的激動。她衝向我面前，問道：『哈尼伍先生進來沒？』我睜大眼睛望著她，吃驚道：『怎麼回事，露絲太太？』她答說：『發生大事情了，我必須立刻見到哈尼伍先生，他被什麼耽擱了呢？』我於是想起那聲巨響，現在我明白了，那聽起來像是槍聲。我向外頭衝出去，露絲太太跟了上來，暮色降臨，花園裡頭很暗，而這些法國佬很節省，燈還沒點亮。步道走了一半，我們發現了華特．哈尼伍，他的身體一半倒臥在步道上，一半在步道旁栽種的花草上。他中槍了，不偏不倚的打在心窩上，手槍留在他身旁，在他右手附近。」

「是自殺嗎？」杜夫問道，搜索著勞夫頓的臉上表情。

「我以為是。」

「你態度上希望如此。」

「那當然。那樣會比較好——」勞夫頓突然頓住了。露絲太太就站在沙發後面。

「自殺？我的老天！」她神情奕奕的說：「早安，杜夫探長。這裡正需要你，又發生命案了。」

「命案？」杜夫覆誦了一遍。

「正是如此。」老太太回答道：「等一下我會告訴你我為何這樣想。噢，勞夫頓博士，你的表情別這麼驚訝。你又有一名團員被殺了，而我所擔心的是，我們這麼些人夠不夠被殺？環遊世界還有很多路要走呢。」

【第八章】里維耶拉的迷霧

上午的太陽光照進來，在波斯地毯上形成一塊光明的亮塊，勞夫頓站了起來，心神不寧的在那亮塊裡踱著方步。他粗魯的咀嚼起八字鬍的尾端來，每當他遇到困擾時就會有這個動作，露絲太太希望他別這樣。

「我無法相信，」旅行團團長大聲說道：「那太難以置信了！旅行團裡有一個人遭謀殺我或許還認了，但是絕不會有兩個。除非有人跟我有仇，想要毀掉我的事業！」

「更有可能的是，某人跟你這個旅行團的成員有仇。」老太太冷冷的說：「至於要不要相信這一起也是件謀殺案，你先聽我講，然後再告訴我你的想法。」她在沙發坐下。「坐著吧，別再踱來踱去了，」她說：「你讓我想起以前在漢堡動物園裡看到的一頭獅子，我可是很知道這種動物的，不過這和我們要談的沒有關係。杜夫探長，你要不要坐到我身邊來？我想你們都會發現我講的事情很有趣。」

杜夫順從的移過去坐，勞夫頓也聽從了她的吩咐。不知怎的，這一型的女人話都不必講第二遍。

「昨天下午我跟哈尼伍先生、潘蜜拉小姐坐車到蒙地卡羅，」露絲太太接下去講：「你也許知道，杜夫探長，哈尼伍先生對這趟環遊世界之旅一直很心煩意躁，但是跑摩納哥的這一趟他似乎整個放鬆開來。說真的，他十分吸引人，我猜這比較像他真實的自我。他並未打算自殺，我相信如此。以前在印度大吉嶺的登山站有名男子，我剛好是最後一個看到他還活著的人——唔，這件事不必細談。昨天哈尼伍先生心情很輕鬆，甚至可說是高興，傍晚回來時還是那樣的心情。我們留下他在園門口付錢給司機，先進來飯店，回自己的房間。」

「我有看到妳。」勞夫頓提醒她。

「嗯，沒錯。好了，當要開門鎖的時候，我忽然發現鎖被人動過手腳。以前在澳洲墨爾本的時候，我的房間就有人闖進去過——那樣的事我經歷過。昨天我的房門有些鬆動，鑰匙孔變大了，我看到鎖上面有某種利器鑽鑿的痕跡，可能是把刀子，這種簡單的道具可以扳住彈簧。我進去房間，扭開電燈，我的印象立刻得到了證實，整個房間凌亂不堪，徹底的被人搜過了。旅行箱被人撬開，不久我便確定我最擔心的事情發生了，有人託我保管的一份文件不翼而飛。」

「什麼樣的文件？」杜夫好奇的問。

「場景必須回到倫敦，休．德瑞克遇害之後的那段時間。我們要離開倫敦的前兩天，杜夫先生，我收到一張華特．哈尼伍先生傳給我的紙條，要我立刻到勃倫飯店的會客室跟他見個面。我當然感到疑惑，不過我還是去了。他進入會客室時，似乎顯得很心神不寧，也不先打招呼就說：『露絲太太，我知道妳是個見多識廣、腦筋清楚的人，雖然我沒有這個權利，但還是想請妳幫個忙。』他從口袋裡拿出一只白色的信封，說：『希望妳能代替我保管這封信，必須要收藏好。要是我在這趟旅途中發生了什麼事，請妳立刻打開來閱讀裡頭的內容。』」

「被偷的就是這封文件？」杜夫問道。

「咱們先別扯那麼遠，」老太太回答道。「當然啦，我當時是有點退縮。一起旅行了這麼遠，我跟他講過的話還沒超過兩個字呢。我問他：『哈尼伍先生，這信裡寫了些什麼？』他表情很古怪的回答我：『沒什麼，只除了萬一……萬一我人不在了，必須去做的一些指示。』我告訴他說：『這封信應該是交給勞夫頓博士吧。』他說：『不，這封信絕不能給勞夫頓保管。』

「好啦，我於是坐在那裡，遲疑著。我問他認為自己將遇上什麼事，他支支吾吾的說什麼萬一生病了啦，之類的——有些事情誰又料得到，他這樣說。他看起來這麼疲憊，簡直是心力交瘁，我真為他感到難過。我們的心情都很不安。我知道哈尼伍先生曾經精神崩潰過，我告訴自己說這有可能是他的病態心理所致。乍看之下，他的這項請求，在我只是小事一樁，我於是告訴他把信交給我好了。他顯得很高興的樣子，說道：『妳人真是太好了。我要是妳的話，就會把它鎖起來。現在我們別一起離開這間會客室，妳走了之後，我再離開。還有妳要是不介意的話，我建議往後的旅途，有其他團員在的時候我們盡可能離得越遠越好。』

「這話聽起來也相當的古怪，不過我那天下午跟幾個朋友在貝爾格萊佛有約，而我已經有點晚了，因此我拍拍他的背，告訴他不用擔憂，然後匆匆的離開了會客室。回到自己的房間時，我瞄了一眼那封信，上面有一行小字：『我若死了，請即拆閱這封信。華特．哈尼伍』，我趕緊將它鎖進旅行箱，隨即出門。」

「妳應該立即知會我的。」杜夫不滿的說。

「是嗎？我那時無法取捨。就像我剛才所講的，這有可能是他的病態心理所傳達出來的意念，不具嚴重性，再說我那幾天在倫敦忙壞了，直到禮拜一早上搭乘火車前往多佛港時，我才開始思考哈尼伍先生以及他託付給我的那封信。我首度懷疑那跟休．德瑞克被殺的案子是否有所牽連。到了多佛港碼頭，上了渡輪甲板要過英倫海峽時，我便決定將它查個清楚。

「我在船上看到哈尼伍先生倚靠在右舷的欄杆上，於是走了過去。他似乎很不願意我有這樣的舉動。在我們談話的時候，他從頭到尾一直在甲板上瞟來瞟去，眼神充滿畏懼，彷彿自己是隻被盯上的獵物似的。那時我對這整件事情感到很不安，對他說道：『哈尼伍先生，我在顧慮著你託我保管的那封信的事，覺得是該我們好好敞開來談的時候了。請告訴我，你是否有任何理由相信自己有性命之憂？』

「那句話讓他大受震動，眼睛搜尋著我的表情。『什麼——沒有，絕對沒有。』他說道：『世事難料，人的生命譬如朝露。』他這個回答無法讓我滿意，於是我把在火車上想好的話拿來問他。『要是你碰上休．摩里斯．德瑞克同樣的下場，』我這樣問：『殺人兇手的名字會不會出現在那封信裡面？』

「似乎有好一陣子他沒能回答我的話，隨後他轉過身，眼神再度憂傷得讓我同情起他來。『我親愛的女士，』他這樣說：『妳為何以為我會讓你扛下這樣的重擔？那封信的內容正如我曾講過的——一旦我死了，有幾件事情亟待完成。』我回答說：『如果這話當真，那何不交給勞夫頓博士？為什麼你要我如此細心的保管？為什麼你反對我們兩個在一起的時候被人看到？』他聽了點點頭，承認說：『問得好，而我非常抱歉無法回答，但是露絲太太，我向妳保證，我不會讓妳捲進任何事情裡頭。請妳，我懇求妳，再保管那封信久一點，不要追問，事情很快就會獲得解決的。至於現在，要是妳不介意的話，』他還是懼怕而焦慮的東看西看，『我覺得有點不太舒服，想進去船艙躺一下。』我話還沒能再講一句，他就走了。

「嗯，一路到了巴黎，我仍舊十分擔心。我要很抱歉的說，那個可憐蟲所說的話我並不相信，依我向來的洞察能力，我認為我已經擊中了要害。我確定華特．哈尼伍預料到自己會遭謀殺，跟殺害休・摩里斯・德瑞克的兇手是同一個人，而我也幾乎確定他給我保管的那封信裡頭寫有兇手的名字。就德瑞克謀殺案而言，那讓我覺得自己也有點幫兇之類的味道。在那點上頭我並不畏懼，我住在日本的三年期間，有一回我保護——呃，我得保留一下，那件事不能再多講了。不過在這件案子裡，我並不想保護任何人，我希望找出殺死德瑞克的兇手，讓他得到報應。我非常煩躁——這種情緒我並不常有，我不知道要怎麼做。」

「要做的事只有那麼一件，而妳卻沒做，」杜夫嚴厲的說：「我對妳感到很失望。你知道怎麼聯絡我的。」

「那是沒錯，但是我並不習慣請求某個男人來幫我解決難題。另外還有一件事情要做，而你卻沒有想到，真讓我感到失望。有個老把戲你聽過嗎，用水蒸氣來拆閱信件？」

「妳用蒸氣拆了那封信？」杜夫驚叫道。

「沒錯，而我並不想道歉。在男女私情和謀殺案裡頭，做任何事情都是公平的。在巴黎的那天晚上我拆開了封皮，抽出了裡頭的信紙。」

「裡頭寫了什麼？」杜夫心急的問。

「跟可憐的哈尼伍先生告訴我的沒有兩樣。信的內容很短，大致是說：

『親愛的露絲太太：

我很抱歉得麻煩妳。可不可以請妳要求勞夫頓博士立刻聯絡到我太太？她叫西碧兒．康威，人現在在義大利聖雷蒙的宮廷飯店。』」

「的確沒提到任何事情！」杜夫歎了一口氣。

「的確，」露絲太太同意道。「當我看過之後，我覺得自己好卑鄙。而且感到很困惑。活到七十二歲了，我從未覺得如此困惑。他為什麼不能把這封信交給博士？頭一點，這樣做並不必要，博士知道哈尼伍太太的名字，也知道她人在哪裡。我們裡頭有若干人也曉得——他講過好幾次了，每次都說她人在聖雷蒙。然而這回他卻把如此不必要的訊息寫在紙上交給我，還擺出我必須用性命來保護的姿態。」

杜夫思忖的望向虛空。「這我不懂！」他自承道。

「我也不懂，」露絲太太說。「但是我認為哈尼伍先生是被人謀殺的，這你不懷疑吧？我很肯定他有此預見——看他的眼神就知道。而兇手在行兇之前，認為必須要把我行李箱裡的那封信弄到手，為什麼？那真是天曉得。是誰告訴他有這麼一封信的？華特．哈尼伍嗎？對我而言，那太晦澀難解了。杜夫先生，你必須找出謎底來，我把這整件事託付給你。」

「謝謝妳，」杜夫答道，他轉向勞夫頓博士：「這是真的嗎，你早已曉得哈尼伍太太人在聖雷蒙？」

「我當然曉得，」勞夫頓答道：「這是哈尼伍親口告訴我的。他要求我到了宮廷飯店，就在那裡住上一天，指望能夠說動他太太加入這趟旅程。」

杜夫皺起了眉頭。「迷霧越來越濃了，」他歎息道。「你已經通知他太太了吧？」

「是的，昨晚打過電話了，而且在聽到這件噩耗時，我想她暈過去了——最起碼聽起來像是那樣，我聽到她人倒下去，電話就斷了。今早她的管家打電話給我說，哈尼伍太太——或者西碧兒．康威，那女的是這麼稱呼自己的——不能夠到尼斯來了，她要求我把她先生的遺體帶到聖雷蒙。」

杜夫思考了起來。「我必須盡快跟那位女士見面談個話。這下好了，博士，我們都聽到露絲太太剛剛的話了，對於哈尼伍的死，你有什麼看法？」

「你要我講什麼好呢？我得承認，這事情看起來越來越不像是單純的自殺案件了。老實說，在巴黎的時候，我自己的房間就被人搜過好幾遍了。沒錯，杜夫探長，這很可能是謀殺案，不過你認為這事情該要讓我們三個人之外的其他人曉得嗎？如果法國警方發現——嗯，你也很明瞭這個地方的官樣文章吧，杜夫先生？」

「你的話很有道理，博士，」杜夫同意道。「這案子我也不願意巴黎警政部給扯進來，雖說我很景仰他們的辦案能力和績效。但是不行，這案子是我的，我想要完成它。」

「你說得對，」勞夫頓說道，顯然是放心了。「還有一點需要考慮，我們是否也要把剛剛的疑點告訴旅行團的其他成員？他們已經有點坐立不安了。之前芬維克就想要窩裡反，這回他一定又會舊調重彈，萬一旅行團四分五裂，大家各走各的路怎麼辦？那會有助於你的調查嗎？還是你寧可破案之前我們這些人都聚在一起？」

杜夫露出了苦笑。「博士，你的分析很有條理，也很具說服力。你可不可以把團員全召集起來，我要再跟他們談一談，看看有什麼方式可以應付那位刑警隊長。我想他應該不至於刁難吧。」

勞夫頓走開了去，杜夫注視著他的背影，隨即看向坐在沙發上的露絲太太。

「哈尼伍認為那封信絕不能讓勞夫頓保管。」他說道。

她猛點頭，「那一點他很斷然。」

潘蜜拉．波特和馬克．甘乃威從側門進來，杜夫向他們點個頭，招一下手，他倆立刻走上前來。

「哇，是杜夫探長欸，」女孩驚訝道，滿臉的欣喜。「我們又見面了，真好。」

「妳好啊，潘蜜拉小姐，你也好，甘乃威先生，」偵探說：「出去逛嗎？」

「是啊，」女孩說：「監護人盯得好緊，我們設法躲開了去，在海邊逛了一下。那兒真是個天堂，至少我認為如此，但我也知道，世界上再沒其他地方的空氣能像麻州北海岸那麼讓人清新振奮的了。」

甘乃威聳了聳肩。「請恕我為自己的老家講講話吧，也說不定這是錯了，」他道：「聽說底特律那裡根本不認為北海岸是個好的汽車銷售市場，我們怎能再淪落下去呢？但話說回來，我是真的滿喜歡尼斯的。」

「很好，」女孩笑道：「他們目前還不需要拆掉它。——咦，泰特先生是怎麼啦？」

那位名律師快步走過來，整張臉紅得像是要心臟病發作似的。

「你搞什麼鬼——噢，你好，杜夫先生，」他開口道：「甘乃威，你到底跑到哪裡去了？」

被這麼一說，年輕人臉立刻紅了起來。「我跟潘蜜拉小姐去散步。」他低聲說。

「噢，散步，是嗎？」泰特接下去說：「丟下我，讓我自生自滅，這就是你打的主意？領帶也要我自已打。」他指著讓他發脾氣的圓點花紋領結：「這該死的領結，我一輩子總打不好。」

「我不知道這種事也要我服侍你。」甘乃威聲音揚了起來。

「你要陪在我身邊，該做什麼你清楚得很。如果波特小姐需要一個伴，她該自已雇一個。」

「幫傭那樣的事有些人是用不著——」年輕人氣極敗壞的說。

「請等一下。」潘密拉．波特面帶微笑的跨上前去。「泰特先生，我幫你打領結吧。像這樣……嗯，這樣好多了，那邊有塊鏡子，你去看一下打得怎麼樣。」

泰特軟化了一點，不由自主的，但他仍怒視著那個小伙子，隨後才走開了去。

「稍等一下，泰特先生。」杜夫說道：「勞夫頓博士這個旅行團的成員要到那邊那個沙龍集合一下。」

泰特轉過身來。「為什麼？又要再開一次你那該死的蠢調查嗎？要浪費其他人的時間可以，先生，可別浪費我的。你是蠢材，警官，一個無能的蠢材，在倫敦我就看出來了。你在倫敦調查出什麼來了？什麼也沒有。集合個鬼！」他才走了兩步，又轉過身來，臉上顯得很懊悔。「呃，對不起，警官，真的很失禮。我那血壓、整個人的神經都被搞得四分五裂了，我剛剛真的不是有意的。」

「別擔心，我能明瞭，」杜夫冷靜的回答：「就是那邊那個房間，請。」

「我先去那裡等，」泰特謙卑的說：「馬克，你也一起來嗎？」

小伙子遲疑了一秒鐘，聳了聳肩，跟上前去。露絲太太和潘蜜拉也隨著過去。杜夫總算到了飯店櫃台登記房間，要一名服務生幫他拿行李上樓去。轉過身來時，他見到了艾馬·班勃和他太太。

「我也預料到會再見面哩，」熱切的打過招呼後，班勃說：「不過你來得比我想像得早，哈尼伍的事很糟糕，是吧？」

「很令人惋惜，」杜夫同意道。「對此你有何看法？」

「我不知道，」班勃這麼說。「不過——唔，奈蒂，我想我還是告訴他比較好。」

「那當然啊，」班勃太太說。

「我不知道這是不是真的有關，」班勃接下去說：「在巴黎的時候，有天晚上我跟奈蒂去看那裡的勁歌熱舞——哇，我真該戴眼鏡去的！結果回飯店時，我們的房間被搞得亂七八糟，每一個旅行箱都被割破搜過了，但是一樣東西也沒被人偷走。我不知道這是怎麼回事，該不會是蘇格蘭警場幹的吧？」

杜夫笑了起來。「不是的，班勃先生，蘇格蘭警場手法不那麼笨拙。原來你們的房間被人搜過了。請問一下，離開倫敦後，你們跟哈尼伍先生常打交道嗎？」

「噢，有啊，在巴黎的時候，他房間離我們很近，我去跟他混過幾回，他對巴黎的熟悉程度，就跟我對亞克朗的了解一樣多。嘿，你相信他是自殺嗎？」

「看起來是那樣，」杜夫答道：「你們可以去那個小房間等我一下嗎？」

「沒問題！」班勃答道，和他的太太朝著杜夫所指的方向走去。

杜夫也跟了過去，要進門時，麥司．米欽夫婦出現在面前，麥司善意的向他打了個招呼。

「好啦，又有個人掛了，」黑道大哥沙啞的低聲說道：「這一堆阿貓阿狗裡面，看起來有鬼。你看法如何呢，警官？」

「你的看法又如何？」杜夫問道。

「這案子太難了，我搞不懂，」麥司對他說：「不過你可以賭，哈尼伍這傢伙絕不會自己把自己做掉。我在注意著，猜想是有人發現自己的小辮子露出來了，你信不信，哈尼伍就是逮住那個小辮子的人。你看他的眼神就曉得，他死不瞑目，好像在找子彈是從哪裡射過來的樣子。」

「米欽先生，請你幫我個忙，」杜夫說道：「等一下我們討論這案件的時候，剛剛講的這些你可不可以忍住不講？」

「我可不笨，」米欽回答道：「就像剛剛講的，我這次會好好追蹤。棺材蓋上了蓋子——我守口如瓶。」

這時勞夫頓帶著史派色太太和史都華．費維安來了。大家在找位子坐時，羅斯一拐一拐的進了來，後頭跟著基恩，就座之前鬼頭鬼腦的四下望著。

「除了芬維克兄妹，所有人都到了，」勞夫頓對杜夫說：「他們好像出去了，我也沒費心去找。如果在那傢伙亮相之前我們能把全部的事情搞定，那樣最好。」

杜夫點點頭，臉迎向在座的人。「兄弟我又來了，」他臉色凝重的說：「在了解了昨晚的不幸事件之後——我指的是華特．哈尼伍先生自殺的事，關於大家接下來怎麼辦，我想要講幾句話。」

「他是自殺？」史派色太太軟弱無力的說。她身上的白色洋裝滿好看的，頭上俏麗的小帽壓低下來，稍稍遮住了那雙閃亮的眸子。

「我猜是自殺，」杜夫接著說：「有關這次不幸事件，各位是否有什麼想告訴我的？」

沒人搭腔。「那好，」杜夫繼續說：「既然如此的話——」

「等一下，」費維安插嘴了，室內光線很亮，他額頭上的疤痕顯得格外分明。「是有件小事，杜夫探長，也許跟這毫不相干。我是跟哈尼伍先生睡同一節火車車廂到這裡來的，在巴黎的時候，我對他有比較深入的了解，他這個人我喜歡。那次我們兩個一起去餐車吃晚飯，回來發現兩個人的旅行箱都被破壞了，而且分明被人搜過。哈尼伍沒有任何東西遺失，那似乎有點奇怪，更怪的是，我檢查過自己的東西之後看到他的表情，他整張臉慘白，渾身抖個不停。我問他怎麼啦，但他沒有回答。還有，他顯然極度不安——嗯，假如這是個夠強烈的形容詞。」

「謝謝你，」杜夫說：「很引人好奇，但是不足以推翻自殺的推斷。」

「那你認為，他真的是自殺？」費維安有點無法置信的說。

「法國警方如此認為，我也傾向於附和他們，」杜夫對他說：「哈尼伍先生曾經精神崩潰過，他愛他太太，而他太太卻離開他，那樣的悲劇場景全都布置好了。」

「或許吧！」費維安話中帶疑的答道。

「到目前為止，各位經歷了十分悲慘的旅程，」杜夫接著說：「但我想各位的痛苦經驗全結束了。德瑞克先生的那樁，呃，懸案，有可能隨著哈尼伍先生的死結束了。我可以清楚的告訴各位，我在倫敦的調查指出了這項結果，總之，最好讓法國人也認為如此，那樣他們就不會想追查兇手了。法國警方的調查結束後，我想各位會繼續行程的，從現在開始應當不會再發生什麼不愉快的事件了。有人能提出不應該繼續這趟旅程的理由嗎？」

「完全沒有，」露絲太太立刻便說：「只要行程存在，我就要走下去。」

「那正是我們的想法哩，夫人。」麥司．米欽說。

「我就知道你們會繼續下去。」露絲太太對他說。

「嗯，我找不出任何中止的理由。」基恩上尉說。

「我答應帶影片回去，不能就這樣兩手空空的回亞克朗，那會被全鎮的人笑死，」班勃說：「環遊世界——這是我的訂單，而既然我提出了訂單，我就希望看到訂單完全履約。」

「羅斯先生呢？」杜夫問。

伐木工人露出笑容。「好啊，咱們繼續走下去吧，」他說：「我花了好大的準備才得以成行，現在就放棄我可不願意。」

「史派色太太呢？」

那女人拿出一支長菸桿，在尾端塞進香菸。「我不會退出的，」她說：「誰有火柴？」

費維安立刻付之行動，顯然那女人走到哪裡，他都會跟。

「喂，是誰說要停止的？」泰特問道，他情緒似乎仍不太穩定，「除了芬維克那個白痴，可沒有人喊停過啊。唔，我該要道歉嗎？他人又不在這兒，不是嗎？」

「很好，」勞夫頓博士說：「一等法國警方同意，我們就離開這裡。大家的下一站是聖雷蒙，位於義大利的邊境，晚一點我會把火車時刻告訴你們。」

在一陣嗡嗡的討論聲中，集會到此結束。杜夫跟隨露絲太太走出沙龍，來到先前談話的地方，他站在她坐的沙發旁。

「喔，對了，」他說：「妳昨晚回到飯店，跟潘蜜拉小姐一起進來大廳的時候，勞夫頓博士是不是正在這裡跟芬維克談話？」

「噢，是啊。」

「當妳發現那封信不見，匆匆下樓來時，芬維克是否還跟博士在一起？」

「不在了，只有勞夫頓博士一個人。」

「妳進來時，博士有問起哈尼伍嗎？」

「有，他有問，而且顯得很心急。」

「請妳小心，露絲太太，我要的是事實，不要任何修飾。就妳所知，當妳搭電梯上樓時，勞夫頓和芬維克有可能不在一起了？」

「是的。勞夫頓博士有可能衝出去外面，開了槍。」

「這妳甭管。」

「但是我同樣也不喜歡他。」老太太不以為然的說。

「妳所謂『同樣』是什麼意思？」杜夫問道。「我這個人沒有什麼喜不喜歡，露絲太太，幹我這一行的禁不起這樣。」

「噢，我以為你也跟我們其他人一樣，是平常人。」露絲太太說道，走開了去。

勞夫頓走過來。「謝謝你了，杜夫探長，才兩三下你就把我們未來的行動安排搞定了，」他道：「如果應付法國警方那邊也能同樣成功，那就更好了。」

「我猜可以吧。噢，對，勞夫頓博士，昨晚，當聽到外頭槍響時，你還在跟芬維克談事情嗎？」

「對呀，那傢伙我甩不開。」

「那槍響他也聽到囉？」

「應該是。他嚇一跳。」

「喔，那這樣你們兩位都有了很不錯的不在場證明了。」

勞夫頓有點緊張的笑了笑。「我想是吧。但運氣不好的是，芬維克人不在這裡，無法印證我的話。」

「你這話什麼意思，為什麼他不在這裡？」杜夫吃驚道。

「在房間裡我不好講，」勞夫頓回答道：「不過我發現了這張條子，用圖釘釘在芬維克房間的枕頭櫃上。你看一下，它是寫給我的。」他將紙條交給了杜夫，杜夫唸道：

親愛的勞夫頓博士：

我曾經警告過，假如再發生任何怪事，我們就退出旅行團。好啦，現在又發生了離奇的事，因此我們走了。我已跟飯店副理安排妥當，半夜叫車來載我們走，你阻止不了，這你心知肚明。我匹茲費爾德家的住址你有，等我回到家時，希望剩下行程應該退的錢能夠寄到，也就是說，你最好馬上去辦。

諾曼·芬維克

「半夜走掉了，」杜夫思索道：「但不知他們怎麼個走法？」

「飯店方面告訴我，芬維克有在問從熱那亞到紐約的船期。」

「熱那亞嗎？那他們會沿著里維耶拉的東邊過去，現在正在過境了。」

勞夫頓點點頭。「毫無疑問，已入境義大利了。」

「你看來滿高興的，勞夫頓博士。」杜夫說道。

「沒錯，我幹嘛要裝？」博士回答道：「帶了十五年的旅行團，我沒碰過比芬維克更討厭的人了。他走掉我很高興。」

「連不在場證明一起走掉也一樣嗎？」杜夫問道。

勞夫頓笑了起來。「我幹嘛需要不在場證明？」他爽快的問。

【第九章】聖雷蒙的黃昏

勞夫頓往櫃台那邊走去，留下偵探思索著這個令人措手不及的消息。羊欄被衝壞了，跑掉了兩個涉嫌的旅行團團員。沒有任何跡象發現芬維克兄妹跟倫敦那樁謀殺案有關——哈尼伍的這樁也一樣。但是杜夫仍覺得，一直到破案為止，這個旅行團的成員都是有嫌疑的，芬維克兄妹也不例外。那傢伙看起來不像是殺人兇手，但是偵探從經驗中得知，很少有兇手看起來像兇手。對此突如其來之舉，他覺得深受困擾，這個來自匹茲費爾德的誇張男子……但他又能如何？除了哈尼伍，他無法對這個旅行團的任何人行使公權力，而哈尼伍已經死了。

這時電梯那裡出現騷動，引起他的注意，是那一身光鮮的刑警隊長，隊長向他走來。他那身眩人的警察制服，跟里維耶拉五彩繽紛的背景搭配得多麼好啊！

「噢，探長先生，你還沒上樓去啊？」隊長說：「我一直在等哩，可你都沒出現。」

杜夫搖搖頭。「那裡用不著我的，隊長先生，法國警方辦案時的眼睛有多銳利，我太清楚了。我是否該對你在這件案子中的表現表示祝賀呢？我調查過了，你所顯露出來的聰明睿知真讓我驚訝。」

「你太客氣了，」隊長喜形於色。「我在研究蘇格蘭警場的辦案手法時學得了不少，也許你說的並沒有錯。」他的胸膛挺了起來，「在本地，具備了相當的條件，我做的是還不錯──但這案子什麼條件也沒有！叫最聰明的人來，也一樣束手無策。那些愚蠢的服務生！我真想哭啊，探長先生。腳印踩來踩去，指紋都破壞了，剩下來的我還能做什麼？」

「幸運的是，你已經不必做任何事了，」杜夫向他擔保說：「這是個自殺案件，隊長，我可以向你保證。」

法國佬吃下定心丸，臉上露出喜色。「你這句話是最中聽的了。是有個女人，他為那女人而死，對吧？」

杜夫露出微笑。「是的，她是死者的太太，」他靈巧的接受暗示，「死者愛她很深，但她卻棄死者而去。他心碎之餘想要苟活，但沒有用，就連來到你們這個可愛怡人的城市，他都發覺毫不管用。於是有了那支手槍，有了外面步道的那具屍體。」

隊長搖了搖頭。「唉，是女人，探長先生，每次都是為了女人！讓人傷透了心、受那麼大的苦，她都不必負責嗎？但是，我們沒有女人成嗎？」

「很難！」杜夫說。

「根本不成！」隊長大聲說道：「那太難以想像了。」他頓了一下，說：「咱們恐怕離題了，探長先生，勞夫頓博士告訴了我你為何來到這裡。我接受你自殺的判斷，還有誰能懂得比你多呢？所以等我報上去，這件事情就結束了。」

「很好。」杜夫點點頭：「那我想這個旅行團可以立刻動身，恢復他們的行程囉？」

隊長遲疑起來，畢竟，對這樣的命案總不能視若等閒吧。「探長先生，可以的話，別決定得那麼快好嗎？」他說：「我現在得跑檢察官那裡一趟，由他做最後決定。我會打電話給你，通知他的決定。如此安排你還滿意嗎，探長先生？」

「噢，十分滿意，」杜夫回答道：「再次的，我要向你致上熱誠的祝賀。」

「您太過獎了，探長先生。」

「哪有，我印象很深刻，非常的深刻。」

「我該如何向你致謝呢？我的快樂真是說不出來。」

「別這麼說，隊長。」

「那我就心領了，再見，探長先生。」

「再見。」杜夫回以一個濃濃的約克夏腔。

制服鮮艷的刑警隊長走開了去。

勞夫頓立刻來找杜夫。「怎樣了？」他問道。

偵探聳了聳肩。「我想沒問題吧，隊長很樂意聽我的勸。不過他必須向地檢處報告，才能做最後決定。我得等他打電話來，希望他很快就會打來。已經知道下一步計畫該怎麼走，我也急著想飛身去聖雷蒙。」

「我人會在飯店裡頭，」勞夫頓對他說：「你接到電話時，我當然希望盡快通知我。今天下午四點半有一班特快車，希望我們能趕得及。」

一個小時之後，刑警隊長打電話來說，他們想什麼時候動身，悉聽尊便。杜夫立刻寫了條子，請服務生拿去給勞夫頓，然後走到飯店櫃台。

「請幫我打電話到聖雷蒙的宮廷飯店，」他說：「我想跟住在那裡的華特·哈尼伍太太通個電話——呃，有時候她自稱是西碧兒·康威小姐。」

這顯然被飯店人員當作重要差事，幾個傢伙躲在一旁熱烈的討論起來。杜夫坐在鄰近的沙發椅上等候著，幾分鐘後，一位服務生屏住呼吸帶來了消息。「有位女士在電話線上，她人在聖雷蒙。」他說。

偵探立刻走進他所指的那個電話亭。「喂？」他大聲說道。他對歐陸的電話系統極不信賴，因此放開了音量大喊。

傳入他耳內的聲音很模糊、遙遠，但很悅耳：「請問有人找康威小姐嗎？」

「是的，我找她。我是蘇格蘭警場的杜夫探長。」

「我聽不到，什麼探長？」

「杜夫。杜夫探長。」

「你說話的聲音可能太大聲了，我還是聽不清楚。」

杜夫渾身冒出汗來，他突然明白自己剛剛是在吼叫哩。他音量壓低下來，講得更清楚些。

「我是杜夫探長，隸屬於蘇格蘭警場。勞夫頓的旅行團在倫敦的時候，休．德瑞克謀殺案是我承辦的。我現在人在尼斯，很不幸碰上了妳丈夫哈尼伍先生死去的意外。」

「喔，是。」聲音很微弱。

「我很遺憾，哈尼伍太太。」

「謝謝你。你想跟我聯繫什麼事？」

「我在想，對他的死，妳所知道的是否有助破案？」

「勞夫頓博士告訴我是自殺。」

「妳先生不是自殺，哈尼伍太太，他是遭人謀殺。」杜夫的聲音現在變得很低了。

「妳還在線上嗎？」

「還在。」聲音非常模糊。

「我覺得這宗命案肯定跟德瑞克先生在倫敦的命案有某種牽連。」杜夫進一步說。

對方頓了一下。「那點我可以向你證實！」那女人說。

「什麼？」杜夫驚叫道。

「我是說這兩宗命案有牽連，就某種意義來說，是同一件謀殺案。」

「天吶，」杜夫倒吸了一口氣，「妳這話什麼意思？」

「等見了面我會解釋的，這件事說來話長。你會跟勞夫頓旅行團到聖雷蒙來吧？」

「當然。我們今天下午四點半離開這裡，大約兩小時後應該會抵達妳住的飯店。」

「那好，我們到時候再說吧。我先生因為我的緣故，希望這件事不要曝光。我猜他是害怕這會破壞我的演藝生涯，對我造成打擊。但是我已經下定決心了，不管花多少代價，我都要見到正義得到伸張。你知道嗎？我知道是誰殺了我丈夫。」

杜夫再度倒吸了一口氣。「妳知道是誰？」

「沒錯，我知道。」

「那，看在老天的分上，哈尼伍太太，咱們別再冒險了。快告訴我，馬上。」

「我只能告訴你，那個人與勞夫頓環遊世界旅行團一起旅行。」

「那他叫什麼，他的名字！」

「我不知道他現在叫什麼。很多年前，當我們遇見他的時候，那是在一個很遙遠的國家，他那時的名字是吉姆·艾弗赫。現在他與旅行團同行，但用的是另一個名字。」

「這是誰告訴妳的？」

「我先生寫信告訴我的。」

「可是他並沒有把名字寫出來吧？」

「沒有。」

「殺害休·摩里斯·德瑞克的是同一個人嗎？」杜夫屏住呼吸問道。他要找的正是殺德瑞克的兇手。

「對，同一個人。」

「這妳先生也告訴妳了？」

「是的，都在信裡頭，我今晚會把它交給你。」

「但那個兇手他是誰？我必須把他找出來才行，哈尼伍太太。妳說妳很多年前見過他，如果妳再次見到他的話，妳還認得出他嗎？」

「我立刻就認得出來。」

杜夫掏出手帕來擦拭額頭，這真是太好了。

「哈尼伍太太，妳還在電話線上嗎？」

「我還在。」

「妳剛剛講的太……太令人滿意了，」這種話杜夫一向講得很保守。「我大約傍晚六點半就會到達妳所住的飯店，確切的時間不大確定。除了我，旅行團的人也一起來。」他忽然想到了芬維克，不過又丟在一邊。「不能再出狀況了，我懇請妳待在自己房裡，一直到我再跟妳聯絡到為止。我會安排讓妳見到旅行團的每一位成員，最好是別人無法看見妳的地點。等妳指認出來後，其他的就全交給我。我會盡可能為妳把事情安排得容易點。」

「你真好心。我已經下定決心去做，無論花任何代價——這代價想必不輕——我會幫助你將殺死華特的兇手繩之以法，你可以信得過我。」

「我信得過妳，真是感激不盡。那就晚上見了，哈尼伍太太。」

「晚上見。我會在我的房間等你的電話。」

杜夫離開電話亭時嚇了一跳，因為勞夫頓就站在旁邊。

「你的字條我看到了，」勞夫頓說：「我們訂好了四點三十分的特快車，你需要的話，我們也替你訂一張。」

「我當然需要，」杜夫回答道：「車票錢稍等一下再給你。」

「那不急，」勞夫頓正要走開，忽又停了下來。「這個，呃，你跟哈尼伍太太談過了嗎？」

「才剛通過電話。」

「她有沒有告訴你什麼？」

「什麼都沒有！」杜夫答道。

「真可惜！」勞夫頓不以為意的說，隨即向電梯口走去。

杜夫進了自己的房間，他從未如此欣喜過。好難偵辦的一件案子，他碰過最困難的一件，再過七個小時就可偵破了。去餐廳吃中飯的時候，他再細心的研究了勞夫頓旅行團裡的每一位男性成員。會是哪一個呢？哪個人是笑裡藏刀的壞胚子呢？勞夫頓自己嗎？勞夫頓自己與旅行團一起走——那女人說的是「與」，而不是「在」。這意義深長？也許吧。泰特呢，他才剛走進勃倫飯店的會客室，心臟病就立刻發作，是他？不會吧，那太困難了。心臟那麼弱的人，卻還使勁去勒死德瑞克這個上了年紀的人，況且泰特對他一無所知。那甘乃威呢？他不過是個小伙子罷了。班勃呢？杜夫搖了搖頭。羅斯，費維安或基恩呢？這三個都有可能。麥司．米欽呢？似乎不太像，但是這碼子事是他的老本行。芬維克呢？偵探的一顆心直往下掉，假如是芬維克——唉，那怎麼辦？那他得去抓芬維克回來，即便是地球的另一頭——麻薩諸塞州的匹茲費爾德，管它是在哪裡。

下午四點半，他們全上了特快車，首途聖雷蒙。杜夫誰也沒透出口風，因此他自己知道等在前頭的是什麼。雖然在車站已數過人頭了，他還是從一個車廂巡到另一個車廂，再確認一下沒走失任何一位。跟幾名團員稍微談過之後，他走進泰特和甘乃威所在的那個車廂。

「你好啊，泰特先生，」他友善的打招呼，就了座。「這趟環遊世界之旅，我相信對你來說屬於精彩刺激的部分現在已經結束了。」

泰特不太友善的看了他一眼，「我不用你擔心！」

「我怎能不呢？」杜夫露出了微笑。他靜靜坐了片刻，眼睛看著外面飛逝的景物，經過蔥鬱的山丘和精密開墾的平原之後，出現了一個小海港，那兒有一座教堂，一座荒廢的城堡，之後是地中海的燦爛晴空。「好漂亮的國家！」偵探搭話道。

「跟看影片一樣！」泰特嚷道，隨手拿起一份《紐約前鋒報》的巴黎版。

杜夫轉向那位年輕人，「你第一次到外國旅行嗎？」

甘乃威搖搖頭。「不是的，以前學校放暑假時有出國旅行過，玩得很開心。那時不知道自己那麼幸福。」他看了一下身邊的老傢伙，歎了口氣。「無憂無慮的，纖毫不介於懷。」

「跟這次不一樣！」偵探說。

「你這個說法我隨時附議！」小伙子笑道。

杜夫彷彿是下定了決心的樣子，回頭面對那個老人。「我剛剛說了，泰特先生，我怎能不擔心你呢？」他提高了音量說：「你還記得吧，我看到你心臟病發作過一次，老天，我以為你這下完了，真的。」

「我並沒完，」泰特叱道，「即便是你，也一定看得出來。」

「即便是我？」杜夫揚了揚眉。「沒錯，我是個不怎麼樣的偵探，對吧？有那麼多疑點，我都未能解決。好比說，你進到勃倫飯店的那間會客室，我不知道你看到了什麼，引起那麼嚴重的心臟病發作。」

「我沒看到什麼，這我已經講過了，啥都沒有。」

「我倒忘了，我之前有問過嗎？」偵探不慍不火的接下去說：「休・摩里斯・德瑞克遇害的那晚，你沒聽到任何聲音或是喊叫——你知道我指什麼吧？」

「我為什麼應該要聽見？哈尼伍的房間介於我和德瑞克之間。」

「噢，對，是沒錯。不過呢，泰特先生，」偵探注視著老人的臉色，「德瑞克是在哈尼伍的房間裡遇害的。」

「什麼？」甘乃威驚叫道。泰特沒說什麼，不過探員覺得他的臉色有點變白了。

「我的話你懂吧，泰特先生？德瑞克是在哈尼伍房裡被殺的。」

老人立刻將報紙丟在一旁。「咦，你這個偵探說不定比我原先想的還要好哩，」他說：「看來這一點你已經查出來了，是不是？」

「沒錯。既然如此的話，你要不要把說詞更改一下呢？」

泰特點點頭。「我告訴你實情吧，」他說：「我猜你可能不信，不過那無所謂。二月七日凌晨的時候，我被勃倫飯店隔壁房的聲音吵醒了，那聽起來有點像是掙扎鬥毆的聲音，從哈尼伍的房間傳來，整個過程很短，當我完全醒了，所有的跡象都顯示鬥毆結束了。我問自己該怎麼辦，我花了好幾個月試著要好好休息，一想到要管別人家的閒事，我就很晦氣。當然，我完全沒想到是件命案。應該是出了什麼麻煩吧，我這樣認為。當時一切變得靜悄悄的，我決定把它忘掉，回頭睡我的覺。

「第二天我一早起來，決定到外頭用早點。喝完了咖啡——去！我不該喝這玩意兒的，但誰又能長生不死，然後我就到聖詹姆士公園散步。回來的時候，飯店克拉吉街入口的服務生對我說，樓上有個美國人被殺了，死者的名字他不曉得，但突然之間我明白了。是哈尼伍，凌晨的那場鬥毆！我聽到哈尼伍被人謀殺的聲響，卻沒有過去幫他，逮住兇手。

「你知道嗎，當我在門口碰到你時，早已經受到了一場驚嚇。等跨過門檻時，本以為樓上死掉的人是哈尼伍，但我第一個看到的人卻是他。吃了這一驚，加上先前的驚嚇，對我來說太難以承受，心臟病便發作了。」

「我懂了，」杜夫點點頭。「但是你並沒有告訴我哈尼伍房裡的那場鬥毆，你是在開玩笑嗎？」

「應該不是，我再度看到你時，整個人很虛弱。我頭一個念頭是盡可能不把它講出來，我只需要平靜，而你有你的工作要做——這你料理得來。這就是我碰到的全部狀況，信不信由你。」

杜夫露出了笑容。「我願意相信，泰特先生。當然啦，那要看以後的變化。」泰特的表情軟化了下來。「老天吶，」他說：「你這個偵探果然比我原先料想的還要好。」

「非常謝謝你，」杜夫回答道。「聖雷蒙好像到了。」

飯店派出的專車在薄暮中繞行於市區街道間，勞夫頓博士趁機對他的團員宣布注意事項。「我們明天中午離開這裡，」他宣布道：「各位除了必用品外，用不著把所有的行李都打開，大家都知道吧，我們要盡早前往熱那亞。」

沒過多久他們已抵達了宮廷飯店的門口。杜夫安排到一樓的客房，就在樓梯旁邊，大廳走過來的第一間，他研究了一下四周環境，發現離他房門不遠處有個歐陸式升降梯。雖然他不是個容易興奮的人，這時候心臟卻也狂跳起來。這家飯店相對來說是個小型建築，還不算是本地的重要名勝，感覺上卻也寬敞舒適。杜夫發現離吃晚飯的時間只剩半小時，大廳和走廊附近都是身穿晚宴服的客人，氣氛上相當具有度假旅館的特色。

杜夫到櫃台查清楚，哈尼伍太太是用西碧兒．康威的名字登記住宿的，她住四樓。

他發現自己的房間裝有電話，感到很高興，於是打電話去康威小姐的房裡，未幾那頭傳來低而悅耳的聲音，在歌劇院聽到一定會很陶醉吧。

「我是蘇格蘭警場的杜夫探長。」他很小聲的說。

「太好了，等得我好心焦。我，呃，已經準備好上場了。」

「很好，我們得立刻見個面。每一名團員現在都在自己的房裡，不過等會兒要吃晚餐，他們都會集合在樓下大廳。在這段等候的時間裡，我們先談一下。」

「好啊，我會把我先生從倫敦寫來的信交給你，很多事都會交代清楚，然後——」

「然後，我們兩個就從旁觀看旅行團成員魚貫前去用餐，隱藏的地點我已經選好了，就在一個大盆景後面。至於我們碰面相談我這樣安排：在一樓我房間旁邊有一間小會客室，沒有人——我所謂一樓妳懂吧，是指從大廳走上來的那個，好像在美國都說是二樓。那間會客室的門可以內鎖，我們去那裡談吧。妳的房間靠近升降梯嗎？」

「才幾步之遙。」

「太好了，妳可以搭升降梯下來——等等，我有更好的主意，我上去接妳。是四十號房吧，妳住的？」

「對，是四十號房。我等你來。」

杜夫立刻出去走廊，走廊半明半暗很合他的意，光源來自開著的升降梯。他按下升降梯開關，因為偶爾住巴黎的中型旅館，因此這種歐陸升降梯開關他還很熟。鐵籠子緩慢穩重的上升，感謝老天，這一次它並沒有故障。他走進升降梯，按另一個按紐，到四樓去。

他敲一敲四十號房門，一名高大優雅的女人前來應門，燈光從她背後照過來，看不清臉，但杜夫立刻察覺她是個美麗的女人。她滿頭金髮，身上穿的同樣是金黃色的袍子，至於說話的聲音，現在已不是隔著電話線聽到的了，連杜夫這樣的硬漢也悸動起來。

「您是杜夫先生啊，我太高興了。」她有一點屏住呼吸的樣子。「這個，這是我先生寫給我的信。」

他接過來，放入口袋裡。「非常謝謝妳，」他說：「跟我來好嗎?電梯在等著了。」

杜夫先讓她進升降梯，自己隨後跟著，然後按開關到一樓。緩緩的，遲疑的，那個有點晃的廂體開始下降了。

「我生病了，」西碧兒．康威對他說：「這樣做我有點吃力，但是我一定得、一定得——」

「噓！」偵探提醒她，「現在不要講，拜託。」升降梯越過了三樓。「請稍後再告訴我所有的事——」

他在驚駭中住了口。從他頭頂發出一聲尖銳的槍響，一個小物體劃過空氣，落在他腳邊。女人的臉讓他大吃一驚，他伸手扶住了她，眼睛看到她金黃色長袍胸口部位染了一大灘殷紅的血。

「全完了！」西碧兒．康威微弱的說道。杜夫講不出話來，他騰出另一隻手，猛力去扳關住的升降梯門。然而那法國人發明的代步工具仍渾然自若的往下降，讓偵探感到苦不堪言。

在杜夫探長的有生之年，此時的境況將會成為揮之不去的夢魘。他親眼見到一個女人在他身邊遭人謀殺，奄奄一息的癱在他懷裡，而兩人被鎖在一具升降梯裡，升降梯的門要時間到了才打得開。他仰頭看著那一片黑暗，知道自己一籌莫展，等升降梯門打開時，一切都太遲了。

升降梯到了一樓才開了門。衣衫不整的客人紛紛探出頭來。他將西碧兒·康威抱到一具沙發上，她已經死了，他知道。他跑回升降梯，撿起掉在那裡的一樣東西。一個軟羊皮的小袋子——他知道裡頭是什麼，無需打開來看了。從海邊撿來的小石頭，為數約莫上百，沒啥特殊含意的小石頭。

【第十章】耳聾的德瑞克先生

從升降梯出來後，杜夫將門關上，鈴聲幾乎立刻響起，升降梯開始上升。他小立片刻，看著它緩慢爬升，在漆黑的背景裡，它是唯一的光源。任何人站在那毫無保護的平台上，立刻便成了攻擊的目標，現在他知道這點已太遲了。許多國家的升降梯都是這樣的，沿著一根機械軸上下，除了圍了幾根稀疏的鐵柵之外，四周空空的，平台的部分也圍著同樣的鐵柵，高度僅及普通乘客的肩膀。金黃色的絲質袍子目標何其明顯，當升降梯和搭載的乘客緩緩升降時，任何人只要跪在走廊的樓板上，朝鐵柵上方開槍，簡直易如反掌。現在事情的經過看得很明顯，但卻是缺乏想像力的老實人所無法預見的。轉過身來，偵探恨恨的唸唸有詞起來，雖然不情願，他還是對他的對手報以一絲敬意。

宮廷飯店的老闆氣喘吁吁的衝上樓梯來了。此君腰大十圍，身上那套黑色禮服不知耗掉了多少布料，想必習慣吃上大量的義大利麵。在他背後是他的僱員，同樣穿著黑色禮服，但身材削瘦，飽經風霜的臉上充滿了焦慮。走道上布滿了受到驚嚇的客人。

偵探很快的引著那兩個人走進最前面的會客室，把門反鎖，三人站在那裡注視著沙發上的死者。

杜夫盡可能簡潔的解釋了當時的情況。

「在升降梯被殺？是誰幹的？」老闆那張胖臉上眼睛睜得大大的。

「究竟是誰呢？」杜夫答道：「當時我跟她在一起——」

「嗄，你也在場？那你留在這裡，等警察趕到的時候，去跟他們講。」

「那當然。我是蘇格蘭警場的杜夫探長，倫敦發生了一件謀殺案，這名死者原本是那件案子的重要證人。」

「原來是這樣！」胖子點點頭：「可憐的女人。但是這種事情，你想必知道，對我這個飯店是很不好的。我們飯店裡有個醫生。」他轉向他的夥計，「韋多，你去叫他馬上過來——雖然恐怕是太遲了。」

他搖搖擺擺的走到門口，打開門，面對著住店的客人。當一面擋人的屏風，他倒是挺稱職的。

「出了件小小的意外，跟各位無關。」他宣布道：「麻煩大家回到自己的房間。」群眾依依不捨的散去。韋多從旁經過時，老闆拉住了他的臂膀。「順便打電話給市警衛隊，你懂我的意思嗎，不是給憲兵隊，」他掃了杜夫一眼，「要不然會把大頭頭也扯進這裡頭來。」

夥計匆忙的下樓梯去。杜夫正要離開會客室，但被那胖子擋住了去路。「您去哪裡，先生？」他問道。

「我要去做個調查，」偵探解釋道：「我告訴過你了，我是蘇格蘭警場來的。目前這家飯店住了多少客人？」

「昨晚在本店住宿的有一百二十人，」老闆說：「這是旺季，客人很多的，探長先生。」

「有一百二十人！」杜夫皺起眉頭。市警衛隊對此可要花不少的力氣，甚至對他而言也是如此，可他知道，只有勞夫頓旅行團的人真正有嫌疑。

跟飯店老闆折衝了幾回後，他爬樓梯上樓去了。三樓的走道上靜悄悄的，空無一人，升降梯的支軸也看不出有關的痕跡。他想道，假如真的有毫無線索的命案，那麼這就是一件。他沮喪的上四樓去，敲了四十號的房門。

一名臉色蒼白的女傭為他開門，杜夫簡述了適才發生的事，那女人顯得大受震撼。

「長官，她就害怕會這樣，今天一整個下午都在擔心著，講了一遍又一遍的『汀娜，要是我發生什麼事的話……』，然後交代我接下來必須辦的事。」

「要辦什麼事？」

「我必須把她的遺體送回美國，長官。哈尼伍先生的也是，真可憐。另外必須發幾封電報，給在紐約的朋友。」

「以及親戚，是吧？」

「我從未聽她談過有什麼親戚，長官。哈尼伍先生也是。他們夫妻倆好像很孤立。」

「真的？那樣的話，稍後妳必須把拍電報通知的人列一張名單給我。現在妳最好到樓下那間會客室了，哈尼伍太太現在在那裡。妳告訴經理妳是誰，他們想必很快就會把她送回來這裡。我會在這個房間裡待上一會兒。」

「您就是杜夫探長？」

「是的。」

「我聽女主人談到過你。整個下午一再的提及。」

女傭走了，杜夫走過玄關，進入一間怡人的起居室。西碧兒・康威給的那封信在他口袋裡發燙著，但他得先搜索一下這個房間，再不久義大利的警察就會趕到，再不搜就遲了。他效率和次序兼顧的進行著，美國的友人寫來的信——沒幾封，也沒講什麼。翻了好幾個抽屜——打開的旅行箱，他搜得很快。最後當他在臥房俯身搜索一只袋子時，驀的發現有人在注視著他。他轉過身，見到門口站著一名市警衛隊的警官，黝黑的面孔，一臉的驚訝和不悅。

「你在搜索房間嗎，先生？」對方問。

「呃，請容我自我介紹，」杜夫趕緊說：「我是蘇格蘭警場的杜夫探長，英國領事館可以證實我的身分。」

「蘇格蘭警場的？」那名警官深有印象道：「我懂了，那位女士被殺的時候就跟你在一起？」

「是的，」杜夫不太舒服的點點頭，「看來我現在處在尷尬的位置上，你要不要坐一下。」

「我寧願用站的。」

當然用站的好，穿制服嘛，杜夫想道。「隨你的便，」他接著說：「關於這件案子，我想跟你談一下。」他盡可能簡單扼要的描述這件案子和他的關係，也說明西碧兒·康威在當中扮演的角色。他還不確定自己要讓義大利警方知道多少，因此沒解釋得很清楚。至於勞夫頓的環遊世界旅行團，他尤其小心不去提到。

那個義大利警官十分平靜的聆聽，等杜夫講完的時候，輕輕的點了點頭。「非常謝謝你，我想你一定會跟我聯繫過，才會離開聖雷蒙吧？」

「喔，當然。」杜夫苦笑道，心想同樣的話他已經向別人講過無數次了。

「你剛剛的搜查有何發現呢，探長先生？」

「啥也沒有！」蘇格蘭警場的人趕緊說道，他的心跳跳得有些快。萬一這名警官對他的介入感到不滿，因此要搜他的身，結果發現了哈尼伍的那封信，那可怎麼好？

一時之間兩人就這樣凝視起來，這真是場國際性危機，不過杜夫外表的威嚴莊重最後還是贏了。

義大利佬點了個頭。「我稍後再來拜會你。」他說道，隨後便走了。

杜夫鬆了口氣，趕緊回到他的房間。事不宜遲，他要立刻展閱西碧兒・康威死前不久交給他的那封信。他將房門鎖上，拉了張椅子傍著微弱的電燈，拿出那封已經拆閱過的信件。信封左上角印著倫敦勃倫飯店的徽記，郵戳蓋的日期是二月十五日，偵探回想道，那是休・德瑞克被殺之後的第八天，就在旅行團要來歐陸之前。

他抽出厚厚的一疊信。華特・哈尼伍頗不尋常的把字寫得很小，但即便這樣，這封給妻子的信仍然寫了密密麻麻好幾張。杜夫滿懷希望的讀了起來：

「最親愛的西碧兒：

妳可以從信紙開頭看到我參加的環球旅行團已到了倫敦，聽醫生的勸，我跟在紐約的時候一樣，寫信給妳。這次旅行本該是讓自己休息、放鬆，讓自己緩和一段時間。然而情況卻演變成令人無法想像，最最可怕的夢魘——吉姆・艾弗赫也在這一行人之中！

底下這件事是我一個禮拜之前發現的，時間是二月七日凌晨。當時的情況十分駭人，如此的詭異，如此的恐怖——但是請先別急，我慢慢講。

我在紐約上船的時候，即使是同行之人的姓名也一無所知，跟領隊也沒見過幾次面。出海前我們在碼頭會合，我跟其他人一一握手，並沒有認出吉姆．艾弗赫來。我怎麼會認得出他呢？妳記得吧，我只見過他一面，那時燈光晦暗——在妳那間小會客室的昏黃油燈之下。好多年以前的事了。沒錯，我跟所有的人都握了手，也跟吉姆．艾弗赫握過——那個發誓要殺掉我、也殺掉妳的人。而我從未想到，做夢都沒夢到。

嗯，我們出海了。那是個艱難的航程，我沒有離開我的座艙，只除了天黑後出來甲板走走，到了早上，我們抵達南安普頓。來到了倫敦，我仍然沒有什麼特別的感覺。頭兩天安排了很多觀光活動，但我沒有參加，我此行不是為了這個，而且倫敦對我而言已經不具新鮮感了。

二月六日晚上我一個人坐在飯店交誼廳的時候，旅行團有名團員進了來，他來自底特律，名叫休．摩里斯．德瑞克，是個老好人，耳朵卻幾乎聽不見。聊起來後，我告訴他我患有憂鬱症，並說過去兩天我睡得很不好，因為隔壁房有人讀書讀到很晚。我不太想上樓睡覺，因為知道自己睡不著。

對此，這位老好人提了一個點子。他指著耳朵說他耳聾，這種會困擾我的事情對他卻毫無影響，因此他提議那天晚上兩人換房間睡。原來他就住我另一邊的隔壁房，事情看來很容易安排。我們於是上樓去，彼此同意自己的東西都不帶，兩個房間中間的門不要內鎖，僅僅是換床睡而已。我把房間中間的門闔上就上了床——德瑞克先生的床。

醫生開給了我好幾包安眠藥，我若睡不著，那是最後的良方。於是我服用了一包，以確保一夜好眠。我有些不太習慣那樣的安靜，再加上安眠藥的助力，我連月來從未那麼好睡過。不過我第二天早上六點就醒了，由於德瑞克先生告訴我說他要早點起床——我們那天早上要前往巴黎，我於是走進隔壁房。

進去的時候我四下看了一下，他的衣服放在椅子上，助聽器在桌上，門窗全部緊閉。我走到床邊去搖醒他，而他已被一條行李繩勒住脖子，死了。

一開始我還無法明白過來——天還那麼早，人還沒完全清醒——妳也知道那是怎麼回事。然後在那床上，我看到一個軟羊皮小袋子，妳記得嗎，親愛的？那袋子原本有兩個，我們給了吉姆·艾弗赫，對吧？我有沒有記錯，是兩個裝了小石頭的袋子？

我坐了下來，思考是怎麼一回事。情形再簡單不過了，吉姆·艾弗赫就在勃倫飯店裡，他打聽到我參加這個旅行團，終於下定決心，要將他以前提出的生命恐嚇付諸實現，於是半夜偷偷潛進房間裡來將我勒死，並且把這袋石頭還給我。他是進入我的房間了！但是那天夜裡我不在裡面，德瑞克先生躺在床鋪黑暗的角落，外頭的街燈根本照不到那裡。而現在德瑞克先生死了，死於他對我的好意；他之所以死，如果妳喜歡嘲諷的說法，是因為他耳聾聽不見。

那把我嚇死了，但是我知道我必須鎮定下來，德瑞克我已經愛莫能助了，如果能夠防止的話，我願意捨命挽回，但現在已經太遲了。我得想辦法避開這件事，再見到妳的面，聽見妳的聲音，我愛妳，親愛的。我第一次見妳就愛上妳了，我若不愛妳的話，所有這些事都不會發生。然而我並不後悔。絕不。

我判斷絕不能讓可憐的德瑞克躺在我的床上，四周都是我的東西，我該如何解釋？因此我把他抱回他自己的房間，放在他床上。還有個裝石頭的袋子，我才不要，但卻不知如何發落。那對別人並沒有任何意義，而對吉姆．艾弗赫、對我們倆卻例外。我把那袋石頭丟在德瑞克的身旁，這樣做幾乎使我笑起來——笑那艾弗赫把它帶在身邊那麼多年，而最後東西卻放錯了地方，報仇卻報錯了對象。當然啦，他還有另外一個小袋子。

我從我的臥房出去外面走道，再進到德瑞克的房間，由那裡鎖住通往我房間的門。他的助聽器引起了我的注意，我先前不得已動過它，於是把上頭的指紋全擦掉。幸虧我有想到那麼做。然後我從他的房間走到外面走道，再進到我的房間。放心好了，沒有人發現我。但我想起前一晚有名服務生送電報給德瑞克先生，他知道我們交換房間的事。當他又來飯店值班時，我按鈴找他過來，用錢收買了他。這種事很容易。然後我就坐下來等候通知用早餐——又是新的一天開始，我得去面對吉姆．艾弗赫了。

看到他時，這下我認出來了——他那雙眼睛，經過了那麼多年，那雙眼睛裡面有某種東西依然沒有改變。那時我坐在飯店的會客室裡，等待蘇格蘭警場的人員到來，我抬起頭來一看，吉姆．艾弗赫——他就站在那裡，只是現在換了個名字。他也跟著旅行團一起旅行。

蘇格蘭警場的人在問問題時，我努力想著該怎麼辦才好。我已經騎虎難下，脫離不了這個旅行團了。我心情很緊張，面對訊問時答覆得不是很好，若是脫隊的話，他們會立刻把我逮捕起來，那所有不愉快的事情就全曝光了。不行，目前我必須撐下去，那個人無疑更加想要我的命了，而我必須跟他一起行走天涯——其實就某方面來說，他已經把我給殺了。

我想我非如此不可。有一整個禮拜的時間，當我要睡覺，或試著想睡覺時，我都會用櫥櫃抵住房門。慢慢的，我擬出一條自保的方案，於是去找艾弗赫，告訴他說我將一封信放在一個安全的地方，要是我發生什麼意外的話，那封信就會被拆開來看。我讓他相信在那封信裡寫了他的名字，也就是殺害我的兇手的名字——假如我遭人殺害的話。我認為，那樣一來，至少他一時之間動不了手吧。

我準備好了這封信，內容寫得很簡短，但是並未提到艾弗赫的名字。即使事情發生了，即使他把我送到了絕路，以前的事也不能揭發出來，那不可寬恕的往事！親愛的，那會摧毀妳那美好的演藝生涯。我不能坐視讓它發生，因為我是如此的以妳為榮。

我今天下午把那封信託付給了旅行團的一名成員，肯定沒有人會對此人起疑。不久之前我看到吉姆·艾弗赫獨自一人坐在飯店大廳，我於是到他身旁坐下來，假裝在閒聊，其實是把我的措施告訴了他。他沒有任何表示，只是坐在那邊注視著我。我說有這麼一封信，而他老兄的大名就寫在信裡面，當然後面這個部分並非實情，不過我相信這個計畫將會奏效。

因此我將會跟著旅行團一路開拔到尼斯，在到達那裡之前，我相信他不會有任何行動。這整件事似乎讓他很震撼——最好是這樣。抵達尼斯的當晚，我打算趁著黑夜坐汽車開溜，到聖雷蒙找妳。蘇格蘭警場現在已放棄了這件案子，我懷疑他們有本領阻止我。我們將躲起來，直到威脅過去為止。我相信面對此一意想不到的危險，我倆之間的歧異必然能夠化解。

親愛的，我並不想告訴妳吉姆．艾弗赫是用什麼化名跟隨大家一起旅行的，妳一向那麼衝動，那麼急於採取行動。我擔心妳若是曉得了他的化名，一旦我出了事，妳就無法保持緘默了。妳將會幡然棄妳那燦爛的演藝生涯於不顧，把全部的事都抖出來——而日後勢必會為此舉感到懊悔不已。看在老天爺的份上，萬一我出事了，請立即避開勞夫頓旅行團的行程路線。立刻在聖雷蒙消失——妳必須優先考慮到自己的安全，雇一輛車到熱那亞去，搭頭一班船回紐約。就當作是為了我吧，我懇求妳！不要把妳往後的生活也毀了，那又有什麼好處呢？已經消逝的過去，就任其永遠埋葬吧。

但是我不會出事的，妳只要像我這樣，保持沈默就行。我在寫這封信的時候，手穩穩的一點也沒發抖，事情總會逢凶化吉的，我有把握。我會打電報告訴妳我何時到，請妳準備好等我。我們將會去二度蜜月，艾弗赫和那件往事將會消褪回到原來的角落。

永遠愛妳的　華特」

杜夫凝重的將信摺好，放回封套裡，心中被一種強烈的無助感席捲了。他再一次的如此接近真相，真相卻又在最後關頭硬生生的失之交臂。休．摩里斯．德瑞克被殺純屬意外，此一發現並未讓他感到多麼訝異，過去幾天他早疑心於此了。但不管是否誤殺，殺人者都必須抓到，繩之以法。現在受害者已有三人了，而在哈尼伍的筆下，兇手的名字似乎呼之欲出，而結果呢，隻字未提。兇手是什麼名字？泰特、甘乃威，還是費維安？勞夫頓或羅斯？米欽、班勃或基恩？或甚至是芬維克？但是不對，芬維克已離開了這個團體，他不可能跟今天傍晚的命案發生關聯。

好吧，他最後總會曉得的，杜夫想道。曉得，或是讓在升降梯間的事件永遠蒙羞。他那緊抿的雙唇透露出堅定的決心，把那封信收入行囊鎖好之後，邁步向樓下走去。

這個時刻樓下大廳只有勞夫頓博士一個人在，他立刻朝杜夫走來，鬍鬚底下的臉色發白，兩眼發呆，表情讓杜夫愣了一下。

「天吶，到底是怎麼回事？」他問。

「搭升降梯的時候，哈尼伍太太在我身旁遭人謀殺了，」杜夫平靜的答道：「她正要從旅行團中指出殺害德瑞克和哈尼伍的兇手。」

「在我的旅行團當中？」勞夫頓道：「沒錯，我現在相信了。原本我一直告訴自己說，這不可能……」他沮喪的聳了聳肩膀。「那幹嘛還玩下去？」他又說：「這裡就是終點站了。」

杜夫一把抓住了他的手臂，客人相繼從餐廳裡出來，杜夫將他拉到稍遠一點的角落裡去。

「你們當然要繼續下去，」他堅持道：「老天，你可不能拆我的台吧。你聽好，這次被殺的並不是你旅行團的一員，這件事你用不著向大家講。我會讓你們全部免於本地警方的調查，你的團員或許會被訊問，不過那是跟這家飯店其他的客人一樣。義大利警方能問出案情的機會微乎其微，比他們能力強的人也會束手無策，在一兩天之內你們就可以繼續上路了，就好像什麼事都沒發生過。你聽懂了嗎？」

「聽懂了。但是發生了那麼多事情……」

「只有我們之中的兩三個人知道發生了多少事情。你們繼續上路，這樣團員當中的兇手就會以為他已經安全了。他現在該殺的人已經都殺了，你重新恢復你的行程，其他的都交給我吧。這樣你明白了嗎？」

勞夫頓點點頭。「我明白。既然你這麼說，那我們就繼續走下去吧。但是最後這一件命案實在太過分了，一時之間我整個人都嚇住了。」

「那是當然的！」杜夫應了一聲，隨即走開了去。他在餐廳靠門邊的那張餐桌坐下來吃晚餐，心中一面苦苦思索著。勞夫頓第一次表示要放棄整個行程了，就在這個當口——當兇手已完成工作的時候。

今晚的湯不錯，杜夫正用心品嘗著，潘蜜拉·波特進到餐廳來，在他身邊停下。

「杜夫先生，報告你一個消息，」她說：「剛來到這裡的時候，我跟甘乃威先生想趁泰特先生小睡片刻的機會到附近蹓躂一下，才剛出了飯店，有一輛汽車停了下來等人。我直覺應該停下來，看看那輛車在等什麼人。」

「哦？」杜夫笑道：「它在等誰？」

「我懂你的意思，」她點點頭。「不過生命中還有誰等誰更美好的事，你不覺得嗎？那輛車是在等我們認識的老朋友哩，他們提著行李，匆匆忙忙的走出這家飯店——我講的是芬維克兄妹啦。」

杜夫那隻濃眉猛的一揚。「芬維克兄妹？」

「不是別人。看到我和甘乃威先生，他們似乎嚇了一跳，說他們還以為我們要到明天才會到達這裡。我回答說，行程表常常改嘛。」

「那時候是幾點？」探員問道。

「七點剛過，我之所以曉得，是因為我跟甘乃威先生約七點在飯店大廳碰頭。」

「七點剛過！」杜夫若有所思。

女孩走向另外一桌找露絲太太去了，杜夫再次坐下來喝他的湯，他回想，當升降梯間發生槍響時，正好是六點四十五分。

【第十一章】熱那亞特快車

吃那頓飯真是可憐，杜夫跟自己爭辯著芬維克兄妹的事，如此一心二用是無法真正享受大師料理的美食的。他應該知會義大利警方，盯住芬維克兄妹，把他們帶回到聖雷蒙嗎？那不難辦到——不過又如何？手上根本沒有諾曼・芬維克的不利證據。讓警方注意到這個人，將會把勞夫頓旅行團捲入其內，杜夫當然不願意如此。不行，當烤雞送上來時，他決定不告知義大利警方芬維克稍嫌匆忙離去一事。

再度看到市警衛隊的那位警官時，杜夫很高興自己決定不讓芬維克兄妹的事讓案情更複雜。雖然在康威小姐套房裡的那場對談裡，那名義大利人表現得腦筋相當清楚，但這樣的思慮顯然沒能繼續保持下去。案情切入得越深，那可憐的男子便開始明瞭他所面對的問題，現在他老兄已是一顆心上上下下到了極點。找不到一條線索的命案，現場沒有指紋腳印，沒有可資辨識的兇器，除杜夫之外無其他目擊者，而杜夫是來自蘇格蘭警場的偵探，因此顯然無容置疑。當槍響時，這家飯店裡頭有一百二十名住宿客人，三十九名服務人員，也難怪這位心煩意亂的警察會抓狂，老問一些毫無用處的問題，逐漸陷入一種神經兮兮的狀態，居然對這個案件展開冗長、熱烈的爭辯，而對象只是個感情脆弱的矮個子服務生，對這件事根本一無所知。

到了晚上十點，杜夫在飯店陽台遇到潘蜜拉．波特和甘乃威，他倆正坐在籐椅上。

「這真是聊天的絕佳處所！」偵探在他們身邊坐下來說道。

「對呀，可不是嗎？」甘乃威說：「既可看到又圓又大的月亮，四周還瀰漫著橙花的香氣。我們在想，這些不知包不包括在住宿費用裡頭，還是要額外收費？你知道嗎，勞夫頓的旅遊契約裡說，諸如礦泉水、酒類和衣物送洗等屬於個人消費，不包括在合約的支付項目之內。月色和花香通常歸為個人消費。」

「很抱歉打擾了你們如此詩情畫意的思考，」杜夫笑道。「潘蜜拉小姐告訴我說，晚飯前你們兩個去蹓躂了一下？」

甘乃威點點頭。「我們試著讓胃口好一點，」他解釋道：「當你參加了旅行團好一陣子之後，生活就好像在旅館的長餐桌上所看到的菜色，一成不變！」

「當你跟泰特先生說要出去走走時，他有沒有表示反對？」

「喔，那倒沒有，事實上他還挺贊同的。他說他疲倦，晚飯要到八點再吃，在這之前想睡個覺。我們分配到的房間滿小的，可能他認為如果我在的話會吵到他吧。」

「你們住在幾樓？」

「三樓。」

「靠近升降梯嗎？」

「正好門口對面就是升降梯。」

「喔。傍晚六點四十五分的時候，你還沒離開飯店吧。那聲槍響你聽到了嗎？」

「聽到了。」

「那時你在哪裡？」

「我在樓下大廳坐著，等波特小姐。我們是要七點才見面的，但是泰特先生有點趕我出來的意思。」

「大廳那時還有哪些人？還有旅行團的其他成員在場嗎？」

「沒有，就只有我以及幾名飯店的服務生。我聽到槍響，但是沒有馬上明瞭那是什麼。你也知道，那聲音是從升降梯口傳來的，升降梯正在移動，我並未嚇一跳。我本期待著看到升降梯轟然一聲巨響，冒出一陣濃煙。」

「這麼說，槍響的時候，泰特先生是一個人待在套房裡？」

「那毫無疑問。他一個人，說不定已經熟睡了。」

「說不定！」杜夫頷首道。

正說著，泰特來到陽台上。在里維耶拉的月色下，他身穿晚禮服站得挺直，英氣逼人。杜夫本以為他是個老人，這才突然發現他似乎並不那麼老，臉上也許會出現病容或焦慮，但他並不老。

「我想我會在這裡找到你。」名律師對甘乃威說。

「請坐吧，泰特先生，」杜夫邀請道：「我們正在欣賞風景哩。」

「我受夠了那些風景，但願我現在人已回到了紐約，」泰特謾聲說道：「活躍了大半輩子，這樣懶洋洋的真是要命。」杜夫不禁擔心起來，泰特是想脫離這個旅行團嗎？

「來吧，馬克，咱們上樓去，」名律師接著說：「我想要就寢了，你今晚用不著唸那麼長的小說給我聽了。」

「仍舊是推理小說嗎？」偵探問。

「才不哩，」泰特答道：「你不必讀那樣的書，現實生活出現的謀殺案就夠你受了。我們現在在讀俄國人的小說了，這是馬克出的主意。他認為自己很聰明，不過對他肚子裡的主意，我可是心知肚明，我睡前必須聽點東西才能自然入夢，這樣他才會有多一點的時間追小姐。」他轉身走到反著光的法國式落地窗邊。「你好了嗎，馬克？」他回頭問。

甘乃威依依不捨的站起來。「當任務的召喚清脆的響起，於是年輕人回答道，我來了，」他說。「很抱歉，波特小姐，馬克．甘乃威告退。如果橙花的花香是要額外收費的，那從此刻開始妳得獨立負擔了。」

「他這個人很有得聊，對吧？」小伙子走後，杜夫問道。

「他有時很不錯，」女孩說：「今晚也算在內。」

「有時？妳這話何意？」偵探問道。

「噢，他要看情況。別的時候，他好像傳給我一種表情：對來自粗魯的中西部的小姐，我究竟要說些什麼呢？你知道嗎，那是波士頓的調調——噢，我想你不了解。」

「恐怕我是不了解，」杜夫回答道。「請妳告訴我，對於不久前發生的命案，你們旅行團的人有什麼反應？」

「應該是夠平靜的吧，我想。我常聽人說，在時間的過程中，人會習慣任何事情。我猜我們要在這個地方多待個一陣子吧？」

「那很難講，」杜夫對她說：「妳知道，義大利人對於命案的調查看來挺複雜的，警力就區分了三個系統：市警衛隊、憲兵隊和民團。民團只負責輕微的犯罪案件，但是出現了一件命案，另外兩個單位會同時接到報案，結果是這兩個單位總是吵吵鬧鬧。到目前為止偵辦此案的只有市警衛隊，我希望憲兵隊能置身事外，不要參與。如果他們涉入了，會發生什麼麻煩我無可預期。我想我可以說服那位憂心忡忡的隊長相信這是我的案子，真的，他不能橫生波折。」

女孩突然倚近了他。「有件事你可不可以告訴我？」她表情很認真的問道：「兇手是不是同一個人？我祖父、哈尼伍先生，還有現在的哈尼伍太太，都是同一個人殺害的？」

杜夫緩緩的點了點頭。「毫無疑問，潘蜜拉小姐，都是同一個人幹的。」

「誰？」她變得很小聲、很緊張，「是誰？」

偵探露出了笑容。「等時候到了，我們就會知道——這是我一位老朋友說的，」他回答道：「我這個老朋友是位中國人，等到了檀香山，我希望妳認識他。我再引用他的話：此時此刻我們被大石牆擋住了，於是我們就繞來繞去，尋找新的出路。」女孩不發一言，短暫的沈默之後，杜夫接下去說：「波特小姐，今晚我來找妳，是因為我有事情想告訴妳。這宗懸案至少有一部分已經有了解答，我行囊裡有一封信，妳的外祖父為何會意外的捲進這件事情，信裡有充分的解釋。」

女孩猛的跳起來。「真的！快拿給我看！」

「那當然。」杜夫也站了起來。「請跟我來，我拿給妳，妳帶回房間裡看。希望妳明天早上還給我。」

她默默無語的隨著杜夫進入燈火明亮的大廳，朝升降梯走去。看著那鐵籠子，杜夫流露出明顯的厭惡。「我住在一樓。」他有所期盼的說。

「那我們用走的，別搭那個東西吧。」女孩說。

她在門外等著，讓杜夫進去房間拿信。杜夫搜索枯腸的想著讓她有心理準備並表達同情的字眼，但就是想不出，漂亮的話不是他的專長。他所能講的話只有：「我們明早幾點碰面？」

「八點好了，」女孩回答道：「在樓下大廳。」接過那厚厚的一封信之後，她隨即離開。

杜夫回到樓下，又跟那位心煩意亂的市警衛隊隊長展開另一回合的對談。他很巧妙的把再進一步調查也毫無用處的觀念植入對方心中——這是件很特殊的命案，他指出，乍看起來不可能破案，但幸運的是這剛好是連續殺人案中的一件，由於第一件命案發生在倫敦，因此全案得靠蘇格蘭警場來解決。他表示說，這案子吃力不討好，蘇格蘭警場已準備接手，解除義大利警方的負擔。

隊長說，義大利警方已準備好放手。要分手的時候，他老兄的心情似乎愉快多了。

第二天是里維耶拉典型的好天氣，蔚藍色的天空，波光粼粼的地中海，而太陽就像是一枚剛從鑄幣局出廠的金幣。八點整，杜夫如期的在飯店大廳和潘蜜拉·波特見了面。女孩似乎對早晨的美景視若無睹，她那紫色的眼睛還漾著淚水。她把那封信還給了杜夫。

「我本想讓妳有點心理準備，」杜夫告訴她：「可是卻不知如何開口，我處理事情的方法太過笨拙，真是對不起。」

「沒有關係，」她低聲答道：「你的做法很好。唉，外祖父真可憐，死得不明不白──就因為他很好心的給了另一個人方便。」

「再沒比妳這話更好的墓誌銘了。」偵探輕柔的說。

潘蜜拉．波特注視著他，眸子閃亮起來。「唔，那對我來說還沒完，」她揚聲說：「我要那個人，那個殺他的人，除非他被揪出來，否則我睡覺也睡得不安穩。」

「我也一樣，」杜夫答道，他忽然想到升降梯的那一幕。「噢，天吶，我也跟妳一樣。就算拼了老命，我也要把吉姆．艾弗赫逮到手。妳有沒有想到什麼……」

她搖搖頭。「我幾乎徹夜無法闔眼，一直在想，到底是我們這一行的哪個人？他們似乎都不可能幹這種事的，即便是麥司．米欽。誰，到底是誰呢？是費維安先生嗎？他似乎只對史派色太太感興趣。基恩上尉呢？人鬼鬼祟祟的，我不喜歡他，但是那當然不足以論罪。至於泰特先生，他經常很難和人相處，而問題是他病了，真可憐。羅斯先生的話，他跟這整件事沒有絲毫關聯的。而說到班勃先生，我看他所做的任何事都要能夠錄影下來，以便帶回去亞克朗給朋友看，否則他絕不會幹。這樣就只剩勞夫頓博士，以及那個呆呆的矮個子芬維克了。但那太荒謬了，如果認為他——」

「殺人案裡頭，沒有任何事情是荒謬的，」杜夫打岔道。「再說，還有另一位被妳忘了。」

「真的嗎？」她吃驚道：「誰？或者說那會是誰？我知道你這人對文法很挑剔。」

「我指的是馬克・甘乃威。」

她笑了起來。「噢，你別開玩笑了。」

「我從未忽略任何人，」他說：「我既然準備拉妳當我的助手……」

「你這話是什麼意思？」

「我意思是說，我可能會離開這一行人一段時間。我想接下去不會再發生什麼，呃……突發事件了，假如我再跟下去，能做的工作有限。正如我昨晚講的，我被大石牆擋住去路了，必須要兜一下圈子，看看有沒有別的出路。用不著懷疑，我遲早會再度加入你們的。在這段期間，我希望你擔任我的分身，請妳好好研究一下這個旅行團的每一個男人，每到一個港埠就寫信給我，告訴我有何進展。如果妳接觸到任何像是線索的東西，要讓我知道。妳知道，就像閒聊那樣的書信，我相信妳一定是箇中能手。如果發生了任何重要的事，妳只要打電報到倫敦新蘇格蘭警場，就會聯絡到我。這妳辦得到嗎？」

「當然，」女孩點點頭：「我跟二十多個男孩子通過信，多多益善。」

「我很榮幸成為其中的一員，」杜夫回答道：「非常感謝妳。」

露絲太太走了過來。「噢，妳在這裡，潘蜜拉。」她說：「看到妳跟那麼安全的人在一起，我就放心了。噢，你別那樣看著我，探長先生。就女人的衷心而言，我想你就像任何一個男人一樣的危險。呵呵，我這樣講可能讓你滿高興的吧。」

杜夫大笑起來，「今早天氣很棒，對吧？」

「哦，是嗎?我可是從南加州來的喔，倒不覺得有什麼特別。」

「我希望妳昨晚睡得好，親愛的。」女孩愉快的說。

「我一向睡得好，若是經常換房間睡覺的話。就算發生兇殺案也不會吵到我，我還記得有一次住在德里的麥登飯店，當然啦，那男的是駕駛公車的，我是指被害人。不過這件事只儲存在我腦中就好了。昨晚那案子查出什麼了嗎，探長先生？」

「跟先前一樣，沒查到什麼。」杜夫臉色陰鬱下來。

「嗯，我並不意外。你並非超人，而這位老是想殺人的朋友卻開始像是超人了，真的，他好聰明。還有一件事情是肯定的，他開始在旅行團以外活動了，畢竟咱們這麼些人是夠他撐的了。潘蜜拉，妳吃過早餐了嗎？」

「我餓壞了呢！」女孩說，於是跟著露絲太太一起到餐廳去。

到了中午，義大利警方顯然已經不想扣留飯店裡的任何一名觀光客了。觀光業在里維耶拉的地位可不是說著玩的，可不能為了滿足一名警察的幻想而受到妨害，大批行李堆放在飯店門口，不少住宿的客人已經離開了。勞夫頓旅行團的成員在傳話說，他們要搭兩點鐘的特快車到熱那亞，大家都渴望離開這裡。勞夫頓已經從前一晚的低落情緒中恢復過來，他到處走來走去傳送消息及建議。

至於市警衛隊的隊長，他的精神也明顯抖擻起來。經過和僚屬開會磋商，並致電羅馬總部後，全案已決定交給蘇格蘭警場接管，如此一來，隊長大人無事一身輕，只有穿著一身制服，四處去吸引婦女的視線——這工作他很在行，他自己也知道。

就像在倫敦的那天早上一樣，杜夫探長又發現自己站在尷尬的位置上，向那一群人道別，看著他們展開漫長的旅程，開拔到那不勒斯、亞歷山卓、孟買，以及遙遠的東方港埠——而他急著逮捕的對象，無疑是該旅行團的一員。不過這一回他放手了，任由命運自去安排。在興高采烈的氣氛中，他跟著他們來到新城區西灣的車站。

眾人聚集在月台上等待火車。班勃正在弄著攝影機，莎蒂．米欽則提著從珠寶店買來的大包小包，「也許等麥司遇上海關人員的時候，就用不著報稅了。」她很驕傲的預言道。

突然史派色太太低呼了一聲。「天啊，我之前一直沒搞清楚！」她驚叫道。

「怎麼啦？」勞夫頓博士熱心的問。

「我們一共有十三個人！」她表情很震動的說。

麥司．米欽拍拍她的背，「那又沒什麼大不了的，女士。」

勞夫頓博士疲憊的笑了笑。「現在一共才十二個人，」他說：「事實上我自己並不算在內。」

「噢，你也算的，」女人堅持道：「你是第十三位。」

「別胡扯了，伊蓮，」史都華・費維安說：「妳該不會迷信吧？」

「那有什麼不對？每一個人都迷信啊。」

「無知的人才迷信，」他說：「噢，對不起！」

但是他道歉得有點遲了，女人用眼睛瞪著他，綠色的眸子噴出了怒火，即使不是被她瞪到的人，從旁看了也會嚇一跳。

「我本人也很迷信喔，」露絲太太打圓場道：「不過不是對十三迷信啦，這數字對我來說挺幸運的。不過若是黑貓又另當別論了——十年前，我在上海坐黃包車過湧泉路，一隻黑貓忽然從面前跑過，半個小時之後就被一輛汽車撞到，我是安然無恙的爬了出來，但是我一直怪罪那隻貓。就如我所說的，史派色太太，十三這個數字……」不過那位老姊已經高傲的走開了去。

火車轟然駛來，客滿如常，乘客紛紛在上等車廂找位置。杜夫幫忙露絲太太和潘蜜拉小姐找到了位子，再次向女孩叮嚀寫信的事。

「別擔心，」她笑道：「筆管底下的我可是很饒舌的喔。」

偵探回到了月台，車門紛紛關上，勞夫頓旅行團從視線中消失。他看到班勃肩膀下掛著攝影機，在太太的招手下進到包廂；看到拄著拐杖的羅斯由腳伕攙扶上了車，還捕捉到基恩上尉最後投來的解事的笑。他最後看到的是派屈克．泰特的臉，那張憂慮、未老先衰、佈滿了皺紋的臉，在里維耶拉閃亮的艷陽下白得猶如死人的臉。

「好啦，就這樣吧。」杜夫聳了聳肩，回飯店詢問什麼時間有班車回倫敦。

第三天早上，他便坐在蘇格蘭警場總部的督察長室裡了。他的臉色通紅，滿頭大汗，因為他正講到這次出差的最後一部分——升降梯兇殺案的那一幕。上司很體諒的看著他。

「老弟，你不必太過內咎，這種事我們任何人都會碰到。」

「我是得內咎，長官，我會繼續追查吉姆．艾弗赫，直到把他逮到為止。」杜夫回答道：「那可能要花上好幾個月，但我最後一定要抓到他。」

「那當然，你的感受我能夠體會，整個蘇格蘭警場的資源你都可以使用。」督察長點點頭說：「不過別忘了：哈尼伍以及他太太被殺的證據對我們來說是用不到的，這兩件殺人案無法在倫敦審理，只有德瑞克的命案才歸我們管轄，我們必須抓到艾弗赫回來這裡交代案情的真相，而且必須鐵證如山。」

「我明白，長官。因此我並沒有逗留在尼斯或聖雷蒙。」

「往後要採取的行動你規劃過了嗎？」

「還沒有，我想我還要進一步跟你談。」

「很好。」督察長連連點頭。「你這個案子做的所有筆記都留下來吧，我今天要好好研究研究。可以的話，下午五點再到我這裡來一趟，我們到時再決定怎麼處理最好。還有升降梯間那件事你別再放不下了，你要把它當做激勵你逮捕到嫌犯的特殊動力。」

「謝謝你，長官。」

杜夫出了督察長室，感覺比剛進去時好多了。他這個上司是個好人。午餐跟哈雷一起吃，他比督察長更加同情杜夫的遭遇。那天下午五點，他又回到了督察長室。

「哈囉，來，坐吧。」上司說：「你的筆記我看了，是沒錯，跟謎一樣。不過有件事讓我很奇怪，想必你也一樣吧。」

「什麼事？」

「那個叫泰特的人，杜夫先生。」

「噢，是泰特，怎樣呢？」

「這人很奇怪，老弟，非常奇怪。他講的事情或許一點都沒錯，但是我在讀的時候心裡卻起了疑。他原以為被殺的人是哈尼伍，進到會客室卻發現哈尼伍還活著，因而吃了一驚，差點就沒命。這件事他為何如此關注？他跟哈尼伍看起來並不相干嘛，為什麼這件事會讓他大吃一驚，除非……」督察長停了下來。

「我明白了，長官，」杜夫說：「除非他以為哈尼伍已經死了，因為是他在夜裡親手把哈尼伍勒死的。換句話說，除非泰特就是艾弗赫。」

「沒錯，這點值得考慮。」督察長點點頭。「好了，我們來談日後所要採取的行動吧。杜夫先生，關於那個旅行團，我想到你所能發揮的作用到現在已經結束了。」杜夫的臉沈了下來。「別誤解我的意思，老弟。我只是感覺他們跟你太熟了，這讓你無法有什麼進展。勞夫頓給你的行程表我仔細看過了，離開埃及後，他們要搭四次船：從塞德港搭P&O的郵輪到孟買，從加爾各答搭不列顛印度蒸汽航運公司的船到仰光和新加坡，再乘坐另一艘P&O的郵輪從新加坡取道西貢到香港。從香港他們會搭乘道樂公司的輪船到舊金山。在目前我不會打草驚蛇，咱們的對手可能會以為我們放棄了這件案子，因而放鬆警戒。等過兩天我打算派一個辦案的能手到加爾各答，想辦法跟那個旅行團搭上線。我還沒有下定決心，不過心目中的人選是魏比警官。」

「魏比十分出色，長官。」杜夫回答道。

「是啊，他是那種很容易就被當作是輪船服務生的人。放開朗一點吧，老弟。假如魏比查到了確切可靠的證據，你就去跟他會合，將嫌犯逮捕。與此同時，美國那裡也有工作必須進行——調查哈尼伍的過去、那個小羊皮袋子的含意，以及編號為三二六〇的保管箱——這些都交給你了。不過你還不必現在就出發，我要你先排好調查的先後秩序，在美國西岸結束調查時，剛好是勞夫頓旅行團抵達舊金山的日子。」

杜夫又露出了笑容。「這計畫非常好，長官。不過我能提一個建議嗎？」

「當然可以，請說。」

「我希望能在檀香山跟那個旅行團會合。」

「為什麼要在檀香山？」

「那樣我可以陪著他們從檀香山一直抵達舊金山，長官，因為其中幾名團員到達舊金山後就要離隊了。再說……」

「怎樣？」

「我在檀香山有個很要好的朋友，他在檀香山警察局服務，姓陳，我可能曾經向你提起過。」

督察長點了點頭。「哦，有，陳查禮——布魯斯的那件案子。你認為陳查禮願意見你嗎？」

杜夫愣了一下。「那當然啦，長官。你為什麼問？」

上司笑了一下。「因為我老早就有意思幫陳先生一個忙。別擔心，老弟，檀香山之行當然可以安排。」

【第十二章】巧林基路的珠寶商

接連著好幾個星期的等待，杜夫忙著一些瑣碎的工作，但心思卻飄向了別處。魏比搭P&O的輪船走了，首途加爾各答。杜夫花了好幾個晚上的時間幫他惡補，唸自己的筆記給他聽，兩人一起研判勞夫頓旅行團的種種可能性。魏比是個相當機伶的人，杜夫對他的感覺頗為複雜，刑事偵查部的人大多來自英國內地某個農村，而他不是，他在倫敦土生土長，講話還帶了點倫敦口音。他大半輩子就在聖瑪麗・勒・博教堂的鐘聲底下度過，對世界各大洲的情況一無所知，甚至從未閱讀這方面的訊息，地理這門科目現在對他來說有點困難，而面對未來，他卻抱著滿不在乎，卻又不受拘束的信心。他一再檢視著小羊皮袋子裡的小石子，整個人似乎被這些小東西吸引住了，他說，這些小石頭構成了基本線索。他為踏出國門感到耽憂。

好啦，他現在已經踏出國門了。杜夫陪伴他去皇家艾伯特碼頭，親眼看著這位同事在視線中消失了蹤影。頂著同樣的夜空走過沃克豪橋，空氣中有海潮聲和撲鼻的氣味，他心中想著踏上征途的魏比，此刻應該已經在數哩外的海上了吧。魏比能不能解開這道謎呢——這理當是杜夫的特別任務的謎？他試著敞開心胸，祝福魏比有好運道！天啊，他這可是真心的。

勞夫頓旅行團的消息於兩個禮拜剛過的時候傳到，那是潘蜜拉．波特寫來的信，郵戳上蓋著亞丁港（譯註：位於葉門，當時是英國屬地）。杜夫打開信來，讀道：

「親愛的杜夫探長：

真抱歉，我本想在塞德港寄出第一封報告的，但是白天的行程那麼滿，夜晚又那麼美妙——呵，我們的船才剛剛出港呢。假如你跟我們在一起的話，恐怕已經有些不耐煩了吧。有一個殺人兇手混在一行人裡面——而那又如何？所有的趕集市場我們都去看了，人面獅身像也見到了——我還拿我們最想要知道的疑問問祂，但祂並沒有回答。

我見識到塞德港了，那裡或許就像傳說中的那麼邪惡，不過露絲太太不准我去走訪，說她會把那裡的一切講給我聽——而她真的講了。可不是嗎，她還是像平常那樣記憶力驚人，當她講起故事來時，還真的需要一張世界地圖哩。不過她真是個好奶奶。

蘇彝士運河已經過去了，那就像一條滿是泥漿的河，沿途經過的碼頭只看到一些孤伶伶的人坐在那裡。我很想下去，跟他們講講演員謝瓦利埃的故事。運河的兩邊都是廣漠的黃沙，間或點綴了幾株刺槐，到了夜晚，沙漠裡的空氣會飄到船上，淡淡然的，很好聞。我們現在快駛出紅海了，而我這一路的感覺是，感謝老天，這裡真是熱啊！飛魚躍上甲板，好像在跟我們說「幸會」哩。我們每天都看著夕陽宛如一個大紅球般的落下，當要和海水接觸時，我們都豎起耳朵聽，好像發出了嘶嘶的聲音。最起碼我是聽到了。馬克．甘乃威說太陽根本不會觸碰到海水，我聽到的嘶嘶聲，其實是烏鴉巢裡的蛋被煎熟了。

忠於任務，我在對團裡的男士下功夫哩，而迄今唯一的收穫是遭來女士的厭憎，就連莎蒂．米欽也以為我想把她的麥司拐走。也許我對麥司用心得過火了，不過他真的很有趣。我當模特兒讓艾馬．班勃拍攝了好多次，眼看著他老婆隨時都要把他的攝影機奪走了。至於其他的人嘛，嗯，我真的認為我已經把史都華．費維安哄得團團轉了哩。

還記得在聖雷蒙車站，史都華跟他那位女性友人發生小爭吵嗎？關於迷信的那次？他們之後就有好幾天不講話了，嗯，我是說，是女的不跟男的講話，而男的嘗試了好幾天之後也就放棄了。於是我就闖進了他的生活，想想我們都對他不大了解，我因此展開行動。結果溫柔的伊蓮看到我進展神速，怒火中燒，挺身把他抓了回去。他真的願意就範嗎，這我不太確定，看他那麼掙扎的樣子，真是個自負的男子。我對他的過去與趣濃厚，不過沒啥含意。他一定有四十五歲了。

許許多多的事把我引向了親愛的基恩上尉——別問我如何辦到的。前兩天晚上十二點左右，我想要回客艙去，之前跟人在甲板上聊天，好像跟一個男的吧，我想。你知道，我試著遵照你的指示，把獲得的結果寫進信裡。嗯，當我走進船艙之間的巷道——船上真的有這種巷道——要回我的房間時，卻看見基恩上尉在費維安先生的房門外窺伺，嘴中還喃喃講著什麼，然後匆匆的離開了。你會發現，他依然惡習不改，他是我所見過最狡猾的人。但或許他的行為表現得太露骨，本身並不代表著什麼，你以為呢？

至於其他人，我聽了勞夫頓博士的滔滔宏論，聽羅斯先生講起塔科瑪，以及既然發現了太平洋岸的土地，為什麼還有人要住在中西部呢——聽得我耳朵痠死了。對，另外還有泰特先生，我的一大失敗。不知怎的，只要他在場，我的個人魅力便一籌莫展。這你要如何解釋？也許因為為佔用了馬克・甘乃威少許的時間，讓他感到有些惱火吧。我這話講得過分嗎？可能不是很準確吧。你也知道，甘乃威那麼年輕，而我又長得那麼漂亮。不過就如我前面講的，我在對他們每一個人下功夫，而到目前為止我得承認，我並沒有變出一條線索來。基恩那件事我無法說是線索，你認為呢？

我們已接近亞丁港了，露絲太太要帶我上岸到她最喜歡的一家餐廳吃午餐，也許那邊的領班、服務生她都叫得出名字吧。她告訴我說，亞丁港是個文化的大融爐，任何人進到爐子裡頭，最後都會忘記要走。按她的講法，到了那邊，我將會第一次嗅到東方的氣味。我想那個氣味我已經吸進了一兩口了吧，並不是很喜歡，但是露絲太太聲稱，隨著時間的洗禮，你將會慢慢愛上它的。等到哪一天坐在帕薩迪納的庭院，你會突然的想起它來，而屆時你所面對的只有一個守門員，他正要把前門鎖上。也許吧。等到我下次動筆時，我無疑可以告訴你更多的細節吧。

莎蒂・米欽剛剛在我肘邊停下來，正唸著亞丁港哪兒有珠寶店，我看麥司最好在舊金山碼頭安排好一輛裝甲運鈔車恭候她——他有輛私家轎車，玻璃是防彈的，也許屆時會在那裡等他吧。

很抱歉我不是個很在行的偵探，從現在起將會有更多好運吧，到了印度洋我會有更多的時間。

您忠實的朋友　潘蜜拉．波特」

當天晚上在倫敦藤蔓街的警局裡，杜夫和哈雷討論了這封信，雖然他們都曉得，信裡頭並沒什麼好討論的。杜夫已有點按捺不住了。

「依賴一個女孩子跟案件保持聯繫，我這輩子還是頭一遭，」他喃喃說道：「但願是最後一次。」

「不管怎麼說，她很可愛吧！」哈雷笑道。

「可愛又怎麼樣？她還沒可愛到讓其中一個男人突然跑上前去，告訴她：『噢，對了，告訴妳一件事，妳外祖父是我殺的。』那才是我要的，我才不要什麼魅力，我要的是吉姆．艾弗赫的真實身分。」

「魏比什麼時候會加進他們裡頭？」哈雷說。

「還早咧，」杜夫歎道：「你看他們一路航行，盯住他們的只有一個黃毛丫頭。督察長的主意可真是不錯噢。」

「我有預感，」哈雷回答道：「船到橋頭自然直啦。」

「拜託你那個預感能夠下凡來跟我聊聊，」杜夫說：「我很需要它。」

在接到進一步的報告前，他對預感的需要變得格外的迫切。他每天晚上都在研究勞夫頓給的行程表，在想像中，他尾隨在那一行人的後面，橫渡印度洋到達了孟買，然後展開長長的旅程，一路經過亞布山、德里、亞格拉、勒克瑙、貝那拉斯，然後到加爾各答。他接到最新消息是那一行人到達加爾各答的時候——那女孩拍來一封神祕的電報。

「如果你們派來的人就在附近的話，請叫他立刻跟我接觸，地址是加爾各答大東方飯店，在今晚之前，然後我們就要搭上英印公司的客輪馬來亞號，出發到仰光、檳榔嶼、新加坡去了。」

杜夫戰慄起來，感到一股前所未有的期待，杜夫透過英國駐加爾各答聯絡處轉了封電報給魏比。而然後——又沒有下文了。日子提心吊膽的一天天過著，連一丁點兒消息也沒有。可恨的丫頭，難道她不知道他對這個案子有濃厚的興趣，想要知道發生了什麼事嗎？

終於又有消息了。他接到一封信，郵戳上的地名是仰光，他飢渴的把信拆開來：

「親愛的杜夫探長：

我很不中用，沒有把聯絡員的角色當好，是不是？先前的電報想必讓你有點手忙腳亂，解釋也嫌姍姍來遲。但是信用寄的，探長先生——要怪你真的要怪這個。這封信的內容我無法完好的用電報拍出。你知道，眼線——在這個神祕的東方，每一棵羅望子樹後面都有眼線。

讓我看看我們已經到達哪裡了——船正要駛進亞丁港吧，我想。到了亞丁港之後，我們還要搭船橫渡印度洋到孟買。幾經磨擦，大家的脾氣已開始有點按捺不住了，你知道，像我們這樣的團體，一開始還有點像是和樂融融的大家庭哩。最先是發生了一些事故，有點耽誤到了，不過到達義大利和埃及之後，那種胡越同舟的關愛與敬重升高到了最頂點，大家彼此信賴。而逐漸的，天氣漸漸變熱起來，彼此間的熱情冷卻下來，因此到了現在，每個人進到一個房間之前，無不先弄個清楚，噢，謝天謝地，裡頭並沒有其他團員在。

好，我們人在印度洋了，來到孟買，跟原先搭乘的那艘船說再見，然後一路顛簸的來到了泰姬瑪哈飯店。給你猜，我們在飯店大廳遇到了誰？是麻州匹茲費爾德的芬維克先生，以及他那個不愛講話的妹妹耶！似乎他們在尼斯脫隊之後，他們告訴自己說，我們既然展開了一趟環遊世界之旅，那幹嘛不走完它？他們好像是在那不勒斯跟一家船公司簽了約——你知道，是那種航行全世界的大客輪，上去之後，行程不得稍作更改。至少他們講的是這樣，不過我們在港口有看到他們講的那艘船，故我猜想那是事實。諾曼真讓人難以忍受，他問旅行團有沒有再發生什麼命案，然後口若懸河的說什麼他的旅行安排比我們的要優越得多。見到一個相對而言的新面孔，我們都感到很高興——即便是芬維克先生那樣的人——我們都洗耳恭聽。

在孟買待了幾天，然後開始翻山越嶺，向加爾各答進發。我才剛好好看了泰姬瑪哈陵幾眼，結果罹患了重感冒。最後我們終於抵達了目的地，對於印度真是感到難過，好希望世界上並沒有這樣的地方。在加爾各答的時候發生了一件事，也就因此，跟那封電報相關的事被我擱置了那麼久。

在加爾各答停留的最後一天早上，勞夫頓博士帶我們到巧林基路上的一家珠寶店，我猜該店的銷售他有抽成，才會那麼熱心的帶我們去。珠寶店的名字叫英里．伊斯梅爾。進去那家店之後，我很慶幸自己來對地方了。真的，我從來沒見過那麼美的珠寶——藍寶石、紅寶石、鑽石，不過你當然不感興趣啦。莎蒂．米欽簡直要瘋了，看她這麼買，連麥司的臉色都變得有點白了。

旅行團大部分的人只是隨意看看，然後就逛到別地方去了，不過我剛好看到一條鑽石項鍊，把我的意志力擊垮了。有一位個子小小的店員看到我的樣子，於是貼了過來，他看來乾癟，眼瞼下垂，一副壞人模樣。我正在進退維谷，史都華．費維安走上來勸我三思。他說鑽石他懂一點，這些是好貨，不過我的強盜朋友意圖打劫，並不值那麼多。幾經爭辯，價錢出現驚人的滑落，直到最後費維安說價錢很合理了。就在那時伊蓮．史派色突然跑來，她顯然找他很久了，費維安遂這樣被她帶走。

就在店員把那鑽石的假價錢標籤拿掉時，發生了一件令人吃驚的事。另外一位店員要從他背後走過，他身體向前靠向櫃台讓路，並用外國語講了句話，在那陌生的腔調中間有兩個英文字跳了出來，彷彿房子忽然著火一般。吉姆．艾弗赫——他咬字咬得跟電台播音員一樣的清晰。

我的心臟停住了。另外那個店員停了一下，懶懶的看向店門口，好像不怎麼好奇。店門口並沒有人在那裡。我趕快簽發旅行支票，交給那位眼瞼下垂的店員，假裝並不在意的問：『你也認識吉姆．艾弗赫嗎？』我犯下了大錯，我應該在支票交給他之前問的，而現在交易結束了，他才不關心哩。他鎮定的假裝聽不懂英語了，行了個禮，送我出店外。

我在廣場走了走，心想該怎麼辦。我想也許我該寄張明信片給你，上面寫道：『但願你人在這裡。』我真的如此期望哩。接著我靈光一閃，想到要拍電報。

那一整天並沒有再聽到什麼。下午我跟甘乃威先生在伊甸公園逛了一下，然後搭車到鑽石港，搭乘英印公司的客輪。我們遲到了甚久，旅行團人都已上船了。當我們登上扶梯時，船已經要開了，而這時候匆匆忙忙急著下船的人，怎會是那位眼瞼下垂的朋友呢？他顯然登船為某人送行。送誰呢？吉姆·艾弗赫嗎？還是他只是把握最後一刻，多賣一點東西？

那天稍晚我在馬來亞號的甲板上走著，有一名船上的服務生跑來找我，說二等艙有個人想見我。起先我大為震驚，繼而想起我拍的那封電報，於是跟著服務生下了樓梯，來到下面的甲板。在一艘救生艇底下的陰影中，我見到了那名怪異的男子，人長得矮矮的。一開始我對他存疑，不過他毫無問題。他就是你的朋友，刑事偵查部的魏比先生，我喜歡他這個人，人很有趣，講話還帶著倫敦東區口音，聽起來怪怪的。

我把珠寶店發生的事告訴他，他當然是感興趣啦，當我補充說幾個小時前看到那名店員離開這艘船時，他點了點頭。他說當時他人在頭等艙，跟一位服務生朋友談事情，而那位英里·伊斯梅爾銀樓來的人引起了他的注意。他跟過去，看看那人到哪個客艙。「那個客艙啊，波特小姐，」魏比先生補充說：「是勞夫頓旅行團的兩位旅客住的。」

我當然想知道是哪兩位。我猜中了嗎？你知道的比我清楚吧。魏比只是很熱忱的感謝我告訴他這個情報，說：「妳讓我要做的工作減輕了不少。」接著他問我，費維安對鑽石懂多少？我說我不清楚，不過他一副很在行的樣子。魏比先生又點了點頭，表示我可以走了。他還告訴我說，等在香港搭乘道樂號客輪出海時，他希望能當上船上的服務生，屆時他就會如影隨形的出現在我附近，不過除非他先開口，否則我絕不能跟他講話。我向他保證說，在這種事情上，我一向是表現稱職的，然後我們就分手了。到目前為止我沒再見到他。

好了，我要講的就是這些了，探長先生。仰光四月天，夜晚炎熱得很，我們的船已在本地停靠兩天了。講到東方的氣味，我現在已經完全懂得了，窄小的街道傳來的惡臭，菜蔬在赤道的烈日下敗壞，死魚，眼鏡蛇，防蚊軟膏，以及太多人同一時間聚集在同一個地方。我已經習慣了。我可以預見中國和日本的景象，鼻子不至於受不了。

我可能會在新加坡再寫信給你，那得看接下來發生了什麼事。請原諒我信寫得那麼長，但是先前我已經講過了，筆桿下的我是挺饒舌的，而且這回我真的有東西告訴你。

帶給你本地特有的熱度 潘蜜拉．波特」

讀完這封信後的一個小時，杜夫跟他的督察長開會研商。這封信督察長也看了，興趣並不亞於杜夫。

「魏比似乎在玩獨行俠的遊戲！」他說道，語氣上頗不以為然。

「長官，他可能還沒有較明確的事情可以回報吧，」杜夫回答道。「不過這個女孩子已經縮小了他的搜尋範圍，變成兩個人當中的一個，那樣應該很快就有消息了。當然，結果也可能什麼也沒有。她在珠寶店的時候有可能聽錯了。」

督察長想了想，「為什麼魏比要問她費維安對鑽石懂多少？」

「很難講欸，長官。」杜夫答道：「魏比這個人深謀遠慮，想必他心裡對本案已經有底了。我們也許可以打電報到加爾各答，找人問那位店員關於吉姆．艾弗赫的事。」

上司搖搖頭。「不，我傾向於讓魏比去處理，照你的建議去做也許會干擾了他的遊戲。那名店員若是打電報給艾弗赫，艾弗赫也許會離開那個旅行團。此外，我很肯定我們不可能從那名眼瞼下垂的人身上得到任何東西，他看起來不像那種會熱心幫助蘇格蘭警場的人。」

杜夫從口袋拿出袖珍日曆來。「長官，我推測勞夫頓他們今天已經到香港了，他們會停留一個禮拜，猜想會順便去廣東一趟。我是否該動身去進行你所提的那項調查，然後前往檀香山……」

「看來你不想再窩在這裡了，」督察長笑道：「你多快可以動身？」

「今天晚上，如果有船出港的話，長官。」杜夫答道。

「不管怎樣，等明天再走吧。」上司同意道。

翌日，等待已久的出發時刻終於來到，杜夫洋溢著欣喜，啟程前往南安普敦。這次送行的人是哈雷，講了不少鼓勵和期待的贈言。當晚偵探已身在大西洋輪船公司的一艘快船上，螺旋槳傳來穩定的轉動聲音，聽在杜夫耳中宛如天籟，他在右舷的欄杆旁佇立，看著船首以驚人的速度衝破黑暗的海水。他的心情是快活的，這件疑案不容分說的迫使他踏上環遊世界之旅，而每一分每一秒都帶著他更加的接近謎底了。

一到紐約，他便積極的查訪哈尼伍夫妻的過去，然而卻沒有問出什麼名堂。他們大約十五年前來到這個花花世界，然而那名女傭告訴杜夫的哈尼伍友人裡，卻沒有一個人知道他們是從哪裡來的。看來紐約人不習慣這樣的詢問，今天的事情最重要，至於昨天，他家的事。每次提到那個軟羊皮做的小袋子，每個人都一臉茫然。杜夫失望透了，紐約人很多，卻都對其他人毫不在意，他對這個城市有點怨恨了。

至於號碼是三二六〇的銀行保管箱，他也同樣的無助。在紐約警方的協助下，他查出泰特在銀行裡的保管箱號碼，也查出了勞夫頓的。那些都沒有用。一名熱心的官員為這位英國佬指出，任何一個不常做生意的人，都有可能在銀行裡頭擁有保管箱，不管那保管箱是什麼號碼。杜夫方始明白，這個部分的調查只是無頭蒼蠅在亂鑽而已。

然而他還是辛勤、耐心的完成這部分的調查。他去到波士頓，拜訪了甘乃威的家——很優秀的一個家庭，即便是他這個外地來的人也能感受到。然後他造訪匹茲費爾德，當地一群好人感嘆著芬維克兄妹不在，芬維克家族在當地似乎甚受尊敬。到了亞克朗，當地空氣較為稀薄，而他的進展也同樣的稀薄，班勃的合夥人請他去吃飯，要他轉告老艾馬盡速回來。有謠言說，景氣已有轉機，開始爬升了。

在芝加哥，他發現麥司·米欽的朋友都閉緊雙唇的傾聽偵探講述，沒什麼好回答的。杜夫推測，對於幫老大的回返，大眾的需求並不高。去到塔科瑪時發現，約翰·羅斯可是當地伐木業的重要人物哩。南下舊金山，他打聽史都華·費維安這個人，上流社會都知道這個人，對他頗有美言。打電話給伊蓮·史派色的丈夫，回答說人去到了好萊塢，要好一陣子才回來。

五月的晚上，氣溫溫和，杜夫在費爾蒙飯店的房間內獨坐，歸納這次漫長調查之旅的成果是：啥都沒有。他已經調查了每一個人的身家背景，除了麥司・米欽之外，所有人都似乎無可挑剔。至於麥司，看起來也不像是會涉入這種事的人。每一名團員都如此嗎？嗯，是沒錯，基恩上尉自稱住在紐約，可他在紐約沒查到此人的蛛絲馬跡。檔案中查不到這個名字，不過杜夫並沒有在意。從一開始，也不知是什麼原因，他便不想去懷疑基恩這個人。

除了這個人之外，每一個人的身家背景他都摸得很熟，誰有可能行兇，他再也沒有比現在更接近真相了。那群人裡面有一個是兇手，一定是的，如果哈尼伍那封信的內容是真的：「吉姆・艾弗赫也在這一行人之中——那個發誓要殺掉我、也殺掉妳的人。」

杜夫站起來，走到窗邊，他可以居高臨下看到唐人街的燈火，海港內的渡輪，以及港灣對岸的高樓大廈。他想起第一次造訪這座迷人城市的情景，也想起了陳查禮。

一名服務生來敲他的門，交給他一封電報，是督察長拍來的：

「接獲神戶來電。魏比希望早日破案，請啟程前往檀香山。祝好運。」

只不過是短短的幾個字，杜夫卻大為振奮，最起碼魏比是有進展了！這個倫敦東區的小矮子最後會解開謎團嗎？杜夫一向不是個愛想像的人，卻也能夠預見那幅歡樂的情景：他和魏比在檀香山港口相逢，而魏比手中已握有證據，那種能讓最挑剔的陪審團感到滿意的證據。魏比指出某個在此刻還看不清底細的人，說：「抓了他，杜夫，這傢伙滿手罪惡！」當然啦，假如杜夫親自蒐集到那些證據，感覺會來得快樂些，而那又如何？蘇格蘭警場一向是團體合作的，哪一天他也會幫魏比的忙。

第三天早上，杜夫搭上茂伊號航往檀香山。他知道自己將比從橫濱出發的道樂輪早二十個小時到達檀香山，時間很短，僅能讓他跟陳查禮話個舊，告訴老陳他手上正在辦的新案子，而然後——勞夫頓那一行人便來了，接著就得展開行動。快速的行動，希望是如此。他決定不打電報告知陳查禮他的到來，為什麼要讓這份驚喜打了折扣呢？

輪船在海上與世無爭的航行了兩天，真是個身心舒暢的休息，等關鍵的時刻一到，他已然蓄勢待發。第二天晚上，一名服務生跑來交給了他一份無報電報，拆開封套時瞥了一眼簽名，是督察長拍來的。

「魏比在橫濱碼頭遭人殺害，屍體於載運勞夫頓一行人的郵輪出港後發現。無論死活，將艾弗赫抓回來。」

杜夫猛然用雙手將電報揉成一團，在椅子上坐了許久，眼睛一直望著船舷外的暗夜。他眼前浮現最後一次在倫敦看見魏比的情景——滿臉堆笑，有自信，穩重。一個生長在倫敦東區的矮個子，一輩子未曾離開聖瑪麗・勒・博教堂鐘聲範圍之外的人，竟已在橫濱碼頭喪命。

「無論死活，」一聲音從杜夫的牙縫中間穿出來，「死，如果我能夠為所欲為的話。」

【第十三章】陳查禮門外的敲門聲

兩天後的早晨，檀香山教堂街的卡拉卡華．海爾大廈，二樓的警察法庭有三名男子正在受審——一名葡萄牙人、一名朝鮮人和一名菲律賓人，他們的罪名是在大街上賭博，證人席上坐著一名沈著穩重的中國人。就我們所知，胖子在東方是很受人尊重的，例如在中國，當一名官員的噸位越來越重，他的官位就爬得越高；日本的相撲力士，他們是群眾眼中的英雄。證人席上的這位老中，在他那一行大有來頭。

「好吧，陳督察，」法官說：「讓我們聽聽看你的說法，請說。」

證人佛像似的定坐不動。他把小小的黑眼睛睜開了些，開口說話了。

「我那時走進了寶華巷，」他說：「跟我在一起的是警局的同僚鹿島先生，我們看到提摩海產店門口有一群人聚在那裡，於是趕上前去。趕到時，那群人漸次散去，接著我們就發現目前在被告席上的三個人。他們跪在地上，正在玩骰子哩，口中還用三種語言唸著骰子經。」

「行，行了，老陳。」一頭紅髮、充滿幹勁的檢察官道：「拜託一下，陳督察，你人在美國法庭，所用的言詞仍然跟往常一樣，太華麗了。你的意思是說，這三個人在擲骰子嗎？」

「恐怕正是。」陳查禮答道。

「你清楚那種玩法嗎？你一看到就曉得嗎？」

「就像孩子認得親娘的臉孔。」

「那你認得這三個人嗎？賭骰子的是他們嗎？」

「毫無疑問，」陳查禮點了點頭：「非常不幸，就是他們三個。」

辯護律師是個猾頭的小日本，一聽立刻跳起來。「我抗議，」他大叫道：「庭上，我要質疑他這句『不幸』的妥當性。證人似乎是指我的當事人已經判定罪。陳先生，請你節制這樣的評論用語，可不可以？」

陳查禮點了個頭。「真是非常遺憾，」陳查禮回答道：「剛剛我忍不住講了假設性的用語，十分抱歉。」律師低聲指責了一句，不過陳查禮仍然態度溫和的講下去，「我接下去講——然後那三個人抬起頭，看到我以及那位令人敬畏的鹿島先生，他們吃了一驚，跳起來拔腿就跑。他們往巷子裡頭跑，我在後面追，還沒到巷子底就逮住了他們。」

辯護律師怒視了陳查禮一眼，指著三名當事人——三個都是瘦子。「你是要告訴庭上說，你這麼胖，卻跑贏了這三個瘦皮猴？」

陳查禮露出了笑容。「問心無愧跑步的人，才能發揮全速。」他有禮貌的回答道。

「而那同時，鹿島在幹什麼？」律師問。

「鹿島知道自己的職責所在，正在執行任務。他留在原地收拾遺留下來的骰子，這是很適當的行動。」陳查禮甚表嘉許的點了點頭。

「是，是，」法官是個禿子，給人一種很無聊的感覺，「那現在骰子呢？」

「庭上，」陳查禮回答道：「若我沒弄錯的話，那些骰子現在正好進來法庭裡了，就在鹿島先生的口袋裡。」

鹿島是進來了，他是個很神經的小日本，看到他一臉蒼白的樣子，陳查禮的心沈了下去，鹿島趕緊走近證人席，神經緊張的貼著陳查禮的耳朵小聲講了幾句。陳查禮隨即抬起頭來。

「庭上，我大錯特錯了，」他說：「鹿島先生剛剛把骰子弄丟了。」

法庭登時鬨堂大笑，法官懶懶的槌著桌子。陳查禮靜定不動的坐著，彷彿並未受到困擾，心裡卻苦不堪言。跟所有的東方人一樣，他可不喜歡丟臉，尤其這無疑是衝著他來的。他的立場真的很尷尬，辯方律師笑逐顏開的向法庭提出聲請。

「庭上，我提議撤銷控訴，本案並沒有物證。即使大名鼎鼎的陳督察恢復冷靜，再度開口講話後，他也會告訴你他沒有物證。」

「陳督察本人呢，」陳查禮沈著臉對那位斜著眼的律師說道：「真的很想公開譴責一下大和民族的辦事效率。」

「可以了。」法官打岔道：「法院再一次的浪費了寶貴的時間。本案撤銷。進行下一個案子。」

陳查禮收拾起殘餘的面子離開了證人席，緩緩穿越旁聽席的走道。他在法庭後面碰到了瑟縮在板凳上的鹿島，於是輕輕掐起了鹿島的耳朵，將人帶到走道。

「又來一次，」他說：「你把我搞得好慘。連我都很驚訝，我哪來那麼多耐性浪費在你身上？」

「我很抱歉！」鹿島低低的說。

「抱歉，我很抱歉，」陳查禮學著他的話，「那樣的話像溪水一樣，源源不絕的從你嘴巴裡流出來，你心再好，彌補得了這樣的過失嗎？早晨的露水填得滿一口井嗎？骰子在哪裡丟了？」

懊悔的鹿島試圖解釋：今早在前來法院時，他在飯店街桐本開的理髮店停下來剪頭髮，外套掛在衣架上。

「你想必先把骰子亮給整家店的人看了？」陳查禮問。

沒有，他只亮給了桐本看，那位老兄是個體面的人。當他就座理髮時，店裡有很多顧客來了又走。理完髮後，他把外套穿上，趕著到法院來，上樓時他才吃驚的發現東西不見了。

陳查禮臉臭臭的看著他。「你又開始當一個超級攪局者了，」他說：「不過我想你一直都有進步，當你當上偵探的時候，眾神不知笑成什麼樣子了。」

「十分抱歉！」鹿島又說了一遍。

「要抱歉就離開我的視線，」陳查禮歎氣道：「每當你出現時，我的眼睛就開始充血，幾乎要控制不了自己。」他將寬厚的肩膀聳了聳，轉身下樓去了。

警察局就在一樓，位於法院的正下方，後方有間小小的私人辦公室，那是陳查禮榮耀與樂趣的所在。一年多以前，他成功的將席拉．費恩的命案偵破，組長就將這個辦公室移交給他使用。現在他走進裡頭，將門關上，站在打開的窗戶旁邊看著大廈後面的那條巷子。

樓上剛剛發生的那件事仍讓他耿耿於懷，不過窩囊了一整年，那也只算是其中的一個高潮罷了。他曾經寫給杜夫探長一封信，信的內容在藤蔓街警察局被朗聲唸了出來：「我們東方人曉得，有時候應該捕魚，有時候應該曬網。」不過就像他在同一封信所承認的，沒完沒了的曬著魚網已經開始讓他很頭痛了。

連月來他被一種心緒不寧所擾，到底是哪裡不對勁，中國人也無從曉得。像現在他看著那條平靜的巷子，心情就被這種不安所打擾，辦完上次的大案子後過了一年，也沒發生過什麼了不起的大事。賭徒製造了小小的治安騷擾，他追他們追到晦暗的小岔路裡；為了追查私酒，他突襲滿室異味的廚房；甚至還被派去國王街，沿途取締違規的車輛——這豈是陳查禮該有的生涯？他愛檀香山，但是檀香山又為他做了什麼？預言家是不愁沒有知名度的，只要他別在家鄉開業。檀香山並沒有多看重他，今天早上還在嘲笑他咧。就跟那條巷子一樣，窄窄的——窄得像他平常所過的日子。

他深深的歎了口氣，在辦公桌後面坐下——桌面乾乾淨淨的，像退休老頭的辦公桌一樣乾淨。他緩緩的轉個方向，旋轉椅吱吱作響的發出警告。人一天一天的老了——嗯，他的子女會接下棒子。好比說蘿絲，她是個聰明的姑娘，人在美國本土唸大學，拿到了很好的成績……

有人在敲他辦公室的門。他皺了一下眉頭，八成是鹿島，又來道歉的吧？還是組長，來了解今早樓上發生了什麼事？

「進來吧！」陳查禮叫道。

門打開了，門口站著他的好朋友——蘇格蘭警場的杜夫探長。

【第十四章】潘趣盂山上的晚餐

通常一名中國人是不會讓驚訝掛在臉上的，而一名出色的偵探在其生涯早期也都學會沈著、不易激動。可他現在眼睛卻吃驚得睜大起來，嘴巴張得大大的好一陣子。看到這個樣子，你至少會說他嚇了一跳。

下一刻他卻又敏捷的彈了起來，迅速的走到門邊。「真是有朋自遠方來啊，」他大聲說道：「一時之間我還質疑我的眼睛可不可靠哩！」

杜夫笑著伸出手來。「陳督察！」

陳查禮握住他。「杜夫探長！」

蘇格蘭警場的人將公事包放在桌上。「我終於來到了，老陳。有沒有嚇到你呀？

嘿，我是故意的。」

「有一下子我忘記了呼吸，」陳查禮笑道：「形容得更誇張些，我大概會說我倒吸了一口冷氣吧。」他拉了張椅子給客人坐，自己仍坐回辦公桌後面。「這樣的榮幸和喜悅我奢望了好久，恐怕都起幻覺了。頭一個問題已經準備好了，來到了檀香山，你有何觀感？」

杜夫想了想。「嗯，看起來是個美麗乾淨的城市。」他坦承。

陳查禮竊竊自喜的身體晃了晃。「我幾乎要淹沒在你那盛讚的洪水裡了，」他說：「不過我知道你說的是事實，並不是謬讚。像你這樣的大忙人，哪有時間跟觀光客一樣瞎扯。我打賭你是來這裡辦案的。」

對方點點頭，「的確如此。」

「祝你好運，不過希望這次一定要留久一點。」

「可惜時數不多喔，」杜夫答道：「我來這裡等候亞瑟總統號明早進港，預計她明晚開船時，我也要搭乘她到舊金山。」

陳查禮搖了搖手。「太短了，我的朋友。這話我真不愛聽，但我也知道任務在身是什麼意思，你的案子想必有嫌犯在那船上？」

「那些人之中的七個到八個，」杜夫答道：「老陳，我這案子的嫌犯出現在輪船、火車、車站和旅館裡頭，搞得我就像經營旅行社的湯瑪士·庫克那樣全球到處跑，或最起碼像他其中一個兒子那樣。這是我遇到的最奇怪的案子，等你有空，我想跟你談談。」

陳查禮歎了一口氣。「就算這故事要花一個禮拜才講得完，」他答道：「我也有足夠的工夫把它聽完。」

「照你信上所說，你並沒遇上什麼大案子？」

「在菩提樹下一坐二十年的印度修道人，可能會討厭我這種沒事找事的人吧！」陳查禮坦承道。

杜夫露出笑容來。「聽起來很讓人遺憾，不過正因如此，也許你可以想一想我所碰到的難題，說不定還可以給我一點建議。」

這位中國佬聳了聳肩。「夏蟲豈能語冰，蚊子又怎能給獅子什麼建議呢？」他說：「不過我倒很想聽聽是什麼事件把你帶到這個沈睡的樂園來的。」

「當然是謀殺案，」杜夫答道：「出事地點在倫敦的勃倫飯店，時間是二月七日清晨。接下來的一路上又發生了多起謀殺案，不過只有第一件我管得著。」於是他開始講起整個案情。

陳查禮聆聽著，幾乎很少搭腔，不注意的人可能會以為他興趣缺缺，因為他坐得宛如一尊雕像，彷彿跟他所謂的樂園一起陷入了沈睡，然而他那雙黑眼睛卻從未離開杜夫的臉。雖然那位英國偵探的手不時伸進公事包裡找東西，雖然他找出信件、記事本來唸，然而陳查禮的眼睛卻只盯住故事講出來的地方。

「而現在，換成魏比被殺，」杜夫終於講到最後的部分，「他真可憐，人就在橫濱碼頭的黑暗角落遭到槍殺。為什麼呢？因為毫無疑問，他查出了艾弗赫的真實身分，那個我至今僅見的冷血殺手。天啊，我一定要抓到他！老陳，我一定要！我從來沒有那麼急於想抓到一個人。」

「那是當然的想法，」陳查禮同意道：「我只是個局外人，但這樣的感受我能體會。嗯，我能請你去吃頓粗茶淡飯嗎？」

這件事就這麼被擱在一旁了，杜夫感到有些震動，對他來講，這是全天下最重要的一件事啊。「嗄——噢，一起吃個飯嗎，」他提議道：「我住在青年旅館。」

「別跟我爭，我們走吧，」陳查禮堅請道：「你跋山涉水走了八千哩路而來，居然還想要請我吃午餐，太令我驚訝了。這裡是夏威夷，以慷慨好客著稱哩。我們到青年旅館去，不過我堅持帳單由我來付。」

「老陳，我這幾本筆記，還有信件——我看到你有保險箱。」

陳查禮點點頭。「我們局裡的保險箱就在我辦公室，你這些重要的文件我把它們鎖起來。」

他們沿著教堂街走到主要的幹道國王街，然後順著方向到青年旅館。中天的烈日在他們頭頂上照著，計程車駕駛有的在車上睡起午覺來，路旁一家商店內的收音機正在播放著歌曲〈南海玫瑰〉。杜夫覺得應該再多講幾句讚語。

「夏威夷是個亮眼的地方，對不對？」他說：「我意思是說，太陽光好強。」

陳查禮搖搖頭。「老杜啊，」他答道：「請別強迫自己繞著這個話題打轉，等會兒我拿夏威夷觀光局的資料夾給你看，保管你一句話也講不出來。來此逗留的期間，請盡情享受吧，飯店到了，裡頭的粗茶淡飯正在等著我們哩。」

在飯店裡的餐廳入座後，杜夫又回到最關心的話題上。「你對我這案子有何看法呢，老陳？你對旅行團中的任何一名成員是否起了感應呢？你曾告訴我，中國人是個心靈感應很強的民族。」

陳查禮露出笑容。「是啊，而且從檀香山某位中國人身上所起的感應，肯定會在倫敦引起大大的轟動。如果我的看法沒錯的話，在單一現場查出更明確的犯罪證據，可能要比在世界其他地方辛苦來得重要。」

杜夫的臉色轉為凝重了。「你說得對，我也老是被這個念頭困擾著。我也許可以繼續調查誰是吉姆．艾弗赫，也許可以肯定我是對的，然而我仍舊缺乏足夠的證據，可以在英國聲請到法院的逮捕令。老陳，他們對我們蘇格蘭警場的人要求很多，每一個人在證明有罪之前都是無辜的，而我們卻從另一個方向做思考，再說二月七日發生在勃倫飯店的命案已過了一段時間，而且隨著分分秒秒的過去越來越遠。」

「你出這樣的任務我並不羨慕，」陳查禮對他說：「不過，所有偉大的勝利都得在最後關頭贏了才能得到。要不要點個湯？要？很好。在夏威夷你會喝到許多難得喝到的湯。」他的眼睛半瞇起來，復又說道：「很明顯的，你在找兩個人。」

「兩個人……你這話什麼意思？」杜夫愣道。

「英倫三島的大作家寫了本《化身博士》，當初跟哈尼伍夫妻有過奇特經驗的吉姆．艾弗赫，現在對他本人而言，無疑幾乎已成為陌生人了。這麼多年來他用的是新名字，未曾使用暴力，活得很有尊嚴。原來的自我一直埋藏在眼睛看不見的深處，但卻餘溫未散，哺育著昔日的不滿，準備實現從前誓言。是什麼使它甦醒、復活過來的呢？是什麼使這一惡毒、被遺忘得差不多的自我悍然將受人尊敬的一面丟在一旁，而能夠將人勒死、開槍射死，而且槍法準到沒有誤差？噢，如果我們能懂得一個人的心思如何轉變得那麼古怪就好了。呵呵，服務生端他們遭到惡評的雞湯來了。」

「看起來很不錯嘛！」杜夫說。

「用眼睛看，」陳查禮補充說：「有時候卻把自己騙得很慘哩，等你明晚跟勞夫頓一行人搭船離開後，這點你特別要牢記。吉姆．艾弗赫看起來很不錯吧，我想，樣子想必很體面，重新塑造的身分非常完美。但是可別忘了，我的朋友，口中甜如蜜，腹中卻藏了把劍啊。」

「那當然！」杜夫不太耐煩的表示同意，在這麼讓人心急的時刻碰到這麼尋常的說教，讓他覺得十分失望。那一點意義也沒有，陳查禮自己也一定曉得。看這位中國人的舉動，似乎對這個問題不太感興趣。會不會是……或僅僅是老陳的腦筋長時間沒用，已經生鏽了？杜夫打了個呵欠。這也難怪，在這片陽光普照的土地上，生活是如此的無憂無慮。身為偵探必須經常展開行動，也必須經歷風霜的考驗。住在南方的人向來是懶散的，行動一向遲緩。

「在這件案子裡，如果體面是犯人的特徵，」英國佬接下去講，試著把話題帶到比較明確的方向，「那麼就會有七個這樣的嫌犯，當然麥司．米欽並不在內，而按照我的想法，基恩上尉也一樣。不過我們要考慮的還有知識分子型的勞夫頓博士，他這個人冷冷的，跟人保持著距離。另外還有泰特，人很有教養，才華洋溢，但奇怪的是，他一輩子為罪犯辯護，這回卻被納入罪犯的行列。另外還有費維安、羅斯和班勃，每一位在他們自己的天地裡，身分上都無可挑剔。而不要忘記，還有個芬維克，讓我印象最為深刻的是，這個人在他的老家擁有很高的社會地位。」

「你對芬維克感興趣？」陳查禮問。

「你呢？」杜夫隨即問。

「他像隻老鷹展翅似的老在空中盤旋，讓我無法不注意，」陳查禮答道：「他在尼斯脫隊，而你認為本案已跟他無關，然而在聖雷蒙他又出現了。到了孟買的泰姬瑪哈飯店，他仍在逗留。」

杜夫立刻坐直起來。陳查禮那麼輕易的就能把這些人名地名講出來，顯示這件案子讓他感興趣，而不是他那雙睡眼讓人誤以為的那樣。杜夫心想，自己又再一次的對這位檀香山的警探誤判了。再一次的，就像數年前在舊金山常常出現的情況，他必須立刻修正自己對這位中國人的觀感。

「那，橫濱又怎麼說？」他問：「還有加爾各答的珠寶店，這些地方都沒有人看到過芬維克。」

「你確定？」陳查禮問。

「我是不能，」杜夫回答道：「我必須更深入的看這件案子。老陳，你是不是對這個人有特別的想法？」

陳查禮笑了起來。「我可不是說我對他有什麼樣的看法，也許是芬維克這個姓引起了我的注意，而也只是片刻而已。沒有，我沒有什麼看法。附餐麼，巧克力冰淇淋吧——我斗膽向你推薦這頓薄饌最末的附餐來客巧克力冰淇淋。」

「這頓飯很豐盛啊！」杜夫向他打包票說。

巧克力冰淇淋吃完了，陳查禮帶著他的英國朋友回到警察局，很驕傲的介紹他給同事認識——介紹給組長，組長顯然對杜夫另眼相待；介紹給鹿島認識，但鹿島臉上並沒有任何反應。

「鹿島很用功，希望能成為像你那麼能幹的偵探，只是一直沒受到幸運之神的青睞，」陳查禮向杜夫說明道。「今天早上他還證明了他是有用的，就像給盲人用的一面鏡子。不過，」他拍了拍日本人的肩膀，「他不屈不撓，就這點來說意義非凡。」

下午過後陳查禮出了警局，很自豪的展示他閃閃發亮的新車，並且載著杜夫在檀香山和本島附近一帶繞了一圈。杜夫四處看著，勉強自己大方的表達幾句讚美，內心裡頭卻很不安。他放不下那件尚未解決的大問題，講起毫不相干的話來，那件事仍會回到他的思緒裡，折磨著他。晚飯是在夏威夷皇家餐廳吃的，陳查禮堅持要作東，杜夫仍處在同樣困擾的心緒中。他渴望明天的到來，自己能夠再次展開行動。

翌晨十點，他和陳查禮站在碼頭上，觀看著亞瑟總統號的到來。原本他考慮船進港時自己退到角落去，但又告訴自己說這麼做也無濟於事——一旦船要離開了，他還是必須再次面對每一個人。他堅請陳查禮來此跟勞夫頓旅行團的人見個面，他私下有個隱隱約約的想法：這名中國人或許會激起某個靈感，提出真正幫得上忙的建議。他一整個晚上都在回想著陳查禮如何在舊金山追查另一個兇手，因而恢復了對這位同行的信心，甚至比從前更加強烈。

巨大的郵輪靠岸了，旅客上下的扶梯放了下來。船上起了一陣混亂，那一群人開始緩緩的下船。每一艘船來到檀香山暫時停靠，旁觀者總會有種感覺——這些人都是幹什麼的？嗯，那些在遠遠的角落上、活力充沛的是水手，澳洲的土人，打躬作揖的東方人，走起路來穩穩的英國人，好像腳下的土地總有一部分是他們英國人的；臉色蒼白的傳教士，形容疲倦的移民，以及走到哪裡都會碰到的觀光客。杜夫心切的觀望著，而陳查禮則只是司空見慣的站在一旁。

終於，頭戴帽子的勞夫頓出現在扶梯頂端，開始緩緩的走下來，在他背後的是十二名團員，一時之間杜夫心想他所要追查的那個人一定在其列。那個殺死魏比的兇手——探員一陣急怒攻心。勞夫頓博士來到碼頭的貨棧時，杜夫上前伸出手來，勞夫頓見到他時臉上掠過一個表情，那顯然不是衷心表示歡迎的表情，而是有點困擾，幾乎可說是厭惡。陳查禮在近距離注視著他，這種表情，只是因為勞夫頓不願憶起此時早已拋諸腦後的特定事件嗎？

「噢，博士，」杜夫大聲說道：「我們又見面了。」

「喔，杜夫探長！」勞夫頓說道，臉色蒼白的勉強擠出一個微笑。不過杜夫已忙著去跟班勃夫婦握手，再來是米欽夫婦、史派色太太和費維安、甘乃威、羅斯和其他人，最後是泰特，樣子比先前更加的勞累，病懨懨的。

「你們的旅途快到終點了，是吧？」英國偵探說。

他們立刻聊了起來，彷彿重新踏在美國的土地上，心裡一點也不惋惜。班勃還在碼頭上跳了跳，使得掛在肩膀上的攝影機劇烈搖晃起來。

「各位先生，各位女士，請容我介紹一下，這位是檀香山警察局的陳查禮督察，」杜夫說道：「他是太平洋地區最優秀的偵探，我以前曾跟他一起合作辦過一件案子，我才剛來到這裡跟他見過面。」

費維安說話了。「你要在這裡待很久嗎，杜夫先生？」

「很可惜不是，」杜夫對他說：「我已經訂了艙房，今晚搭你們這艘船走，希望大家不會介意。」

「很歡迎！」費維安含糊的說，額頭上的疤在檀香山的艷陽下忽然變得更加殷紅。

「應該會有專車來接我們，」勞夫頓宣布道：「我們到威基基海灘玩玩水，中午在夏威夷皇家餐廳用餐。」他四處走告。

杜夫的視線落在站立一旁的潘蜜拉．波特身上，她跟其他人不同，穿得一身白，俏麗的映入眼簾。她眼中帶著問號，杜夫走近她時，頭稍稍搖了一下。

「我怎麼把妳忽略掉了？」杜夫執起她的手問：「妳比以前更漂亮了，這趟旅程一定很適合妳。」隨即壓低聲音說道：「跟他們一起行動，稍晚一點我再來找妳。」

「我們住在青年旅館，」她回答道：「這到底……」

「稍後再告訴妳。」他低低的說，接著他跟露絲太太握手。

「哈囉，我們都想念你呢。」老太太說：「呵呵，我可來了。地球繞了快一圈，到目前為止還沒被殺掉。」

「您還沒到家呢！」杜夫提醒她。

勞夫頓邀他跟大家一起共進午餐，但態度上不很殷勤，他婉拒了。「等到了船上你會常常看到我的！」他很快活的說。那一行人登上了前來接送的專車，朝著威基基海灘的方向進發。杜夫和陳查禮走回國王街。

「嗯，他們就是那個旅行團，」英國佬說：「你注意到裡頭有個殺人兇手嗎？」

陳查禮聳了聳肩。「『兇手』兩個字可不會寫在臉上啊，」他回答道：「像我這樣匆匆一瞥是不夠的，你用電風扇又怎能驅走雲霧呢？我倒是發現一點：他們沒有一個樂於再次跟你見面，也許那個漂亮的小女孩是例外吧。至於那位勞夫頓博士——」

「他看起來很困擾，是不是？」杜夫同意道：「我想他是想起了之前發生的一些不愉快，而且你知道嗎，在我把案子辦完之前，我還可以讓他在媒體上遭受惡評。他在擔心他的事業。」

「在現今的世界上，再沒有比那個更令人擔憂的了，」陳查禮點點頭說：「你去問商業局就曉得。」

兩人又在一起吃了頓午餐，這回換杜夫請客。飯後陳查禮不得不回到局裡，料理一下工作上的瑣事。大約兩點的時候，杜夫一個人待在青年旅館大廳裡，這時潘蜜拉．波特和露絲太太進來了，旅行團其他人被載到巴利遊覽了，露絲太太常去那裡，潘蜜拉又急著想跟杜夫見面，因此沒跟去。兩個女人到了櫃台，訂了個房間，裡頭附有小會客室、臥房和衛浴，準備待到晚上。杜夫耐心的等著，直到他估計兩人應該已經在房裡安頓好了，才上樓去找她們。

潘蜜拉一個人在會客室裡。「終於又能跟你單獨見面了，」她引客入室時說：「我還以為再也沒機會了。來，請坐。」

「先講妳的所見所聞吧，」杜夫說：「妳是什麼時候再次見到魏比的？」

「你是指我上次寫給你那封信之後？」她問。

「妳從仰光寫信給我的那次。」杜夫對她說。

「我還有一封信寄自新加坡，另外一封則寄自上海。」

「非常抱歉，那兩封信恐怕正在追著我跑哩。」

「噢，但願它們都追得上。裡頭是沒有交代什麼新的案情啦，不過卻是記敘報導的佳作哩。錯過了可是您的損失。」

「等接到了，我會逐字逐句的讀。不過照妳說，裡頭沒新的案情？」

「嗯，沒什麼特別新的。我是在香港搭乘了亞瑟總統號，才又在船上見到了魏比先生，他是我那個客艙的服務生，其他好幾名團員的客艙也由他照顧。他說他得學習如何在英印公司的客輪上工作，現在已駕輕就熟了。我猜他立刻搜了每一名旅客的客艙，不過在抵達橫濱前並未發生任何事。」

「在橫濱有事情發生？」

「是的。我們上岸消磨了一天，但是到哪裡都要參觀一下我已經受不了了。因此我跑回船上吃晚飯，按照行程船要到深夜才開。露絲太太也一起回到船上，我們——」

「很抱歉，暫停一下。那天回船上吃晚餐時，妳有注意到旅行團其他人也在場嗎？」

「有的，泰特先生也在。他人很不舒服，幾乎所有岸上的活動他都不參與，另外的話，噢，對，還有甘乃威先生。如果還有其他旅行團的人在船上，我就沒看見了。」

「非常好。請接著講。」

「等我離開了餐廳，便見到了魏比先生，他向我打個手勢，我於是跟過去，登上最上一層甲板。我們站在欄杆旁邊，眺望著橫濱的燈火。我見他很興奮的樣子，他低聲的說：『嘿，小姐，遊戲結束了。』我注視著他，問道：『你這話什麼意思？』他告訴我：『那個人我已經查出來了。那支三二六〇號的鑰匙在他那裡。』

「我失聲道：『在哪裡？』當然我指的是在誰那裡，不過他只是眼睛注視著我，說：『就在我發現的那裡。我沒去動它，那得等到我可以在美國聯絡上自己人，把它交到杜夫探長的手裡。現在在日本就地逮捕太遲了，選擇另一個方案會比較好，我知道杜夫先生想親手抓到他，而據我所知，他現在已到了舊金山。我現在要到岸上去，透過蘇格蘭警場打一封電報給他，要他務必趕到檀香山，除此之外別無機會。』」

女孩的話停在這裡，杜夫不發一言的坐著。魏比這一著太冒險了，現在看得很明顯，雖然他用意良善，但是做法卻錯了。而今他付出了錯誤的代價。

「天可憐見，」這位英國偵探悲憤的說：「我但願妳有設法讓他告訴妳那鑰匙在誰手裡。」

「嗯，我當然有努力，」女孩答道：「我苦苦哀求，但魏比先生就是不聽，他說我知道了會有危險。而另外一點，我也看出他對女人抱著舊式的想法，絕不把祕密之類的事託付給女人。他個子矮矮的，人很好，我很喜歡他，所以沒有糾纏下去。我想，等時候到了，我將會知道所有的事。他於是上岸去打電報。第二天早上我們已經出海好遠了，我卻發現他並沒有回到船上。」

「是沒有，」杜夫冷靜的說：「他不會再回來了。」

女孩立刻注視著他。「你知道他出了什麼事？」

「妳們坐的船才剛離開不久，魏比就被人發現死在碼頭上。」

「被人謀殺？」

「那當然。」

經歷過那麼多事件的女孩竟然哭了，杜夫吃驚的看著她。「啊，對不起，」她為自己的失態表達歉意。「他人那麼好，而且……啊，真是可恨！那個禽獸，我們會抓到他的！我們非抓到他不可！」

「我們當然會！」杜夫沈痛的回答。他站了起來，走到窗戶旁邊。檀香山在驕陽下打著瞌睡，小公園的棕櫚樹下躺著一名棕色皮膚、衣著破爛的小男孩，他那鋼絃吉他擱在身旁。那才是無牽無掛的生活吧，杜夫想道，無論什麼事，等明天再做，說不定明天也不去管它。他聽到背後有房間的門打開，轉過身去，看到露絲太太從臥房出來。

「我打了個盹，」她說。女孩臉上有淚痕，她注意到了。「怎麼回事？」

潘蜜拉·波特將事由告訴她，老太太一下跌坐在椅上，臉色發白。

「他才不是我們的服務生，」她嚷道：「我跑遍全世界，有成千上萬個服務生替我服務過，可是我唯獨對他有好感。唉，我再也不要從事這種長途旅行了。也許會再去一趟中國，或是南下澳洲，但是僅止於此了。活到七十二歲，我第一次覺得自己老了。」

「不要胡說，」杜夫說：「妳看起來根本不超過五十歲。」

她眼睛明亮起來。「真的嗎？唉，說老實話，我也許很快就能從這次的旅行勞頓中恢復過來吧。然後我要到帕薩迪納好好休息休息。你知道嗎，南美洲我從未去過呢，我無法想像我會錯過那個地方。」

「有個邀請挺不錯的喔，」杜夫說道：「妳們今早在碼頭上遇到的那位中國人，他是個很了不起的紳士。他邀我今晚到他家吃個飯，還要我把二位也請到，請二位能夠一起賞光。」

那一老一少都同意接受邀請。六點半的時候，杜夫在飯店大廳等候她們。他們在傍晚的涼意裡驅車上潘趣盂山，前方山頂裹在一片烏雲裡，但在他們身後，整個城市卻被落日染成暈黃色和玫瑰色。

陳查禮滿臉堆歡，身上穿著最體面的西裝，站在自家涼台上等候大駕。

「歡迎歡迎，」他朗聲說道：「我陳氏一家何德何能，老朋友遠自倫敦而來，光臨寒舍，蓬蓽生輝，真正使我陳查禮驕傲陶醉不已。」

他再三謙稱屋舍簡陋，陳設鄙薄，一面肅客步入正廳。如此謙抑迎賓的方式，當然正是他心目中的待客之道。客廳布置得很雅致，地板上鋪了一張少有而古典的地毯，樑上懸著深紅繡金的中國燈籠，多張柚木几上分別擺放著汕頭來的瓷碗、酒甕及盆栽。牆上掛著一幅畫，畫著枝頭上的一隻小鳥。潘蜜拉．波特看著陳查禮，對他產生了新的興趣。她希望自己認得的幾位室內裝潢師，也能看見這個中國家庭的客廳。

陳太太也出來了，她有些拘謹，身上穿著自己最好的一件黑色綢緞，講起英文來很小心。家中幾個年齡較長的孩子也由主人很有禮貌的向貴客一一介紹。

「族繁不及備載，以免加重各位的負擔了。」陳查禮解釋道。他講起了他在美國本土唸大學的長女蘿絲，聲音變得柔緩起來，言下不無慨然，如果掌上明珠蘿絲在家的話，得遇貴客光降，那該有多麼好啊。他太太一向好靜，來客多少會打擾到她。

一位年長的女傭從走道出來，尖聲的講了幾句話。眾人移駕到飯廳，陳查禮解釋說今晚宴客吃夏威夷菜，而不是中國料理。

陳太太初見面時的拘謹褪卻了，臉上終於露出笑容來，在露絲太太宛如春風般的講了些話之後，氣氛開始輕鬆起來。

「陳先生，中國人是我最喜歡的民族。」老太太說。

陳查禮向她行了個禮。「當然，美國人是最優秀的。」

她搖搖頭。「一點也不。這四個月來我跟自己國家的人關在相同的籠子裡，我必須再重誦一遍，中國人是我最喜歡的民族。」

「妳到世界各地，想必見到不少中國人？」陳查禮提到。

「那當然，是不是這樣呢，潘蜜拉？」

「到處都有！」女孩點點頭。

「中國人是東方世界的貴族，」露絲太太進一步說：「在每一個東方的城市，不管是馬來亞邦、麻六甲殖民地或者暹邏，中國人經營的商行、錢莊，都具有最大的影響力。他們是那麼聰明、能幹、誠實，在東方社會那些懶惰的中下階層經營著，真的是很偉大的一群人，陳先生，不過這些你一定都很清楚。」

陳查禮露出了笑容。「我都清楚，但說不出口，像您剛剛這樣的讚許，在我耳中簡直是聽到仙樂。我們在美國社會的評價並不高，被當作洗衣店工人看待，要不就在電影劇情裡頭順便帶到，視為市井無賴。妳來自於偉大的國家，美國人很富有且引以為榮，對自己很有自信，但是請容我講一句，美國人對世界其他地方所知不多，而且漠不關心。」

露絲太太點點頭。「你講得很對，而且有時候我們之中觀念最狹隘的人卻偏偏位居要津。你最近有回去中國看看嗎，陳先生？」

「好多年沒回去了，」陳查禮對她說：「我上一次在中國，還只是個對什麼事情都很好奇的孩子，在當年，那是個與世無爭的地方。」

「但已經不再是了！」潘蜜拉．波特說。

陳查禮嚴肅的點點頭。「是的，現在中國生病了。不過就像某位人士的名言，病人還沒死就去致哀的人，自己倒比人家先死。這種事在中國以前發生過，以後還會再次發生。」門外忽然起了一陣狂風，接著大雨滴滴答答在屋簷上響了起來。「外面好像要下大雨了！」陳查禮加了一句。

在接下來的那頓飯裡，雨持續的下著。主客回到客廳時，依舊大雨傾盆。杜夫看了一下手錶。

「請恕我失禮，老陳，」他解釋說：「今晚十分盡興，我將永遠記得。不過你也知道，亞瑟總統號十點鐘就要出港，而現在已經八點半多了，我有點擔心趕不上。我是不是能打電話叫輛車。」

「哪裡的話，」陳查禮不以為然道：「我那輛車四個人坐還很寬敞，不會淋到雨。即使四個人都像我那麼胖，坐起來還很舒適哩。我知道你任務在身，現在馬上就送你們下山。」

客人一再讚賞這頓豐盛美味的晚宴後，隨即準備動身。「這是我這趟環球之旅的最高潮。」潘蜜拉．波特說，陳查禮和他太太聽了都很高興。沒過多久那輛新車便開始下山，海邊的燈火在雨水中模糊一片，分不出遠近。

他們來到青年旅館稍事停留，讓杜夫進去拿行李，至於兩位女客的細軟則已託人送到碼頭了。正要開往碼頭，杜夫忽然拍了拍額頭。「天啊，老陳，我到底是怎麼回事？」他說：「我居然忘得一乾二淨，我這件案子的全部資料還鎖在你的保險箱裡呢。」

「我沒忘記，」陳查禮答道：「我先載你到局裡，放你下來，然後載兩位女士到碼頭。等我回過頭來載你時，你東西應該已經拿到了，組長或哪個人會替你開保險箱。我們最後再敘敘，你還有時間可以抽一下菸斗哩。」

「那非常好。」杜夫同意道。大雨傾盆，汽車在卡拉卡華．海爾大廈前停下，杜夫冒雨下車，另外三個人繼續上路。

到了碼頭，陳查禮很有禮貌的向兩位女士道別，隨即驅車返回警局。大廈前面的台階很老舊了，當他熟門熟路的拾級而上時，心情忽然變得十分沈重。杜夫於單調的生活中前來造訪，原本是一件非常快樂的事，但是停留得太短暫了。等到了明天，他想，一切又會恢復跟往常一樣。熱帶地方的大雷雨依然隆隆在耳，他穿越走道，推開辦公室門——他遇到了三十六個小時之內的第二樁意外。

杜夫倒臥在辦公椅旁邊的地板上，兩隻手無力的伸展在頭上。陳查禮大喝一聲，夾雜著驚恐和憤怒，趕忙衝上前去，在他身旁蹲了下來。英國偵探的臉慘白得宛如死去一般，但是脈博仍快速跳著，陳查禮感到一陣心悸，趕緊跳起來打電話到皇后醫院。

「救護車！」他大喊道：「立刻派救護車到警察局來，天老爺，趕快過來！」

他佇立片刻，無助的四處張望，辦公室唯一的玻璃窗跟往常一樣的拉起，雨水仍不停的落在外面昏暗的巷道裡。那玻璃窗——喔，是了，夜霧茫茫裡頭突然射進來一發子彈。陳查禮轉過身，辦公桌上放著杜夫的公事包，打開著，看起來裡頭的東西原封不動，保險箱裡還留著幾張文件，另有幾張散落在地上，顯然是被風吹的。

陳查禮大聲呼喊起來，組長隨即從鄰近的辦公室過來，就在這時伏在地上的杜夫動了一下，陳查禮立刻蹲下來。英國人睜開眼睛看著老朋友。

「老陳，辦下去！」他低聲呼道，復又失去了知覺。

陳查禮站立起來，看了一眼手錶，開始收拾桌上的文件。

【第十五章】由檀香山向東出發

組長蹲在杜夫身旁，臉色十分凝重，站起來後，一臉疑問的看著陳查禮。「這是怎麼回事啊，老陳？」

中國佬指著敞開的窗戶。「槍擊，」他簡潔的說：「子彈從外面射進來，擊中他的背部。可憐的杜夫探長，今天上岸的旅行團裡有兇手潛伏，他為了緝兇來到這個安寧的城市，而今晚兇手又再一次的行兇了。」

「好大的膽子！」組長氣急敗壞的嚷了起來：「竟敢向我們警察局裡的人開槍！」

陳查禮點點頭。「更糟的是，我那麼以這間辦公室為榮，他居然向這裡開槍。除非兇手被抓到，否則我將被全世界恥笑。」

「噢，我可不會那樣做！」組長說。陳查禮將杜夫的文件全部收回公事包，將公事包扣好。「你打算怎麼辦，老陳？」

「我該怎麼辦？我能丟這個臉，而不予以反擊嗎？我今晚要隨著亞瑟總統號出發！」

「那怎麼行？」

「誰阻止得了我？麻煩你告訴我，我們這裡哪一位大夫的外科手術最行？」

「噢，應該是藍大夫。」

陳查禮隨即翻閱電話號碼簿，撥了個號碼。正在講著，救護車的聲音已來到大廈門口，身穿白色制服的護理員帶著擔架進來。組長指揮眾人將中彈的杜夫抬走，陳查禮還在電話上交涉，藍大夫住在青年旅館，他答應跟救護車一樣火速趕往皇后醫院。陳查禮把話筒放回機座上，旋又拿起來，撥了個號碼。

「哈囉，」他說：「你是亨利嗎，今晚那麼早就到家了？其他人都還好。你聽好，我再一個鐘頭就要搭船到美國本土了。什麼？用不著驚訝，這件事已經決定了，我要去查一件重要的案子——打起精神來用心聽，把話傳好。快去把我的牙刷、換洗的衣服、刮鬍刀放進行李箱裡，看你自己外出需要用到什麼，就為我準備一份，跟你媽講，你媽會幫你。開你那輛車載你媽還有行李到碼頭來，就在亞瑟總統號停泊的地方，那是道樂航運公司的船。船十點要開，動作越快越好。謝啦。」

他打完電話站起來，組長面對著他。「老陳，你最好再考慮考慮！」他建議道。

陳查禮聳了聳肩。「我考慮過了。」

「你要怎麼做——未經請假就離開嗎？這件事我要向局長申請，那要花好幾天。」

「那就幫我遞辭呈吧！」陳查禮簡略的回答道。

「那怎麼行，」組長不同意道：「好吧，我來幫你搞定。不過你要聽好，老陳，這件事情很危險，那傢伙是個殺手。」

「那個誰會比我更清楚？這很重要嗎？我的面子快掛不住了，就在我的辦公室裡頭，你想想看。」

「只要出這趟任務是正當合法的，我並不會建議你不要冒著生命的危險去幹。不過……不過我很不願意失去你，老陳，而且在我看來，這是蘇格蘭警場的案子。」

陳查禮頑固的搖搖頭。「不再是了，現在是我的案子。你不願意失去我？為什麼？因為需要我跑進巷子裡面抓賭徒嗎？還是沿著國王街開汽車罰單？」

「我明白。之前工作的步調相當慢。」

「之前——是的。不過今天晚上不是，事情的發展再度快起來了。我要搭那艘船出港，在抵達美國本土前把那個人抓到，如果沒辦到的話，那我將深深懺悔，永遠向偵探這個頭銜告別了。」他走向保險箱。「這裡有兩百美元現金，我先拿走，等到了舊金山，你再多匯一點來。不管這些錢是花在捉拿對檀香山警察局犯下惡行的罪犯，或是用在我個人的花費上，我都會歸還，錢是小事。現在我要到醫院去，該向你道別了。」

「還沒，還沒，」組長答道：「我會到碼頭替你送行。」

陳查禮將杜夫視若珍寶的公事包挾在胳臂下，快步向大街上走去。陰晴不定是檀島天氣型態的特徵，現在雨已經停了，星星從雲層的缺口東一塊西一塊的露出來。陳查禮進到青年旅館大廳，一進去就碰到穿著制服的輪船管理人員，真是走運，此人名叫哈瑞・林區，剛好是亞瑟總統號客輪的事務長。

陳查禮自我介紹，說動了林區先生搭上自己的車，開車到皇后醫院的途中，他將剛才發生的事很快的解釋了一遍。事務長聽了很感興趣。

「船長告訴我說，有個蘇格蘭警場的偵探要搭我們的船，」他說：「當然啦，我們都認識魏比，他突然不見讓我們很吃驚。橫濱的消息傳來，只說他被人殺了，而現在換杜夫探長受傷了嗎？似乎有很多事情等著你來忙呢，陳先生。」

陳查禮聳了聳肩。「我的能力很有限。」他謙虛說。

「哦？」林區先生說：「我聽到的講法不一樣喔。」

林區並沒有多說，不過陳查禮對他產生了好感，蟄伏了那麼久居然還有人記得他，這樣的感覺挺好的。

「船票的問題我幫你解決，」林區接著說：「這種事我們很容易解決，而且我可以安排一個很好的客艙給你。」

醫院到了，陳查禮憂心忡忡的進到裡面，旁人為他指出哪個是藍大夫——穿得一身是白，彷彿跟鬼一樣，又戴著遮光眼罩，陰影下的臉有一半看不清楚。

「我找到子彈的位置了，馬上要開刀取出來，」藍大夫指稱，「好在子彈被肋骨擋到，偏移了方向，很麻煩的手術，不過這個人身體狀況看起來相當好，應該熬得過去。」

「他必須熬下去，」陳查禮篤定的說。他向大夫介紹了杜夫的身分，以及為什麼到夏威夷來。「如果能讓我再看他一眼的話……」他提出要求，為這種不太熟悉的場合膽怯起來。

「跟我到開刀房來吧，」大夫邀他進去，「病人剛才講了幾個字，好像是囈語，不過你或許能聽懂吧。」

手術房在樓上，充滿了藥水味，令人感到畏懼，友人蓋著薄薄的被單，陳查禮在他身邊彎下腰來。杜夫是否有瞥到那個開槍的人？如果有，並說出了名字，那這個案子就結束了。

「杜夫兄，」中國佬輕聲說道：「我是陳查禮。唉，這真是件可怕的事！我好難過。請告訴我——那個歹徒，你看到了他的臉嗎？」

杜夫微微動了一下，聲音嘶啞的喃喃說道：「勞夫頓……勞夫頓，那個滿臉鬍鬚的人……」

陳查禮屏住了呼吸。出現在窗戶外面的人會是勞夫頓？

「還有一個泰特，」杜夫叨叨唸著：「還有芬維克。芬維克現在在哪裡？費維安……基恩……」

陳查禮難過的轉過身去。可憐的杜夫，他只是把嫌疑者的名單唸了一遍而已。

「陳先生，你現在最好離開吧。」醫生囑咐道。

「我走了，不過最後要提醒你一件事，」陳查禮答道：「不管他明天或是什麼時候醒來，這個病人將會非常難以對付，他會拼命想爬起來，想繼續去查案子。如果發生了這個情況，請你們用我這些話安撫他——陳查禮已經搭乘亞瑟總統號前往舊金山了，在船抵達美國本土之前，他會把那個壞人抓到。你們要說這是我的承諾，而且提出這項承諾的人從未向朋友輕諾寡信過。」

醫生沈重的點頭。「我會告訴他的，陳先生。謝謝你的建議，現在我們要盡我們的力量來救他了，這是我對你的承諾。」

九點四十五分，陳查禮載著事務長來到了亞瑟總統號停泊的碼頭。下了車，他看到他兒子亨利就在不遠處，身邊是位穿著一身黑的矮胖婦人，那是陳太太，身上還穿著宴客的華服。他走過去，在事務長的陪同下，一起走上扶梯。登船口有位辦事員站在一張小桌子旁邊，好奇的看著他們從眼前走過。

陳太太站在甲板上，有點怯懦的望著她那令人費解的丈夫。「你要去哪裡啊？」她問道。

陳查禮體貼的拍了一下她的背。「事出突然，人在家中坐，禍從天上來。」他說。然後他把辦公室裡發生的事告訴她，為了挽救自己的顏面，他有必要立刻走這一遭。

女人溫順的表示理解。「袋子裡面有好幾件乾淨的衣服，」她說道，想了想，復又補充：「我擔心你這次會有危險。」

陳查禮安撫的笑了笑，提醒她道：「天命不可違抗，個人的命運，躲又躲得掉嗎？用不著擔心，不會有事的，再說我還可以提前好幾天看到老大蘿絲呢。」

在微明的燈光下，她那豐圓的臉上突然掉下淚來，亮亮的。「我那麼疼她，」她說：「她卻跑那麼遠。」雙手忽的輕輕握緊了一下。「真不明白她為什麼要跑那麼遠。」

「等哪天她給妳爭口氣的時候，妳就會明白了。」陳查禮向她承諾道。

登船口聚集了三三兩兩的旅客，在甲板上逗留片刻，隨後慢慢散去，回去各人的艙房。顯然這一趟航程並未予人興奮感。陳查禮的組長來了。

「噢，老陳，你已經到了，」他說：「我又幫你籌到了六十美元。」他把錢交給陳查禮。

「你對我太好了。」陳查禮答道。

「我會再匯多一點給你——以便你把人抓到的時候回得來，」組長接著說：「我相信你會抓到那傢伙的。」

「等現在我有工夫好好想想的時候，可就沒那麼有把握了，」陳查禮回答道：「看來我選擇的是個十分艱鉅的任務。先前跟杜夫探長談過，我知道只有一種情況才能如他所願——我必須查出三個月前倫敦勃倫飯店命案的兇手是誰。這案子在當初偵辦的時候，我在命案現場八千哩外，而我現在必須偵破，即使線索已經冷卻，蹤跡不復可尋，而且有希望據以逮捕的重要事實，所有關係人無疑都已忘記了。看來我今晚太奮不顧身了，什麼必要的裝備都沒有，卻接下了超人所要完成的任務。也許我應該在一敗塗地、顏面盡失之前，趕緊用爬的回家。」

「也許是吧，」組長答道：「是沒錯，這件任務看來十分困難，不過——」

他的話被打斷了，有個人在夜暗中氣喘吁吁的跑來找陳查禮，原來是鹿島。

「嗨，老陳。」那個日本人揚聲道。

「噢，這就是你說再見的方式嗎？」陳查禮開口道。

「先別說再不再見了，」鹿島打岔道：「老陳，我有個重要情報。」

「真的嗎？」陳查禮很有禮貌的答道：「什麼樣的情報，鹿島？」

「貴友遭到槍傷的時候，我立刻去到那條巷子尾，」日本人呼吸急促的接下去說：「結果看到一個男人從巷子裡面走往大街，他人很高，穿著大衣，帽子遮住了眼睛。」

「沒看到他的臉？」陳查禮問。

「那又如何，臉不重要，我看到更重要的，」鹿島回答道：「那個人是跛腳，走路像這個樣子——」他懷著很高的表演熱誠，在甲板上模仿起那個跛腳者走路的樣子。

「他有一根手杖，顏色很淡，可能是麻六甲的。」

「非常感謝你，」陳查禮點點頭，說話語氣好像在哄他最小的兒子，「你觀察得很清楚，鹿島。進步神速。」

「也許有一天我也能成為出色的偵探。」那名日本人自我期許的說。

「也許有那麼一天！」陳查禮答道。他深深歎了口氣，建議所有得回岸上的人開始下船吧。陳查禮轉身要向他太太道別，這時鹿島忽然向組長嘰哩呱啦講了一堆話，原來他也希望被派去舊金山，擔任陳查禮的助手。

「我很會搜索證據的，老陳也這麼說。」日本人堅持道。

「老陳你覺得呢？」組長笑了起來：「你用得著他嗎？」

陳查禮猶豫了一秒鐘，然後拍了拍那個小日本的肩膀。

「你要多考慮考慮，鹿島，」他說：「事情的輕重你權衡得並不恰當，要是我跟你同時離開了檀香山，那些壞人不就有機可乘了。犯罪事件說不定會橫掃這整個島，甚至沖垮一切。快回去吧，我人不在，你要好好幹。跌倒過一次，學一次乖，你要永遠記住這一點。首先你必須了解，你將會成為我們當中最能幹的一位。」

鹿島點點頭，跟他握個手，下船去了。陳查禮轉身面對著他的兒子。「我那輛車你要立刻開回家裡的車庫停放，」他吩咐道：「我不在的時候你凡事要聽母親的話，好好照顧整個家。」

「沒問題，」亨利保證道。「噢，對了，爸，我可不可以借你的車用，一直到你回來？你給我的那輛舊車，機件好像有點問題。」

陳查禮點點頭。「我就知道你會提出這個要求。行，你可以開我的車，不過請你一定要好好善待它，別過度的操作，學那些年輕人亂飆車。再見了，亨利。」他又低聲跟太太講了幾句，然後像西洋人那樣的親吻她，帶著她走到下扶梯處。

「祝你好運了，老陳。」組長說道，跟他握了個手。

寧靜的夜裡出現鐵鍊啷噹的聲音，扶梯收了起來，切斷陳查禮和碼頭上那一群人的聯繫。大家都站在那裡望著他，令他深深感動，他們的神情表達了對他的信任，相信他終能獲得最後的勝利。而他自己並沒有那樣的信心，他怎麼會把這麼困難的任務攬在身上呢？他將杜夫的公事包緊緊的挾在腋下。

偌大的船體緩緩的倒退離開，航向水道的中央，今晚沒有樂隊演奏阿囉哈，輪船和碼頭之間並未飛舞著歡樂的綵帶，也看不到船舶往來時常見的生動場面，有的只是忍痛揮別，一幕船隻出海的古老故事。

碼頭上那一小群人的暗影總算散去了，然而他仍然在欄杆旁邊佇立著，引擎的振動聲越來越響，船行逐漸趨於平穩。不久陳查禮看到圍繞在威基基海灘邊緣的那一圈燈火，多少個夜晚他曾一個人坐在涼台，視線越過市區眺望到海邊，隱隱約約希望自己能動起來，希望有某個事件發生。好啦，現在它終於發生了！沒錯，事情的確發生了，現在他人在船上，隔海觀看著威基基海灘的燈火。

他轉過身，看著輪船巨大的身軀，黑暗與神祕在自己的背後。他現在處在一個新的世界裡，一個小型的世界，有一名在倫敦殺錯了人的男子跟他同在這個世界裡，之後那人在尼斯與聖雷蒙，再來是橫濱碼頭再度行兇，無疑是出於必要。此人十分殘忍，今晚才剛剛動手將杜夫除掉，免得被繼續追查下去。這個吉姆．艾弗赫——絕不是一個手軟、神經質的人。陳查禮跟此人將會有六天的時間共處在這個狹窄的空間裡，在這鋼鐵及木材打造的精緻牢籠中，雙方都會想辦法勝過對方。而誰會贏呢？

陳查禮陡然一驚，有人不聲不響從背後走過來，他聽到耳邊有聲響。他轉過身去。

「鹿島！」他倒吸了一口氣。

「哈囉，老陳！」那名日本人露出了笑容。

「鹿島，你這是怎麼回事？」

「我偷偷躲了起來，」鹿島解釋道：「我來幫忙你查這件大案子。」

陳查禮心存僥倖的看了一眼船身和威基基海灘間的波浪。「你會游泳嗎，鹿島？」

「完全不會！」小個子快活的說。

陳查禮歎了一口氣。「唉，好吧。含笑接受上帝賜與的人，方能在人生的艱困學習中通過重大的考驗。抱歉了，鹿島，我正在設法讓微笑掛在臉上哩。」

【第十六章】麻六甲籐杖

未幾，陳查禮天生的好脾氣贏得勝利，終於露出了笑容。

「真抱歉，鹿島，假如我剛剛顯得有些吃驚的話。你不會怪我吧？我一下想起了上回一起辦案的事——那件賭骰子的案子。不過你有這樣的企圖心，絕對不能等閒視之。歡迎你一起來辦這個案子，你還未加入前，這已經是個非常棘手的案件了。」

「我很感激。」日本人答道。

輪船的事務長從鄰近的走道出來，快速朝甲板走來。

「噢，陳先生，我正在找你呢。」他說：「剛剛跟船長談過了，他要我給你一間最好的客艙，裡頭有衛浴——當然啦，這是最基本的。床我已叫人鋪好，至於你的行李，請跟我來。」他看到了鹿島。「這位是？」

陳查禮遲疑了一下。「呃，林區先生，請容我介紹，這位是檀香山警察局的鹿島警員，他是……」陳查禮咳嗽了一下，「我們最出色的幹員之一，局裡在最後一刻決定派他來協助我。不知能否安排個地方讓他過夜。」

「哦，他也是以旅客的身分吧，我猜？」

陳查禮忽然想到一個好點子。「鹿島先生也跟時下的每一個人一樣，有他個人的一技之長，他對於犯罪證物的搜索十分在行。不知您能否在船上的工作同仁之間為他安排一個職位，服裝上看起來不會讓人起疑，這樣他說不定能夠有傑出的表現。唉，我就沒辦法像他那樣，藏於無形。」

「我們有一個服務生因為偷偷運私酒上岸，今晚遭到了逮捕，真搞不懂聯邦當局是怎麼搞的。」林區回答道：「這也就是說本船的人員調度必須調整，我們可以安排鹿島先生當接待員——也就是坐在走道間，有人拉服務鈴就去處理。當然啦，這樣的工作不算十分體面。」

「但卻是個大好良機，」陳查禮向他保證道：「鹿島不會介意的，他一向任務優先。鹿島，你告訴事務長你的感覺。」

「接待員有小費好拿嗎？」那個日本人殷切的問。

陳查禮揮了個手。「你看，他等不及了。」

「我看哪，你最好要他今晚跟你住一起，」林區說：「除了你房間的服務生不會有別人曉得，而且我會叫那個服務生閉嘴。」他轉向鹿島，「明天早上八點去向服務生領班報到。搜索我不反對，但是不能被抓到，懂嗎？我們不能給清白無辜的人帶來困擾。」

「那是當然。」陳查禮猛點頭。然而他可沒這個把握。給清白無辜的人帶來困擾，他想道，是鹿島的另一項專長。

事務長帶領兩人來到客艙門口，說：「陳先生，船長明早會跟你見個面。」說完便離開了。

陳查禮和鹿島進了艙房，服務生仍在裡面，陳查禮要他去鋪另一張床。在等待的時間裡，夏威夷偵探四下看了看，這是間很大的艙房，通風良好，利於思考。未來的這六天，以及晚上，他可真有得想了。

「我馬上回來。」他對他的調查助手說。

他到船的最頂層去，拍了封無線電報給組長，上頭寫道：

「鈞座倘若發現鹿島不見踪影，此刻傷腦筋的正是我本人。他跟我在同艘船上。」

回到座艙，發現只鹿島一個人在。「我剛才把你離開的事向組長報告了，」他解釋道：「充當這艘船的船艙招待員是個明智之舉，要不然問題演變成你的旅費要誰來付時，恐怕大家面子上都很難堪。」

「我們先去睡吧。」鹿島建議說。

陳查禮拿了一套自己的睡衣給他，看到他穿上去的樣子，肚子裡頭好笑起來。「你看起來像個洩了氣的汽球。」

鹿島也笑了起來。「我穿什麼都睡得著。」他說，於是鑽進他的臥鋪想要證明。

陳查禮摁亮枕頭上方的燈，關掉房裡其他電燈，然後拿著杜夫的公事包上了自己的床。他解開環帶，拿出一大疊筆記，每一張杜夫都寫上標號，他發現連一張都沒有遺失，於是放了心。哈尼伍給他太太的信，連同本案其他的相關文件都沒被動過。吉姆．

艾弗赫在射殺杜夫後，不是不敢進到那間辦公室裡，就是認為這些文件用不著理會。

「鹿島，我這樣不會妨害你睡覺吧，」陳查禮說：「偷渡客可不能受到太特殊的待遇，我現在的責任是好好的把這件案子讀一讀，直到我爛熟於胸為止。」

「沒妨礙的啦！」日本人打呵欠道。

「唉，你的日子可真愜意啊，又可以找樂子，又不必負責任。」陳查禮歎息道：「這件案子我得好好注意那個瘸腿者，當可憐的杜夫先生在我的辦公室被槍擊打倒在地時，他老兄在後面巷子口幹嘛？你給了我案發當時的這條線索，我很感激。」

他開始閱讀起來，神思飛到了遙遠的地方。活到這一把年紀，倫敦就他而言只是個地名而已，可他變得越來越熟悉，感到自己彷彿看到那輛綠色小包車從蘇格蘭警場開出來，人親自走進勃倫飯店的正門，在二十八號客房彎下腰，看著休．摩里斯．德瑞克躺在床上，了無生命跡象。走到樓下那間聞起來有霉味的會客室裡，他看到泰特一進門就立刻心臟病發作，也察覺哈尼伍神情有異。然後一行人到了巴黎，到了尼斯，哈尼伍死在那個花圃之中。聖雷蒙，升降梯裡那幕恐怖的時刻。他仔細展讀哈尼伍寫給太太的信，裡頭澄清了那麼多事情，但最關鍵的問題卻沒能回答。這個案件歷時很長，現在每一個細節都烙印在他心裡了。

沒錯，杜夫整個跟他談過，但當時這件案子似乎那麼遙遠，跟他沒什麼相干。而今天晚上卻跟他息息相關了，他接下了杜夫的擔子，案子現在變成他的了，逃避不了，任何一個細節都馬虎不得。最後他細讀了今天下午杜夫和潘蜜拉．波特一席話的內容，波特小姐指出魏比發現了那支鑰匙。那是個很令人欣喜的時刻，杜夫的辦案札記就紀錄到這裡為止。

陳查禮讀完了。「鹿島，」他若有所思的說道：「那個叫羅斯的人很奇怪，他是幹什麼來的？他老是站在最後面，拄著枴杖走路，從來沒有引人注意——直到現在。沒錯，鹿島，那位羅斯先生必須成為我們首要關注的對象。」

他停了下來。對面那張床傳來響亮的鼾聲，那是他得到的唯一回答。陳查禮看了一下手錶，已經過了午夜。他回到案件的最開頭，重新閱讀。

過了凌晨兩點，他終於熄滅了床頭的燈，即便如此，他還是不大想睡，人躺在那邊，考慮著此後的做法。

早晨七點半，他硬生生的把自己的助手從夢境中拉出來。鹿島仍迷失在一片茫然之中，需要慢慢的回到現實中來，了解置身何處。起床小解時，陳查禮跟他講了一點案情內容，尤其側重他所須扮演的部分。他必須搜查那一行人的私有財產，找尋那支三二六〇號鑰匙的下落。他可能找得到，也可能找不到——搞不好那支鑰匙現在已經在太平洋底了。但是這項工作無論如何必須做。那個日本人茫茫然的點頭，還有些不大理解，到了八點零二分，他已經準備好向服務生領班報到。

陳查禮最後警告道：「鹿島，你要記住，操之過急可能會有致命的結果。凡事要三思而後行，從現在起你就是這艘船的艙房招待員，以後我們若在船上見到面，你必須裝作不認識。我們之間的任何交談都必須在絕對祕密的情況下，在這個艙房裡面進行。再見了，祝你好運。」

「再見。」鹿島答應道，走了出去。陳查禮在舷窗旁邊站立了一會，注視那陽光底下的大海，大口大口的呼吸清新的空氣。

在這艘船上的頭一個早晨予人清新寧靜的感覺，讓人感到振奮，還有一種遠離陸地塵囂的踏實感。陳查禮胸中洋溢著一片喜氣與信心，這是個美好的一天，未來看起來大有可為。

正在刮臉的時候，一名服務生來敲他的門，交給他組長拍來的電報。他打開來看：

「醫師回報手術成功，杜夫恢復良好。鹿島一事，謹致慰問之意。」

陳查禮笑了起來。好消息，杜夫沒事了。他帶著輕鬆的心情走出甲板，迎接問題，頭一個遇上的是潘蜜拉．波特，早上起來正在閒逛呢，馬克．甘乃威在一旁陪著她。女孩看到陳查禮，吃驚的停下腳步。

「陳先生，」她驚叫道：「你在這裡做什麼？」

陳查禮向她行個禮。「謝謝妳，我正在享受一個美好的早晨呢，看來妳也一樣。」

「但是我不知道你也會搭這艘船耶。」

「我本來也不知道，一直到昨晚快要開船的前一刻。一無是處的我，代替杜夫探長來跑這一趟。」

她愣了一下。「你……你該不是說他，也……」

「不用驚慌，只是受傷而已。」他快速交代了事情的經過。

女孩搖起頭來。「那種事似乎沒完沒了。」她說。

「凡事有始必有終，」陳查禮對她說：「這個案件的兇手相當聰明，曉得在背後搗亂，不過即使最聰明的歹徒也會弄巧成拙。這位年輕朋友我相信昨天在碼頭上見過，大名是？」

「噢，真抱歉，見到你太意外了，」女孩回答道：「陳督察，這位是甘乃威先生，剛剛我還在講咧，他昨晚錯過了一頓豐盛的晚飯。他聽過之後氣壞了，你知道，他出身自波士頓的人家，很不習慣被撇在一邊的。」

「才沒那回事。」甘乃威說。

「我們也很歡迎他來啊，」陳查禮說，旋轉向那位小伙子，「我本人對波士頓很有興趣，改天好好聊吧。現在我不打擾你們散步了，昨天我被介紹給你們團裡的人認識，姓名和職稱你們都曉得，再隱瞞身分也沒有用，所以我想跟你們大家見個面，聊一下昨天晚上的事。」

「又來了，」甘乃威回答道：「打從一開始，我們就老是被集合起來讓警察召見。好啦，這下出現了新面孔，是有點不一樣了。祝你好運喔，陳督察。」

「非常感謝，我會盡力而為的。是沒錯，我是走後門進入這件案子裡頭，不過記得有句諺語說『從後門進屋的烏龜，終究會來到飯桌前面』，這話讓我深受鼓舞。」

「噢，是喝到湯吧！」甘乃威提醒他。

陳查禮大笑起來。「古時候的諺語，可不能太拘泥於字面上的意義。請容我在這盤菜裡頭採樣，大約一小時之後，我可要在你們那一行人之中廣泛採樣喔。」

他去到餐廳，侍者給他送上豐富的一餐。盡情享用後，他起身正要離開，卻見勞夫頓坐在靠近門的座位上，於是停下了腳步。

「噢，博士，」他說：「可能您還記得我的臉吧。」

勞夫頓抬高了視線。看到了陳查禮，很少人會不擺出善意笑容的，但勞夫頓博士卻裝得很辛苦。事實上，他的表情有點臭臭的。

「是啊，我還記得你，」他說：「你好像是警察吧？」

「我是一名督察，隸屬於檀香山警察局。」陳查禮解釋道：「我可以坐吧？」

「可以呀，」勞夫頓倒胃口的說：「不過我的態度如果不太熱忱，請勿見怪。我有點受夠了你們，你那位朋友杜夫人呢？」

陳查禮揚起了眉毛。「你沒聽說杜夫探長出事了嗎?」

「當然沒有,」勞夫頓叱道:「我有十二名團員需要照顧,那就夠我忙了,哪還有工夫去管在後面跟隨的每一名警察。杜夫怎麼啦?好了啦,快講!可別跟我說他也給人殺了,嗯?」

「倒也不完全是。」陳查禮委婉的答道。他講出情由,黑眼珠注視著勞夫頓的臉,令他驚訝的是,那張大鬍子並未流露出絲毫的同情。

「喔,杜夫的事算是結束了,」陳查禮講完時,博士說道:「那現在呢?」

「現在由我代替可憐的杜夫。」

勞夫頓意外的看著他。「你!」他粗魯的嚷了起來。

「怎麼,不行嗎?」陳查禮和氣的問。

「噢,我想並沒什麼不行。請你原諒我,我的神經被過去幾個月來發生的事整慘了。謝天謝地,我們到達舊金山時旅程就結束了,以後我還會不會帶團出來恐怕很有問題。我想要退休了,現在正是最好的時機。」

「你退不退休是你個人的事,」陳查禮對他說:「不屬於你個人部分的則是,這趟旅途在你的團裡存在著一名殺人兇手，而那名兇手到底是誰？我現在要調查的就是這個案子，當局全力支持我，請你在十點鐘把團員集合在會議室，我將要展開調查。」

勞夫頓瞪著他。「多久？噢，天啊，還要調查多久？」他說。

「我會盡量縮短時間。」

「你懂我的意思，這樣不斷召集我的團員接受訊問的事，我還要幹多久？根本就沒訊問出個名堂來嘛。你若問我的話，我會說它從不曾。」

陳查禮搜索著他的表情。「要是真能問出個什麼來，你可就有得難過了。」他故意說。

勞夫頓回瞪他。「我幹嘛要騙你？這樣的事鬧大了，我可不願意見到啊。那只會終結我帶團旅遊的生涯，跑不掉的，而且還是很不愉快的落幕。不行，我希望這整件事情能夠漸漸平息。你看，我對你講的是老實話。」

「讓人精神一振，謝謝你！」陳查禮行了個禮。

「好吧，我會把那些人找齊。不過除此之外，你如果要從我這裡得到任何幫忙，那你可找錯人了。」

「找錯人一向最浪費時間。」陳查禮對他說。

「你明白就好，」勞夫頓回答道，隨即站起身來，向門口走去。陳查禮謙恭的在他後面跟著。

陳查禮上去跟船長見面，受到比勞夫頓更為熱誠的迎迓。老船長聽說了整個緝兇的過程，怒火被撩了起來。

「我只能這樣講，希望你逮到那個人，我會盡量提供你協助。」船長說：「不過請你記得，陳先生，發生錯誤的話，事情將很嚴重。假如你要求我限制某人的行動，結果他並非真兇，那我可就出大紕漏了，打官司或諸如此類的事，搞不好吃不完兜著走。我們對於自己的行動必須很有把握。」

「能夠管理那麼大一艘船的人，做事情想必一向很有把握，」陳查禮和氣的說：「我答應你盡可能小心。」

「我知道你會的，」船長笑道：「過去十年我在太平洋上航行，你的大名已是如雷貫耳。我對你很有信心，但是碰到這種情況我不能不表示立場。如果有必要實施逮捕，讓我們設法在舊金山碼頭上進行。那將可以避免許多麻煩。」

「你設想得很好，」陳查禮說：「我希望能美夢成真。」

「我也是，」船長點點頭：「衷心希望如此。」

陳查禮回到甲板上，看見鹿島換上了不怎麼合身的新制服，光鮮得很。潘蜜拉・波特坐在甲板的椅子上，向他招了招手。他走上前去。

「露絲太太沒跟妳在一起嗎？」他問。

「沒有，在海上她都起得很晚，在自己的艙房用早餐。你想立刻跟她講話嗎？」

「我想跟妳們兩位講個話，不過妳一個人應該就足夠了。昨晚九點左右我在碼頭將妳們放下，請告訴我，從那時起一直到妳們回房為止，總共碰到了哪些旅行團的成員？」

「好幾位呢。艙房裡面好熱，所以我們上到甲板上來，坐在靠近登船口的涼椅上。沒過多久米欽夫婦上船來，莎蒂還停下來，炫耀今天的斬獲呢，其中有一把優客李林，她是要買給她那個唸軍校的兒子。然後馬克・甘乃威上來船上，不過他並沒有停下來跟我們講話，因為他想泰特先生已經在床上等他唸故事書呢。然後是班勃夫婦，艾馬身上揹著很多洗好的影片。就這些人了吧，我想。過了幾分鐘，甘乃威先生又回過頭來找我們，他說泰特先生似乎不在船上，一副很意外的樣子。」

「就這些了，沒有那個拿著籐杖的人？」

「噢，你是指羅斯先生。對的，我想他是最早登船的一位，一跛一跛的走上船來。」

「很抱歉，那時大概幾點？」

「應該是九點十五分。他從我們面前走過，走路的樣子好像比平常更跛。露絲太太叫了他一下，但是很奇怪，他並沒有回答，而是匆匆下了甲板。」

「妳能否告訴我，旅行團裡是不是只有他拿著麻六甲籐杖？」

女孩笑了起來。「親愛的陳先生，我們在新加坡待了三天，你要是不買一根麻六甲籐杖的話，他們根本不讓你離開。我們每個團員都至少有一根。」

陳查禮皺起眉來。「真的嗎？那妳又怎能那麼有把握從妳們面前走過的是羅斯先生呢？」

「噢，他這個人腿很跛——」

「那是世界上最容易模仿的事。妳再想一想，他這個人還可以用別種方式識別嗎？」

女孩靜坐良久。「咦，這點怎麼樣？」末了她說：「我自己也做了點小小的調查。我有注意到，在新加坡買的手杖尾端都用金屬包裹。不過羅斯先生的手杖墊了塊厚厚的橡膠，當他上來甲板的時候，手杖不會發出聲音。」

「那昨晚從妳們面前經過的人，他的手杖——」

「沒發出聲音，因此那個人一定是羅斯先生。我幹得不錯吧？我只是露一手讓你知道我有多不錯，給你一個實地的示範，現在羅斯先生來了，注意聽！」

羅斯在遠處出現，隨即轉向他們走來，經過的時候笑了笑點了個頭，接著走進了轉角。陳查禮和那女孩相互看了一眼，因為那位跛腳的先生走路時伴隨了輕脆的響聲，「嗒—嗒—嗒」的穩穩敲在堅硬的甲板上。

「哇，怎麼會這樣！」女孩嚷道。

「羅斯先生的手杖橡膠脫落了。」陳查禮說。

她點點頭。「那又是什麼含意？」

「是一個謎，」陳查禮回答道：「除非我自己搞錯了，否則他應該是最早上到船上來的人。我幹嘛要擔心呢？我的工作就是面對謎題。」

【第十七章】大東方飯店的標記

將近十點，勞夫頓來到陳查禮的座椅前面，態度上還帶著那種不堪其擾的調調。

「好了，督察先生，」他說：「我把團員都找齊了，在吸菸室，會選擇那裡，是因為這個時候通常都沒人。味道可能有點不好聞，不過我想你不會讓大家在那裡待太久，請你快點來吧，我發現，讓一個旅行團在某個場所無所事事的待下去，那很吃力。」

陳查禮站起來。「妳也來吧，潘蜜拉小姐？」走到半路上，他又對博士道：「每一位團員是否都到了？」

「除了露絲太太，都到了。」勞夫頓告訴他：「她通常很晚睡，如果你要的話，我請人去叫她起來。」

「不用了，」陳查禮回答道：「我知道露絲太太昨晚人在哪裡，其實她是在我家吃晚飯。」

「不會吧？」勞夫頓大感意外，脫口而出道。

「你來的話，我一樣歡迎。」陳查禮笑道。

他們走進氣味薰人的吸菸室，那股味道讓人想到陳年的、遙遠的、令人不怎麼愉快的事物，另外還有酒瓶，很久以前的。裡頭的人看到陳查禮，無不感到好奇。他佇立片刻，面對著他們，這時候似乎需要講講話。

「大家早安，」他開口道：「我很意外的再次跟各位見面，相信各位看到我的感覺也一樣。我沒有打聲招呼就出現在你們面前，情非得已，如各位所知，原本杜夫先生去到檀香山，這個太平洋上的樂園，等候各位再跟旅行團一起乘船到舊金山。昨晚在那個樂園裡，歷史重演，毒蛇復出，把至為重要的杜夫用槍擊倒了——不過，他今早已經好多了，謝謝各位，也許他很快就會再次跟大家見面。與此同時，有個傻瓜代替了杜夫，無論聰明、才智、名望都無法相比——那就是小弟我。」

他滿臉春風的坐下來。「是非來自多開口，」他接著說：「雖然知道這點，從現在開始我仍不得不盡量多開口。讓咱們暢所欲言吧，首先我想知道的是，呃，昨晚八點到十點開船的這段時間裡，各位人在哪裡。很抱歉醜話講在前頭，如果有人沒講真話，事情發展到後面有可能會因而後悔。我說過，我人很遲鈍，很笨，這是事實，不過通常老天爺特別眷顧的也是這種人，為了有所彌補，老天爺有時會把令人意外的好運賞給我。所以當我在毫無進展時，要格外當心。」

派屈克．泰特站了起來。「親愛的長官，」他怫然道：「我懷疑你有任何權力來訊問我們當中的任何一位。我們現在人已經不在檀香山——」

「恕我打岔，你講的沒錯，」陳查禮插嘴說：「本案法律層面的問題，無疑使得知名的律師深受困擾，感到憤怒。我查過檔案，同樣的情況以前也發生過，我只能說本客輪的船長像直布羅陀巨石那麼篤定的支持我這麼做。根據我們的推測，杜夫遇襲的事，各位都感到很震驚，也很難過，也渴望看到行兇者被繩之以法。如果我這麼說是錯的，如果你們之間有個人意圖隱瞞——」

「等一下！」泰特嚷道：「我可不要讓你把我的意思誤導了。我沒什麼好隱瞞的，只不過想提醒你還有一種叫作司法程序的東西。」

「那通常是歹徒最要好的朋友，」陳查禮和氣的說：「你，我，每一個人都知道這點，是不是這樣呢，泰特先生？」那位律師坐回椅子上去。「不過我們已經離題好遠了，」陳查禮接下去說：「我相信諸位都是正義的朋友，對所謂司法程序這樣的事不會感興趣的，咱們就以這樣的基礎繼續前進吧。勞夫頓博士，既然你是旅行團的領隊，我就由你開始，剛剛講的那兩個小時你是如何打發的。」

「昨晚八點到九點半的時候，」勞夫頓臉臭臭的說：「我人在檀香山諾瑪旅行社裡，我的行程是他們幫我打點的，我有一些帳目需要核對，幾份文件需要打字。」

「喔，當時想必也有人跟你在一起吧？」

「一個人都沒有。他們經理約好了要去參加鄉村俱樂部的舞會，留下我一個人待在旅行社裡，因為他們的門是彈簧鎖，因此我離開時，只要將門帶上就可以。回到船上時大約是九點三十分。」

「諾瑪旅行社好像在砲台街吧？距離警察局後面的巷子沒幾步路。」

「旅行社是在砲台街沒錯，不過我對你們警察局一無所知。」

「當然，你在旅行社附近巷子有沒有遇到貴團團員？」

「我不懂你講的是哪條巷子，從我到旅行社一直到回來船上，我都沒遇到我這一行的成員。我建議你問這點就好了，時間很緊迫。」

「誰覺得緊迫呢？」陳查禮溫吞的問，「以我來說，我有六天的時間可以好好消磨。泰特先生，你是要謹守個人司法權利，還是你肯降低身段，告訴卑微的警察昨晚你是怎麼過的？」

「噢，我不想抗辯了，何必呢？」泰特努力將脾氣變得溫和些，回答道：「昨晚我們在這艘船的大廳打橋牌，牌局從八點開始，除了我之外，史派色太太、費維安先生和甘乃威先生也在列，那是四人橋牌，我們這一趟環遊世界之旅玩過好幾次。」

「噢，旅行是個很不錯的教育嘛，」陳查禮點點頭。「你們一直玩到開船為止？」

「那倒沒有。牌本來玩得好好的，在大約八點半的時候，費維安先生引起很不堪的爭吵——」

「對不起，」費維安打岔道：「如果牌是因為我才玩不下去的，我也有個良好的理由。你也聽到我告訴我的搭檔一千遍了，如果我一次從二開始叫牌，我會希望她能不要另叫花色，即使……」

「哦，你跟我講了一千遍是嗎？講了一百萬遍還差不多！」史派色太太怫然道：「我很耐心的跟你解釋過了，如果我手上沒有強牌，我就不跟，即便是有人坐在身邊用槍比著我，我也不跟。你的麻煩在於，稍微懂得一點就──」

「請容我打個岔，」陳查禮說：「你們講的術語太多，我那麼愚笨的人跟不上。我們就抓住這個事實好了，牌打不下去了。」

「八點半因為爭吵而打不下去了，我跟甘乃威先生就到外面甲板。」泰特接下去說：「當時雨下很大，馬克說他有一件雨衣，想到城裡逛一下，十分鐘後我看著他離開。我告訴他我寧可待在船上。」

「而你便一直待在船上？」陳查禮問。

「噢，我沒有。甘乃威先生走了以後，我忽然想起昨天早上在國王街看到一家書報攤前面掛著一份紐約時報週末版，好久沒看到那份報紙了，很想去買個一份來，結果看到雨勢似乎小了點，於是去穿大衣，戴帽子，還拿了手杖──」

「麻六甲籐杖？」

「是的，我想是的。大約八點五十的時候，我走到城裡買到了那份報紙，再走回船上。我走得很慢，大概九點二十才回到船上吧。」

陳查禮從西裝背心的左口袋裡拿出懷錶來。「你的錶現在幾點了，泰特先生？」他隨即問。

泰特右手伸進腰間的口袋，卻又掉在兩膝處，顯得笨手笨腳的。他伸出左腕，看了一下時間。「我的錶是十點二十五分。」他說。

「沒錯，」陳查禮笑道：「我的也是，我的錶一向準時。」

泰特的濃眉一揚。「一向？」他語帶譏諷的跟著唸了一遍。

「遇到這種情況時，是如此。」這位中國人點點頭，他跟那位律師雙眼對望了半晌，然後移開了去。「你這樣環遊世界，時間經常調來調去，」他不急不徐的說：「我只是想確定你的手錶時刻是準的。費維安先生，牌不打之後，你的行動路線呢？」

「我也上岸去了，」費維安答道：「我想冷靜冷靜。」

「想必一樣是大衣、帽子和麻六甲籐杖？」陳查禮提示道。

「我們都有麻六甲籐杖，」那位馬球員啧道：「當你去到新加坡，買個一根幾乎成了你的義務。我到市區逛了逛，開船之前幾分鐘我才回到了船上。」

「史派色太太呢？」陳查禮眼睛轉向那個女人。

她一臉厭倦、受夠了的表情。

「離開牌桌之後我就上床去了，」她告訴他：「那樣的經驗有點惱人，打橋牌時只有當你的搭檔是位紳士時才會好玩。」

「甘乃威先生，你的行動細節已由泰特先生描述過了。」

甘乃威點點頭。「是的，我拿了我的小手杖上岸去了，不過並沒有待很久。我猜泰特先生也許會要我唸書給他聽，所以九點一過我回到船上了，但是我覺得有點意外，泰特先生並不在船上。正如他告訴你的，大約九點二十的時候，他腋下夾著紐約時報回來了。我們進去客艙，我唸報上的內容給他聽，直到他睡著為止。」

陳查禮環視了一圈在場的人。「那這位先生？」

「麥司．米欽，芝加哥人。沒什麼好隱瞞的，懂嗎？」

陳查禮行了個禮。「那你一定樂意描述自己的行動了？」

「沒錯，而那只需一分鐘，懂嗎？」米欽先生手上弄著一根抽到一半的高檔雪茄，上頭有個亮亮的標籤，怎麼弄也褪不下來。「我和莎蒂——就是我太太啦——去到城裡面逛，天下著大雨。嗯，我覺得那裡晚上並不怎麼熱鬧，所以就拉我老婆去看電影，可是那電影我們一年前在芝加哥已經看過了，莎蒂又老想著回去逛街，所以我們又很快的出來。然後呢，我們東也買買，西也買買，因為沒有開車，等到東西提不動時，莎蒂也同意罷手了，兩個人搖搖擺擺的走回到船上。我沒帶槍，也沒拿手杖，每當我拿手杖時，就代表我的狗不乖了──這話我在新加坡跟莎蒂講過。」

陳查禮露出了笑容。「那班勃先生呢？」他提道。

「跟米欽一樣，」班勃回答道：「我們去逛街購物，雖然逛過東方的集市後已經沒什麼好買了。我們坐在青年旅館的大廳裡等雨，我說真希望現在已回到了亞克朗，奈蒂也同意，打從展開這趟旅程，我們還是頭一次意見一致哩。不過畢竟是在美國的土地上，即使再怎麼泥濘，我們還是昂首闊步的走回到了船上。那時大約是九點十五吧，我累斃了──我在市區裡買了一架放影機，那玩意兒重得簡直不是人扛的。」

「潘蜜拉小姐，」陳查禮說：「我已經知道妳昨晚是怎麼過的了。現在好像只剩下兩位沒有詢問到，這位先生，我猜，是基恩上尉吧？」

基恩往後一靠，打個呵欠，雙手又在腦後。「我看他們打牌打了一陣子，可沒有亂插嘴喔，」他回答時，看了費維安一眼：「我可不會介入跟我無關的事情裡面。」

陳查禮想起來了，他老兄不是有好幾次在人家門外鬼鬼祟祟的紀錄嗎，講這話多少有點言不由衷。「牌看完之後呢？」他趕緊說。

「吵架開始時，我就出去透氣了，」基恩接著說：「本來想拿我那根籐杖上岸去，不過大雨讓我止步，我不喜歡下雨，尤其是熱帶的陣雨。所以我回房去，拿了本書，回來這間吸菸室。」

「噢，」陳查禮說：「現在你又有書了。」

「你這話什麼意思，嘲笑我嗎？」上尉說道：「我在這裡看書看了一會兒，船開的時候，我就回房睡覺了。」

「你在這裡看書時，有沒有其他人也在？」

「沒有。大家都上岸去了，包括船上的服務生。」

陳查禮轉向刻意留到最後一個問的人，羅斯坐得離他不遠，眼睛看著自己受傷的腳。他那根失去橡皮套子的手杖平放在身旁的地板上。

「羅斯先生，你是最後一名了，」陳查禮說：「聽說你昨晚到岸上去了。」

羅斯吃驚的抬起頭來。「什麼，警探先生？」他答道：「我沒有。」

「真的嗎？九點十五分的時候，有人看到你上船來。」

「真的嗎？」羅斯挑起了眉毛。

「你不可以質疑警方的訊問。」

「但是，非常抱歉，這件事你搞錯了。」

「你確定沒離開這艘船？」

「當然確定。這種事我應該清楚的，你同意吧。」他非常溫和的說：「晚飯我在船上吃，吃完後在大廳坐了一會。昨天對我來說很辛苦，走了好多路，累死我了。我的腿非常痛，因此八點就去睡了。我睡得很熟，跟我住同一個房間的費維安先生進房時，大約是十點左右了，這是他今天早上告訴我的。他很小心，沒有把我吵醒，他一向是那麼體貼。」

陳查禮若有所思的注視著他。「不過有兩位誠實可靠的人告訴我說，九點十五分的時候，他們看到你登上了入船口，從他們面前走過。」

「警探先生，我可不可以請教一下他們是怎麼認出我來的？」

「那當然啦，你拿著手杖。」

「麻六甲籐杖，」羅斯點點頭：「你也曉得總共有多少人有。」

「但問題還有，羅斯先生，你走路不方便，是因為發生了令人惋惜的不幸意外。」

羅斯注視著偵探，良久。「警探先生，」最後他說：「我在一旁觀察你，你是個十分聰明的人。」

「你過獎了。」陳查禮說。

「我可沒有，」羅斯笑道：「我說你十分聰明，而我現在所需做的，就是昨天下午在這艘船上發生的一件怪事。」他撿起他的手杖。「這根不是在新加坡買的，而是我發生意外之前的幾個月在塔科瑪買的。買來之後，我東看西看，直到發現一塊橡皮，很適合墊在杖子的尾端。這樣我走起路來輕鬆多了，而且不會敲在地板發出怪聲音。昨天下午大約五點的時候，我回到船上，在自己的房裡打個小盹。當我起來，準備要去吃晚飯時，我發現……發現有點不對勁，起先我也不知道是哪點不對，但後來我明白了。我走路的時候，杖子啪啪的打在甲板上面，我奇怪的往下看，橡皮套子不見了。有人把它挖走了。」他停了一下。「我記得當時甘乃威先生正好走來，我於是告訴他這件事。」

「沒有錯，」甘乃威承認道：「我們都感到很奇怪，我猜是有人在開玩笑。」

「那不是開玩笑，」羅斯嚴肅的說：「現在我明白了，有人想要在昨天晚上冒充我。那個人很聰明，想起我的手杖在地面上不會發出聲音。」

全場一片默然。這時露絲太太來到了門口，隨即走到陳查禮的身邊。陳查禮立刻站起身來。

「我該不會聽錯了吧？」她嚷道：「可憐的杜夫探長！」

「他傷得不重，」陳查禮對她說道：「正在恢復中。」

「謝天謝地，」她回答道：「那隻手越來越沒力氣，目標抓不準了，嗯，開太多次槍對任何人都不好。我看你是代替杜夫探長而來的吧，陳先生？」

「我是個一無是處的代理者。」他行了個禮。

「胡扯！你不必跟我客套，我在中國住了大半輩子，對中國人太了解了。我們最後會有所進展的，這我有把握。」她帶著敵意環顧了一圈，「而且如果你問我的話，現在是時候了。」

「您來的正是時候，」陳查禮說：「我想請您作證。昨晚我送您到碼頭後，您跟潘蜜拉小姐坐在甲板靠近登船口的地方，妳們看到好幾位旅行團的成員回到船上來，這些人當中，羅斯先生也是其中一位嗎？」

老太太佇立凝視著羅斯半晌，「我不確定！」

陳查禮吃了一驚，「妳不確定自己是否看到了羅斯先生？」

「是的，我不確定。」

「妳當然記得啊，親愛的，」潘蜜拉．波特說：「我們就坐在靠近欄杆的地方，當羅斯先生上來船上，從我們面前經過……」

露絲太太再度搖搖頭。「是有個拿著手杖的人，一跛一跛的從我們面前走過。我叫了他，但他沒有回答。羅斯先生是個很有禮貌的人，更何況……」

「更何況什麼？」陳查禮渴望的問。

「更何況羅斯先生是左手拿著手杖，而昨晚那個人卻是用右手拿，當時我注意到了這一點。所以我說我並不確定那個人是不是羅斯先生，在當時，我覺得不是。」

接下來是一片沈默。末了羅斯仰頭看向陳查禮。「我不是告訴你嗎，警探先生？我昨晚並沒有離開這艘船。」他說：「我本來有個預感，這件事不久之後就會得到澄清，卻沒想到那麼快就得到證實。」

「你傷在右腿。」陳查禮說。

「是的，而且任何沒受過我這種傷的人，都會以為我應該右手拿手杖，但是我的醫生告訴我，用左手拿比較好，這樣身體比較平衡，走路也走得比較快。」

「沒錯啦，警官，」麥司．米欽插嘴道：「幾年前有個老兄開槍打中了我的左小腿，我當時發現跛了腿的人，杖子要拿在另一邊，這樣才支撐得比較穩。懂嗎？」

羅斯露出笑容來。「謝謝你，米欽先生。」他說，隨即看向陳查禮。「智者千慮，必有一失，是不是？」他補充道：「這個人相當聰明，懂得把我的橡皮墊拿去，讓他的杖子魚目混珠，而在匆忙之間，卻沒有注意到我是用哪隻手拿杖子。嗯，我只能夠說，很高興他這麼做了。」他的眼睛帶著疑問環顧了周遭的人。

陳查禮站起來。「今天的聚會到此先告一個段落，非常感謝各位的合作。」

眾人魚貫而出，最後留下泰特一個人，他臉上帶著苦笑，走向陳查禮身邊。

「開了這個會，你也沒有得到什麼。」他說。

「你以為如此嗎？」陳查禮問道。

「沒錯，不過你已經盡了最大的努力。至少在某一點上，你表現出不尋常的敏銳。我是指手錶的那件事。」

「噢，手錶！」陳查禮點點頭。

「當人習慣在西裝口袋裡放一隻錶，後來卻換成了手錶，突然被人問起時間時，又會把手放到背心口袋。」

「我有注意這點。」偵探答道。

「我想也是，可惜你把這個實驗浪費在一個清白的人身上。」

「我還會多做點實驗的。」陳查禮告訴他。

「希望如此。我告訴你好了，在參加這次旅程之前，我才剛買了個手錶。」

「在參加這次旅程之前。」陳查禮輕輕的強調了「之前」這兩個字。

「沒錯，甘乃威先生可以為我證明這件事，隨時隨地都可以。」

「在目前，我接受你的說法。」陳查禮答道。

「謝謝你。相信你在做其他實驗時，我也會在場。」

「不必擔心，你一定會在場的。」

「很好。我喜歡看你問案子的方式。」說完泰特施施然的走出了這個房間，陳查禮在背後望著他離去。

陳查禮走回自己的客艙準備吃中飯，他一面走一面想，調查才剛開始哩，今天早上並沒有重大的進展，卻是個好的開始。至少對於那些人的個性和反應能力，他現在已經有了清楚的看法，明天又會對他們更加了解。再沒一個地方比搭同一艘船更適合認識這麼一群人了。

一名服務生送來了一封無線電報，陳查禮拆開來讀道：

「老陳：身為你的朋友，我想懇求你放下這整件案子。我恢復得很快，馬上就可以親自追查這件案子了。對我來說，當時的情況太過危急，才會請求你幫這個忙。請相信我，當時請你接手的時候，我是在狂言囈語狀態。杜夫」

陳查禮笑了笑，進到圖書室在一張書桌前坐了下來。思考了一下，他寫下回電：

「足下昨晚並未狂言囈語，不過看到足下此刻的狀態，我感到十分難過。像這麼有趣的案子，足下還有什麼理由認為我會不使出渾身解數來追查嗎？請足下稍安勿躁，趕快恢復健康，與此同時，我是很樂意代替足下調查的。祝足下的精神狀態早日恢復，我仍然是足下最靠得住的朋友。陳查禮」

午餐過後，陳查禮在客艙裡靜坐數個小時。這件案子很合他的意，有六天長長的時間來思考，這樣他要抓的那個人一定可以手到擒來。

那天晚上吃過飯後，偵探在交誼廳一角碰到了潘蜜拉．波特和馬克．甘乃威，他倆在喝咖啡。女孩邀他一起坐。

「嗯，陳先生，」她說：「你有六天寶貴的時間，現在去掉了一天。」

「對呀，你進展到哪裡了？」甘乃威問道。

「離檀香山兩百五十哩了，正在平穩的向前邁進。」陳查禮笑道。

「你今天早上了解的並不多吧？」小伙子問。

「我了解到我那位兇手朋友仍在試圖將無辜者扯下水，就像在倫敦的時候，他偷了勞夫頓博士的行李繩來行兇。」

「你是指他對羅斯這麼做？」女孩問。

陳查禮點點頭。「我問妳，妳現在同意露絲太太的話了嗎？」

「我同意，」她答道：「那時候我想，這個人跛腳走路的樣子很奇怪，比羅斯先生還厲害。那現在誰有可能？」

「有可能是我們之中的任何一位。」甘乃威舉起杯子看著陳查禮。

「你說對了，」偵探道：「你們任何一個在下雨天上街的人，手上還拿著手杖。」

「也有可能是那個悶頭看書，一步都沒有離開，聲稱他不可能犯案的傢伙，」小伙子說：「我指的是那位快活的老基恩上尉，一個控制不了自己的閱讀者。」

「是啊，基恩，」陳查禮說：「有沒有人知道基恩為什麼那麼喜歡在人家房間門口徘徊？」

「我到現在仍不明白，」潘蜜拉．波特說：「其實呢，他最近比較不常那麼做了。我們剛離開橫濱的時候，費維安先生逮到了他，爭吵的聲音幾條街外都聽得到。我是說，假如船上也有街道的話。」

「費維安先生很有吵架的天分。」陳查禮點點頭。

「可不是麼，」甘乃威同意道：「昨晚他把打橋牌弄成相當冒險的活動，我認為他沒什麼理由鬧起來，簡直像是想要把牌桌掀翻掉。」

陳查禮的眼睛半瞇起來。「甘乃威先生，據我所知，你的雇主泰特先生在離開紐約之前才剛買了手錶？」

年輕人笑了起來。「是啊，他警告說你會問起。的確如此，他以為那樣的話長途旅行起來會比較方便。原來的舊錶和錶鍊都放在他的旅行箱裡吧，我想。你可以叫他拿出來給你看。」

「錶鍊應該完好無缺吧？」

「噢，那當然。我上次看到時是在開羅。」

泰特這時走了過來。「露絲太太要跟我打個橋牌，」他說道：「你們兩位年輕人也中選了。」

「可是我橋牌打得很差。」女孩抗拒道。

「我曉得，」律師說道：「所以我要妳跟馬克打同一家，這樣我感覺上會贏，我很喜歡贏。」

甘乃威跟女孩站了起來。「很抱歉失陪了，陳先生。」女孩說。

「不耽誤你們的雅興。」他回答道。

「雅興？」她跟著唸道：「你聽說過待宰的羔羊吧，你的中國古老諺語裡面有沒有讓我聽了覺得舒坦些的？」

「是有一個，對妳可能是個警告，」陳查禮對她說：「不要與虎謀皮。」

「那是我聽過最佳的橋牌格言。」女孩答道。

不久，陳查禮站起來，走到外面甲板。他站在黑暗的角落，憑著欄杆，未幾他聽到有人偷偷在暗處對他發出嘶嘶的信號。是鹿島，他完全忘了。

那位瘦小的助手走近前。雖然是在暗處，顯然他有好些祕密和興奮的事情要講。

「我全搜過了！」他屏住呼吸低聲說道。

「什麼！」陳查禮輕聲說道。

「我發現了鑰匙！」日本人答道。

那句話幾乎讓陳查禮的心臟跳出來，他記得魏比也發現了那支鑰匙。

「你的動作真快，」中國人說：「鑰匙在哪?」

「跟我來。」鹿島說。他帶路進到走道，來到同一層甲板上的一間豪華客艙。來到門口，他停了下來。

「誰住這個房間?」陳查禮焦急的問。

「泰特先生和甘乃威先生。」日本人一面說，一面推門進去，點亮室內的電燈。陳查禮記得他們在打橋牌，放心的跟進去，把門關上。他留意到開向甲板的舷窗關上了，非常安全。

鹿島蹲下來，從一張床底下拉出一只破舊的袋子，上頭貼了不少國外飯店的標籤。日本人沒打開它，卻愛不釋手的摸著一個別緻的標籤——上面印著加爾各答大東方飯店。「你也摸摸看。」鹿島說。

陳查禮摸著那個標籤，隔著標籤可以隱隱感覺到底下有一支鑰匙的輪廓，大小跟杜夫拿給他看的相當。

「幹得好，鹿島。」他喃喃說道。

他看到袋子的鎖頭附近印有金色的字母：M．K。

【第十八章】麥司・米欽的派對

低聲交代了鹿島幾句之後，陳查禮回到甲板上，站立在欄杆旁，滿腔思緒的看著月亮在黑暗海水上留下的光影。此時他最主要的感受是佩服他那位助手。那樣的地方用來藏匿鑰匙真是妙，隔了一層皮革摸起來只會稍微有一點凸起，肉眼絕看不出來，除非用手指頭摸。沒錯，鹿島毫無疑問是個闖禍精，但是對於搜索——動別人財產的手腳——那傢伙的觸覺真是有一套。

慢慢的，陳查禮思考到比較大的層面。休・摩里斯・德瑞克那天早晨被發現死在倫敦的飯店裡時，手中握有一支鑰匙，而同樣的一支鑰匙怎麼會在甘乃威的行李箱裡呢？當然陳查禮沒看到那支鑰匙的樣子，不過他覺得八九不離十，是一模一樣的一支。這也是那晚魏比告訴潘蜜拉·波特「遊戲結束了」之時，所發現的同樣一支。對可憐的魏比來說，遊戲的確結束了。發現這玩意兒是很危險的。

魏比是在哪裡發現的呢？跟現在這支同一個地方嗎？一定是的。因為鑰匙就被貼在加爾各答大東方飯店的標籤底下，想當然爾，當初它一定是在印度那個城市貼上去的。除了在加爾各答，任何人不可能在加爾各答以外的地方弄到印有加爾答字樣的標籤。沒錯，當魏比在橫濱發現這支鑰匙時，它一定就在現在發現的位置上。

等一下。魏比跟那個女孩提到這支鑰匙時，彷彿他真的見到了，上面有號碼等等的。但是他真的看到了嗎？也許他跟我陳查禮一樣，只是用推測的，認為是相同的一支鑰匙。那是很自然的一個推測。有可能他只是手指頭摸到了鑰匙的輪廓，跟自己一樣。有人得知了他這項發現，跟蹤他到碼頭，將他殺害。

誰殺的呢？甘乃威嗎？豈有此理。殺魏比的跟殺哈尼伍以及他太太的無疑是同一個人，而甘乃威只不過是個孩子，他怎麼可能涉入吉姆·艾弗赫和哈尼伍夫妻之間的恩怨，那件事發生的時空距離太過遙遠，距今多少年還不知道呢。

陳查禮摸著頭。難題，真是難題。但不可能是甘乃威，覷諸在倫敦的那條行李繩，羅斯那根手杖橡皮頭，兇手的既定方針顯然是盡可能將無辜的人扯下水。而且，倘若這支鑰匙發現時並非他所持有，他才不會在乎。那麼凶手把這玩意挾藏在他人的東西裡，不是很自然嗎？

誰最有機會將那支鑰匙放進甘乃威的旅行箱裡？視而不見的望著波光粼粼的海水，陳查禮的眼睛忽然半瞇起來。除了泰特還會有誰？泰特今早那麼急著宣布自己的無辜，還說他那隻新錶是在展開這趟旅程之前買的；德瑞克死的時候，泰特就睡在隔壁房；當他第二天早上發現哈尼伍沒死的時候，忽然心臟病發作——艾弗赫想殺的是哈尼伍，而哈尼伍卻活得好好的。泰特的年齡當然夠老到可以是吉姆·艾弗赫，可以得到那兩小袋石頭，並且決心在機會來臨時物歸原主。誰會比泰特更有可能利用這位同伴的旅行箱？

陳查禮在甲板上慢慢踱了起來。不可能，這支鑰匙絕對不是甘乃威的。突然他停住了腳步。如果魏比是在同樣的地方發現了鑰匙，而鑰匙並不屬於甘乃威所有，那麼那位蘇格蘭警場的小個子偵探並沒有發現真兇，這樣的話，他為什麼會在橫濱碼頭被殺？

陳查禮又摸起自己的頭來。「唉，我正在迷霧之中漫遊呢，」他喃喃自語道：「還是上床睡覺去吧，看看明天情況會不會明朗一點。」

他立刻接受自己的建議，於是在亞瑟總統號上的第二個夜晚太平無事的過去了。

第二天早上，陳查禮去和馬克．甘乃威攀攀交情。那需要大量的活動，因為那位年輕人似乎很煩躁，不停在船上走來走去，陳查禮遂跟他一起走來走去。

「你還年輕，」中國人說：「應該學著把自己靜下來，我看你才不過二十出頭。」

「我二十五了，」甘乃威告訴他：「不過出來玩這一趟，我的年齡似乎應該再添加個十歲。」

「有這麼難過嗎？」陳查禮同情的問。

「你當過看護嗎？」小伙子問。「老天爺，我真不懂為什麼要把自己扯進來！我在夜裡頭很大聲的唸書，一直唸到眼睛疼痛，喉嚨乾得像是沙漠，而泰特先生的心情狀況卻經常焦躁不安。」

「勃倫飯店之後他還發作過嗎？」陳查禮問。

甘乃威點點頭。「有啊，發作過好幾次。一次是在紅海的船上，而在加爾各答的那次更是嚴重。我已經打電報要他兒子到舊金山來接我們，不騙你，我會非常高興看到金門灣。假如能讓他活著上岸，我會認為我真是傻瓜行了大運。我大大鬆了一口氣的樣子，會被當作另一次加州大地震，被美國東岸所有的報紙大肆報導。」

「哦，」陳查禮表示同情道：「你一定受了很大的壓力。」

「唉，我自己找的，」甘乃威沮喪的回答道：「我應該開始吃法律這行飯，把世界地圖拋一邊。我在波士頓的親朋好友沒一個贊成我這次的旅行，他們警告過我，可是我置若罔聞。」

「波士頓，」陳查禮唸著這個地名，「我昨天跟你提過，我對這個城市很有興趣，那裡的人講起話來都很文雅。好幾年前我幫了某波士頓家族一個小忙，那種感謝讚美，我這輩子從未聽過更漂亮的講法。」

甘乃威笑了起來。「哈，那一定大有名堂。」他答道。

「有名堂喔，」陳查禮對他說：「我是個老式的人，總覺得談吐代表著一個男人的教養——嗯，我講的那件案子，當事人是位女士。在這一點上，我的小孩認為我是個老古板。」

「近些年來，子女對於父母不再表現得那麼恭敬了，」小伙子點點頭：「我是以我曾是個小孩子的觀點說的。唉，我希望我父母親不會曉得我在這趟旅程中遇到的麻煩，我可不喜歡聽到『我就說嘛』這樣的話。當然啦，並不只是可憐的泰特先生，我還有另外的麻煩。」

「我可不想刺探波士頓人的私事，」陳查禮說：「不過你可不可以挑一個來談？」

「當然可以。譬如那個姓波特的女孩……唉，也許我不該講。」

陳查禮的眼睛吃驚的睜大起來。「那個姓波特的女孩哪裡不對勁啦？」他問。

「每件事都不對勁，」小伙子回答說：「她不聲不響的困擾我。」

「困擾你？」

「是啊，我既然用了這個說法，那就不再更改。她不也讓你心神不寧嗎？你不覺得她老是自信滿滿的，一副中西部人的調調嗎？我有個太姑婆在燈塔山住了八十一年，每一個有頭有臉的人都見過，而她比我那個太姑婆還要沈著哩。」他身體靠近了些。「你知道嗎，我真的相信那女孩認為我會在這趟旅程結束前向她求婚。我要把握那樣的機會嗎？我才不，她會拿存款簿扔我的臉。」

「你認為會發生這種事？」

「肯定如此。這些中西部人我清楚得很，除了錢以外，任何事對他們都不重要。你有多少錢？我們波士頓人的看法不是那樣，錢在那裡並不是最重要，我家就是這樣，我叔叔艾德瑞就在紐約、新港和赫特福把所有的錢輸光光。我……我不知道幹嘛跟你講這些，不過我的感覺你可以了解，當一名看護就已經夠累了，而這個女孩子又老是在我心裡揮之不去。」

「喔，她在你心裡揮之不去。」

「就是啊，她如果願意的話，她人會變得非常好，非常甜美，然後──呃，你知道，非常甜美──然後突然之間我就被汽車壓死，而那輛車還是德瑞克出廠的哩，在美國有幾百萬輛。」

陳查禮看了一下手錶。「我看到她人在甲板的另一頭，我猜你是想逃嗎？」

甘乃威搖搖頭。「逃有什麼用？搭同一艘船逃也逃不了，老早以前我就放棄了。」

潘蜜拉·波特向他們走來。「早安，陳先生。哈囉，馬克。要不要玩場甲板網球，我想我今天早上可以修理你。」

「妳一向可以。」甘乃威說。

「東岸人真菜。」她笑道，牽著她的戰俘走了。

陳查禮快速在甲板上巡視一遍，發現基恩上尉獨自一人坐在船首的地方，於是到他旁邊坐下。

「噢，上尉，」他說：「今早很舒適啊。」

「好像是吧，」基恩應道：「我沒注意到哩，真的。」

「你在想什麼事嗎？」陳查禮問。

「那倒沒有，只是沒注意天氣如何，」基恩打了個呵欠，「會注意的人也不過關心蔬菜的收成吧。」

輪機長沿著甲板走來。「陳先生，到輪機室參觀的時間到了。」他說。

「噢，好啊，」中國人回答道：「昨晚聊天的時候，非常謝謝你給我這樣的機會。基恩上尉，你也很樂意一起來吧？」他徵詢的看著基恩。

基恩愕然的回視著他。「我？噢，不了，謝謝。我對機械沒興趣，螺釘螺帽都分不清楚，也不想了解。」

陳查禮看了輪機長一眼。「非常感謝，」他說：「你若不反對的話，稍微延後一下好嗎？我想跟基恩上尉小談一下。」

「好的。」輪機長點點頭，走開了去。陳查禮板著臉看著基恩。

「你對機械一無所知？」他問。

「對呀，幹嘛這麼問？」

「幾個月前，你在倫敦勃倫飯店的一個會客室裡，告訴杜夫探長說，你曾當過機械技師。」

基恩凝視著他。「嘿，你可真有一套，是吧？」他說：「我那樣告訴杜夫嗎？我都不記得了。」

「那並非事實？」

「噢，當然不是。我只是腦筋想到什麼，就講什麼。」

「這似乎是你的習慣吧？」

「你這話什麼意思？」

「杜夫探長的記事本裡有你的紀錄，我都已經看過了，基恩上尉。謀殺案的調查是一件很嚴肅的事，請別怪我講得那麼白，你自己都承認說謊，看起來並無悔意。這整趟旅程裡頭你表現得很怪異，偷聽人家房間裡的動靜，那並非很討人喜歡的舉動。」

「嗯，我想也不是，」基恩謾聲道：「那些事你應該自己去查。」

「我並非那種偷偷摸摸的偵探。」陳查禮正色答道。

「是嗎？那你也不是很行。」基恩回答道：「我在這一行待了六年，對自己的所作所為也不是很引以為榮。」

陳查禮坐直起來。「你是個偵探？」他問。

基恩點點頭。「沒錯，可別講出去。我是舊金山一家私家偵探社的人。」

「噢，私家偵探。」陳查禮點點頭，放心了。

「沒錯，別覺得討厭，我們的能力跟你們一樣好。我會告訴你這點，是希望你別在我身上浪費時間了。史派色太太的丈夫渴望擺脫掉她，另外跟一個電影女星結婚或諸如此類的事，所以他找我參加這次的旅行，看看有什麼辦法可以想。」

陳查禮小心研究著基恩那張平凡的臉，他說的是事實嗎？這人看來很適合扮演私家偵探的角色，他不希望自己浪費時間在他身上，這倒是令人意外的體恤。

「你沒成功嗎？」中國人問。

「沒有，事情從一開始就出了差錯。我相信費維安看到我時，便已對我起疑。我擔心回舊金山面對史派色的臉，跑這一趟要花他不少錢。但如果愛情的美夢劈頭而來，這又不是我的錯，假如他們打橋牌沒有搭檔的話，關係就不會變壞。現在他們連話都不講了，而費維安還威脅說，我若再靠近他的話，他要扭斷我的脖子。我很愛惜我的脖子，所以從現在一直到回家為止，我沒什麼事可做。對了，以上這些必須守口如瓶。」

陳查禮點點頭。

「你的祕密在我身上會很安全。」

「我也在想，」基恩接著說：「這件謀殺案，我有沒有可能幫你的忙呢？有沒有回報，或諸如此類的事？」

「回報就是案子破了！」陳查禮回答道。

「廢話！你該不會講說，你跑來辦這個案子，之前並沒跟那個姓波特的女孩子達成協議？喂，你需要一個經紀人。我會去找她談，她家有錢得很，而且當然很想查出是誰把那個老頭殺了。我們五五分帳——」

「住口！」陳查禮大聲說道：「你這話太過分了。最好記住，我可不是私家偵探，你沒有權利向我推銷那種低級的打算。」

「等一下，我們把話講清楚。」

「不必。不知情的人永遠不會在爭辯中落敗，還有就是，我們沒有什麼需要講清楚的。你最好跟這件案子保持距離，它跟你並沒有什麼關聯。就這樣，祝你日安。」

「真他媽的不識相！」基恩吼道。

陳查禮快步離開了甲板，一向保持的鎮定横遭干擾。好個差勁的人！他講的私家偵探之類，都是真的嗎？也許吧。另一方面，那也可能只是睜眼說的瞎話，打打高空，用來卸除陳查禮的警戒。陳查禮歎了一口氣，不能夠忽略基恩，不能夠忽略掉任何人。

明鏡般的大海，微微震動的船身劃過水面前進，追趕著光陰。鹿島密報的那支鑰匙仍在甘乃威的旅行箱裡。陳查禮逐一和旅行團的每一位團員展開長長的閒談，卻沒有任何結果。第二天、第三夜就這麼過去了，直到第四天晚上陳查禮才又燃起了希望。那天晚上，麥司．米欽辦了個大型派對，用來慶祝本次旅途即將結束。

麥司分送派對的請柬，教他大感意外的是，大家都很熱烈的接受了邀請。因親密而產生的包容正是他所在乎的，許多個星期來的相處讓一行人把他這個人的粗線條擱在一邊。正如露絲太太所講的：「我們別忘了，咱們這一行人裡頭有人比米欽先生還壞。」

大家都接受了邀請，米欽相當的得意，當他告訴太太時，太太提醒他：連勞夫頓算在內，人數一共是十三個。

「咱們別冒險了，麥司，」她說：「你到目前為止運氣都很好，別觸楣頭。你一定得找第十四個客人。」

米欽先生找的第十四個人是陳查禮。「我對條子並不反感，」他對中國人解釋道：「有一次我在舊金山開派對，有一桌請的都是條子，那是我請人家吃飯辦得最海的一次。你也來吧。不必穿得太正式。我的燕尾服都還放在皮箱裡沒拿出來哩。」

「非常感謝。」陳查禮答道：「我如果在這次晚宴上大膽提出謀殺案的話題，應該不會冒犯到你吧？」

「我不懂你的意思。」麥司愕然道。

「我是說，我非常想提起休・摩里斯・德瑞克在勃倫飯店被殺的不幸事件，洗耳恭聽大家對這件事情的看法。」

麥司皺起了眉頭。「唔，我不明白為什麼要這樣。我是希望大家別談正事，這段時間是給大家找樂子的，不要問什麼問題──你懂嗎？這幫人裡面有個傢伙肚子裡有鬼，然而他既然當我的客人，我就不希望他覺得不爽。請完客之後，你隨時可以將手銬戴在他手上——懂我的意思嗎？他並不是我的人，不過在今晚……」

「我會謹慎的，」陳查禮允諾道：「當然不問任何問題。」

麥司手搖了搖。「好吧，照你的意思去做吧。你要的話，就把兇殺案的事提出來。我的請柬裡又沒有訂什麼題目，當麥司．米欽作東的時候，那裡就是自由的殿堂，要幹什麼都可以。」

自由的殿堂原來在船上的咖啡屋，華燈初上，十四個人圍著一張擺設奢華的餐桌就座。米欽先生很清楚在大洋航線上如何當一名主人，每一位客人都發給一頂滑稽的帽子，他自己則戴上拿破崙式的三角帽，上頭還有個深紅色的帽徽，鋪張成這樣，晚宴一開始便讓人感到喜氣洋洋。

「各位，請盡量吃，盡量喝，」他勸客道：「吃的喝的應有盡有，我已經叫他們有什麼最好的都拿出來。」

喝完飯後的咖啡，米欽站起來。「好啦，咱們這趟長途旅行也快到終點了，」他開口道：「咱們在一起看了整個世界，享了不少樂子，不怎麼愉快的時候也有。總的來說，一開始的旅程設計是不錯的，真要講的話，我覺得我們有一個很好的領隊。來，大家舉杯，敬我們的勞夫頓博士，一個很棒的人。」

眾人嚷著要勞夫頓起來講講話，他於是有點不好意思的站起來。

「謝謝各位朋友，」他說：「我帶這樣的旅行團好幾年了，由很多方面來說，這次的旅行是個很，呃，值得紀念的經驗。你們並沒有帶給我什麼麻煩——這個，當然，大部分的人都沒有。彼此之間的差異是有，不過都和和氣氣化解了，有時受到了很大的壓力，而大家都很通情達理，我很感激。當然啦，這趟行程一開始就遇到不太尋常、令人難堪的情況，我若是傻瓜才會馬虎過去。希望潘蜜拉小姐不要介意，我指的是那晚在倫敦的勃倫飯店，她的，呃，外祖父很不幸的過世了。那是在午夜到清晨之間發生的，我對那件事比你們任何人都要難過——呃，當然比不上潘蜜拉小姐難過。不過那件事距離現在已經那麼久了，我們最好是把它忘記，假如它依然是未能解決的神祕事件，我們最好把它當作是命運的安排來接受。大家很快會在舊金山上岸，然後就要分手了。」他很明顯的露出了喜色，「不過我敢確定的是，我會永遠珍惜這次大家在一起的記憶。」

「很好，很好！」博士在眾人禮貌的鼓掌下落座，米欽先生嚷了起來：「喂，各位，既然博士都提了，那我也要講，勃倫飯店出人命的事我們都很遺憾，這件事讓我想到咱們今晚的特別來賓——從夏威夷來的中國條子。各位，請相信我，我看過百種人，不過這樣的人物我卻是頭一次見到。陳先生，講幾句話吧。」

雖然介紹人講得很俚俗，不過陳查禮還是很莊重的站了起來。他鎮定的環視了一下全場。

「風勢吃緊中的鼓聲聽起來最吵，我及時想起了這句話，所以並不想當個冒失鬼。」他說：「不過很高興有這個機會向慷慨好客的男主人致意，也向可愛的女主人致意，嗯，好多漂亮的珠寶看得我眼花撩亂。命運女神是個善變的舞台經理，是她讓各位見到了世界各地的警察，其中包括我那位蘇格蘭警場的好友，以及法國和義大利的警察。現在你們又看到了警界的一員，來自於民族大融爐夏威夷，大家看看我這個卑微的中國人，有歹徒侵犯了我們那塊樂園，我僅憑著少得可憐的證據循線跟蹤過來。

「我現在出現在大家面前，處境上並不是很愉快。以前有位智者講過，你不要跟隨在不幸的腳步後頭，否則不幸會反過頭來踩你一腳。我就是這樣勸告潘蜜拉小姐的。可是當我直挺挺的站在這裡的同時，過去的不幸事件並沒有從你們心中褪色。

「大家一定會想道，假如沒發生那件事的話，我就不會來到這裡。勃倫飯店的事大家都是親眼看見的，那件久已忘記的事，現在又彷彿回到大家的眼前。經過長久的時間不去面對，有可能它們又有了新的意義。我知道我回顧這些事情是很孤單的，所以我會盡快退居一旁。首先我要補充的是，勞夫頓博士剛剛講，如果事件永遠解決不了，那可就是命運的安排了。我是個中國人，接受這樣的觀念，不過我在美國人的社會裡住了那麼久，總覺得在向命運低頭之前，應該要掙扎一下。大家這頓飯吃得滿愉快的，而我這龐大的身軀卻投下了不少陰影，我這就坐下來。」

米欽先生眼睛掃了掃，落在泰特先生身上。泰特先生以一副老經驗的演說者的姿態站了起來。

「能來到這裡，我可能比在場的各位都還要高興。」泰特開口道：「有好幾次，我似乎必須提早跟各位永別了，不過我活下來的決心是很強烈的，而我曾經允諾過，我跟大家一同出發，就要跟大家一同結束這趟旅程。

「從幾個角度來講，我覺得我很幸運，該慶幸的事有好幾件。舉例來講，這裡要再次提到我的朋友休・摩里斯・德瑞克，二月六日晚上——或者二月七日凌晨——我有可能住二十八號房，成為一起謀殺案的無辜受害者。」

他停了下來，很無可奈何的看著自己。「對不起，我失言了。我擔心我們這樣會為可愛的潘蜜拉小姐帶來一個很不愉快的夜晚。剛剛我想講的只是，我很高興繞了整個地球到現在，而我仍然活著，能跟大家聚在一起實在非常高興。謝謝大家。」

他在較為稀落的掌聲中很突兀的坐下來。接著露絲太太講了些旅遊中的見聞，潘密拉．波特也講了幾句得體的話，而後基恩上尉站了起來。

「嗯，這趟旅行很不錯，」他說：「不過呢，我想它現在快要結束了，我們之中還有什麼事情未了的就去做吧。我們玩得不錯，以我來說，勃倫飯店的那件事我幾乎忘了。那次的確有點緊張，杜夫探長一副要把我們的旅行搞砸掉的樣子，至少我們有些人是這麼覺得。他問的問題針對個人。我個人並沒有涉案，不過大家還記得，我那天晚上剛好在那附近走動，被問到的時候很不好受。但是我猜我們之中有幾個人也坐得很不舒服吧。我猜艾馬．班勃先生就有點擔心——對吧，班勃先生？我這話從未跟別人講過，不過現在我們都要返回神的國度了，我們應該保護得了自己了。命案發生的那天凌晨三點，我看到班勃先生正要從走道溜回他自己的房間——我猜你很高興沒有把這點向蘇格蘭警場說明吧，是不是呢，班勃先生？」

基恩一副輕鬆詼諧的調調，但卻騙不了任何人，在那底下是一種卑鄙的歹念，居心叵測。即便是神經很粗的麥司・米欽，也知道這番話來意不善，裡頭大有文章。幫派老大立刻站了起來。

「話講得好好的，你別喧賓奪主，」他說道：「班勃先生，你被選為下一個發言人。」

那位來自亞克朗的人慢慢站起身子。「過去幾年我演講過好幾次，」他開口道：「卻從未想過要在這種情況下講話。是沒錯，那天晚上我在勃倫飯店是離開了自己的房間。我們那天回飯店就寢後，我忽然想起當天二月六號是我女兒的生日，我們那一整天老唸著要打一封電報給她，但是忙到最後夫妻倆都忘了。嗯，沒錯，我是心煩意亂，但我忽然想到時差的問題——倫敦的時間比亞克朗早六個小時，我想我仍然可以在當天寄電報給女兒，儘管是深夜吧，但還是在她生日的當天。我於是跳下床，穿上衣服，匆匆出門。飯店大廳有幾個歐巴桑在擦擦洗洗，不過出去和回來我都沒遇見任何一位服務生。當然啦，我也可以告訴警方這件事，但是我自然不想跟這件案子糾纏不清，那裡是外國，規矩不一樣，你們也知道那是怎麼回事。如果我在家的話，嗯，我會把這件事源源本本的告訴警方，但問題是在英國，對方是蘇格蘭警場，我卻步不前了。

「我很高興基恩上尉今晚把這件事提了出來，也很樂於把這件事解釋清楚，希望大家能相信我的話。現在──呃，我本來有些話想講的，但是全忘光了。噢，對，我想起了一件事，這一路上都有拍攝影片，想必大家都知道，各位也都在影片裡。我在檀香山買了一台放映機，星期五晚上──嗯，就是我們在船上的最後一個晚上，我跟我太太想好好的看一遍。我們想邀請各位，把全部的旅程放映給各位欣賞。嗯，就是這樣了。」

在大家的熱情掌聲中，他坐了下來。有好幾個人責怪的看向基恩，而基恩卻一副滿不在乎的樣子。米欽先生再度站了起來。

「我想我該挑下一位了，」他說：「羅斯先生，我們還沒聽你發言呢。」

羅斯站起來，身體的重心倚在手杖上。「我沒有什麼過期的指控好發表的，」他說道，大家紛紛鼓掌。「我所想講的是，這是趟很有趣的旅程，我盼望它已經盼望了好多年了，至於是多少年，我可不想講。這趟旅程比我預期的還要刺激，但是我並不後悔，我很高興我是跟勞夫頓博士以及各位同行的，我只希望我當初也跟班勃先生一樣聰明，將這段旅程留作紀念，以告慰我回到塔科瑪後的漫長時光。至於在倫敦的那個不幸的夜晚，當可憐的休・摩里斯・德瑞克死於勃倫飯店那間密不通風的房間裡，脖子還纏繞著勞夫頓博士用來綑行李的皮帶——」

忽然之間，在桌子的另一端，費維安說話了。「誰說那是勞夫頓博士綑行李的皮帶？」他突兀的問道。

羅斯遲疑了一下。「噢，這個……我是在審訊的時候得知的，」他回答道：「那皮帶是從博士的房裡拿出來的。」

「我們所有的人今晚講的都是真話，」費維安用一種清晰冷酷的聲音說道：「那條皮帶並不是勞夫頓用來的綑行李的。事實上，那根本不是綑行李的皮帶，而是照相機的皮帶，用來揹照相機的那種皮帶。而我剛好知道那是艾馬・班勃先生的東西。」

大夥兒一致轉過頭去看班勃，他坐在桌子末端，一臉受傷的表情。

【第十九章】結實纍纍的大樹

在沈默而緊張的氣氛中，麥司・米欽緩緩站了起來。他把頭戴的拿破崙式三角帽摘下來，莫可奈何的丟在一邊。

「好吧，你們這些傢伙，把好好的一頓飯搞成了這樣，」他說：「莎蒂，我們好像從來沒請客請成這樣，是不是？我還以為，在一起吃飯的人即便是一出到樓梯口就要拔槍互幹，在餐桌上總還是要表現得客氣友善些。不過呢，我可不是會叫客人該怎麼做比較恰當的那種人。班勃先生，你剛剛講過一次了，不過我看你還得再發言一次。」

班勃立刻站了起來。眉頭不再糾結在一起，一副下定決心的樣子。

「嗯，」他說：「我想我犯了一個錯誤。剛剛告訴大家我打電報給女兒的事情時，我忽然想到那條皮帶的事也應該講出來。」

「我以為你把它寄去給女兒當生日禮物了咧。」基恩鄙夷的說。

班勃轉向他。「基恩上尉，我不知道哪裡招來你對我這麼的反感。第一眼看到你的時候，我就覺得你是個卑鄙下流的小人，不過我想想還是把這樣的觀點隱藏起來好了。那條皮帶我並沒有寄去給女兒當生日禮物，但願我有，這樣就不會拿來當那樣的用途。」

他啜了一口水，繼續講道：「第二天早上我聽說德瑞克先生遭到謀殺，我就去到他房間，看看有沒有事情我可以幫忙——我在亞克朗就會這樣做，那似乎是左鄰右舍所應表達的善意。當時那房裡沒有任何人，只有一位飯店服務生在看著，警方還沒有到，我上前看了一下德瑞克，看到他脖子纏著那條皮帶，心想那好像是我攝影機的皮帶，跟各位講，我真的大吃一驚。我回到房間，拿出攝影機一看，發現上頭的皮帶已經不見了。

「嗯，我跟奈蒂討論了一番。我們房間的門一向沒有上鎖，我並不喜歡人外出了，門卻沒鎖，但飯店的女傭要我這麼做。之前一天我的攝影機在房間裡放了一整個下午，晚上我們去戲院看表演時也是，任何人想偷溜進去拿那條皮帶都很容易。我太太於是建議我去跟勞夫頓博士商量這件事。」他看了一下博士，「我要把全部的事講出來了。」

勞夫頓點點頭，「沒關係！」

「嗯，博士起先對我的害怕表示不大在意，可是當我講到前一天夜裡跑出去拍電報時，他的表情開始變得嚴肅起來。我問他是不是告訴蘇格蘭警場那是我的皮帶，另外命案發生的凌晨，我兩點到三點不在房間裡，這樣會比較好？那段時間很少會有人跑出去的。但我卻是，在一個陌生的國家，我還是這輩子第一次離開美國，而且，嗯，我真的嚇壞了。我對博士說：『看來我現在就要離開你這個團了。』而他拍了拍我的肩膀，告訴我說：『什麼都不要講，全部交給我。我相信你不會殺害德瑞克，我會盡量想辦法讓你免於受到調查。』大家請相信我，那是個很好的提議，我接受了。之後我聽到那條皮帶的事時，勞夫頓博士便宣稱那是他的東西。我所要講的話就是這些，噢，對──坐渡輪橫渡海峽時，費維安有問起我的攝影機皮帶哪裡去了。他問這話的口氣很不善。等我在巴黎另外買一條皮帶時，他還拿這講了些俏皮話。我看他對這件事相當清楚，不過似乎並不打算拿它幹嘛。」

經過了那麼多次轉折，陳查禮首度開口了。他很感興趣的轉向費維安。

「他講的是真的嗎，先生？」他問。

「沒錯，我第一眼就看出那是班勃的攝影機皮帶，」費維安答道：「不過我們那時候是在，嗯，別人的國家，而且我並不認為班勃會犯罪。我不知道該怎麼辦。所以我向團裡一位應該知道這種事的人請教，我指的是著名的刑事律師泰特先生。我把事情的具體情況向他描述，而他勸我什麼都別講。」

「而你現在卻漠視他的勸告？」陳查禮說。

「並不完全是。我跟他今天談過了，他說那條皮帶的事，現在該是掀開來談的時候了。他建議我告訴你，因他認為到目前為止調查此案的人當中，你的腦筋最好。」

陳查禮行了個禮。「泰特先生太過獎了！」他辭謝道。

「好了，我沒別的話好說了，」班勃擦了一把額頭的汗，接著說：「勞夫頓博士聲稱那條皮帶是他的，讓我擺脫了這件事。」他坐下來。

大家都看向勞夫頓。他的樣子顯示受到了很大的困擾，眼球充著血。

「班勃先生講的每一件事都是真的，」他說：「但是希望大家能想想我的立場，我這個旅行團裡面藏著一個兇手，又要應付全世界最著名的犯罪偵查組織。我唯一的目標是早早解除他們的調查活動，帶著我的旅行團完好無損的離開英國。這兩件事的破壞力非常大，我覺得倘使班勃先生承認了，他一定會被留在倫敦。光是一項事實也許罪證還不夠充分，但是兩件加在一起——嗯，那就太充足了，我彷彿看到旅程才剛剛開始便失去了兩個最好的客戶，而且我心裡頭很肯定班勃先生是完全清白的。

「當那條皮帶的事被杜夫探長提出來的時候，我立刻想到了我該怎麼做。前一天晚上我並沒有離開自己的房間，而且沒有人能指證我曾離開過，沒錯，德瑞克先生和我是發生了一點口角，但那並不意味著什麼，而那位探長也立刻就明瞭了。我跟命案並無任何關聯，那條皮條跟我用來綑行李的舊皮帶並不像，沒那麼寬，但顏色一樣，都是黑色。我跟杜夫說，我有一條皮帶跟他拿給我看的很像。我回到房間，將皮帶從我的旅行箱上拿下來，藏進衣櫃底下地板。假如這個計畫失敗了，我可以假裝在那裡找到，只要告訴杜夫說之前我搞錯了。等我回到德瑞克的房間，我遂告訴探長說我相信那條勒死死者的皮帶是我的。

「那樣所得到的效果很巧妙，從那時起，蘇格蘭警場便沒有再進一步關注那條皮帶的事了。班勃先生安全了，而……」

「而你也一樣！」基恩上尉朝天花板吐了一口菸圈。

「你這話什麼意思，先生？」勞夫頓惱火的說。

「我是說，班勃安全了，而你也一樣安全了，」基恩平靜的接著說：「假如杜夫懷疑你有涉案，你就把那條皮帶的事重提一遍。於是他會想，如果這件案子是你幹的話，你絕不可能用自己的皮帶將人勒死，並且那麼快就承認自己是那東西的所有人。可不是嘛，親愛的博士，那樣所得到的效果真的很巧妙！」

勞夫頓的臉通紅起來。「你講這話到底是什麼意思？」

「噢，沒事，沒事。別生氣。不過在這件事上頭，你並沒有引起太大的注意。像你這麼痛心的樣子，是因為這種事發生在你安排的旅程之中。但是不是這樣子呢？是不是有某件事情比起這趟旅程要來得重要？」

勞夫頓一把將座椅拉開，一個箭步來到基恩面前。

「你給我站起來！」他大聲說道：「站起來，你這個卑鄙的無賴！我雖然很老了，但是看在老天的——」

「兩位，兩位，」麥司．米欽大叫道：「別忘了，這裡有女士在場！」

陳查禮將他寬闊的身軀插入勞夫頓博士和基恩上尉之間。「讓我們把理智的微風清新的吹拂在這件事情上，」他婉言勸道：「勞夫頓博士，這個人吊兒啷噹的講幾句不負責任的話，你居然也聽，真沒有腦筋。他再怎麼含沙射影都是沒有根據的。」他拉住博士的胳臂，將他帶到數呎之外。

「好了，各位，」麥司・米欽宣布道：「我想今晚的派對就到此結束吧。本來我想提議大家最後手牽著手一起合唱〈惜別歌〉，不過也許取消掉比較好。彼此給點機會吧，看在我家那個還在學校唸書的兒子的分上，我希望他們不會在走道上拔出棍子來互相毆打。」

陳查禮隨即護著勞夫頓到外面，他聽到背後椅子拉開的聲音，麥司這場有趣的晚宴至此告終。

「甲板上風大，正好可以慢慢冷卻那些令人怒火中燒的言語，」他勸道：「聽我的話，別去想基恩這個人，一直到你氣比較消了為止。」

「好吧，也許這樣比較好，」博士同意道：「打從看到他那副老用鼻孔噴氣的樣子，我就恨死了他。不過當然啦，我不能忘記我的立場。」他搜尋著陳查禮的表情。

「你說他再怎麼含沙射影的話都是沒有根據的，這話我聽了很舒服。」

「我看不出他有任何根據。」陳查禮和氣的答道。

「我不知道，現在我得好好想了，我當初對那條皮帶如此聲明真是輕舉妄動。這我無法解釋，除非你像我這樣帶團旅行了好幾年，你會開始把他們當成是孩子。他們是有點愚蠢的孩子，沒錯，無助且需要人保護。我的第一個直覺一向是給予保護，一旦團裡有人遇到了麻煩，就像以前發生過很多次的那樣，我總是把他的負擔移到我的肩膀上，扛起來。」

陳查禮點點頭。「我很能了解！」他再次要那位老先生放心。

「謝謝你，陳先生，」勞夫頓回答道：「你似乎很能體諒人，我想我們初見面時我低估你了。」

陳查禮露出了笑容。「習慣就好，我不會感到不舒服的。我的目標是繼續擺出這樣的姿態，以便在大家分手的時候，他們依然低估我。」

「我猜你的目標通常都能達成，」博士行了個禮。「我想我該回房去了，還有一大堆事情要做呢。」

兩人分手後，陳查禮在甲板上逛了起來。他的步履輕鬆，神態鎮定而安詳。麥司．

米欽的晚宴發生了好多事情，陳查禮一面回味，一面自顧自笑了起來。這時有個坐在涼椅上的人叫起了他的名字。

「噢，泰特先生，」他說：「你不反對的話，我坐你旁邊吧。」

「好啊！」泰特答道。

「謝謝。你對我真好，我腦筋那麼拙，你還對費維安先生那麼謬讚我。」

「我講的每一個字都是真心話。」老律師向他擔保說。

「這麼說，你判斷的理由太窄了些。」

「不，我從不妄下判斷，」泰特胡拉著身上蓋的毯子，陳查禮幫了他一把。「謝謝，」他說：「嗯，這餐飯吃得挺熱鬧的，那會不會是你的另一項實驗？」

陳查禮搖搖頭。「不是，那是米欽先生的點子。不過天曉得，我也許可以把它轉變成合乎我的目的。」

「我相信你辦得到。」

「當偵探能站在一旁，聆聽兇手談論做案的情形，那真是天大的好運，」陳查禮接下去說：「今晚有好幾個人講話，也許兇手就是其中之一。那裡頭是否有不慎說漏了嘴，不打自招呢？」

「你發現到了什麼嗎？」泰特問。

「恐怕有哩。那是，嗯，請原諒我的無禮——那是從你口中說出來的哩。」

老律師點了點頭。「你考驗起我對你的信任來了。我也不指望你會忽視我的輕率失言。」

「那毫無疑問，我們所指的是同一件事？」

「噢，想必是的。」

「那你是否能告訴我，我們所指的是哪件事？」

「十分樂意。我說漏嘴了，居然承認那天晚上我們可能有人睡在休·摩里斯·德瑞克的房間。」

「的確是的。當然啦，你知道那天晚上哈尼伍跟德瑞克交換了房間，從尼斯到聖雷蒙的火車上，杜夫探長跟你談的就是這件事。」

「是的，他在車上跟我談起了這件事。我發現你對杜夫的辦案記錄研究得很詳細，對吧？」

「我非如此不可，它們是我唯一的希望。根據辦案的記錄，你並不曾看過哈尼伍寫給他太太的那封信。」

「我甚至並不知道有這封信。」

「然而你卻知道德瑞克是被想要殺死哈尼伍的人殺害的，正如你表示自己很震驚的說，德瑞克的死純屬意外，那也可能發生在這個旅行團的任何人身上。」

「沒錯，我承認我知道這件事。我很遺憾自己說漏了嘴，現在悔之已晚。」

「你怎麼知道的？杜夫又沒有告訴你。」

「噢，杜夫當然沒告訴我。」

「那麼是誰告訴你的？」

泰特遲疑了一下。「我看我招認好了，是馬克．甘乃威告訴我的。」

「喔，那甘乃威先生……」

「按他的講法，是潘蜜拉．波特告訴他的。」

陳查禮沈默了片刻，隨後站了起來。「泰特先生，不得了喔，原來你不費吹灰之力就曉得了這個。」

泰特笑了起來。「而且輕鬆得很，」他說：「我只是實話實說，陳先生。」

「今晚夜色不錯，」陳查禮說：「你現在一定有很多有趣的事好想吧，我就不打擾你了。」說完他走開了去。

他看到有人在甲板上跳舞，趨前一看，原來是潘蜜拉．波特在馬克．甘乃威的胳臂下繞著圈圈。他耐心等到音樂結束，然後走上前去。

「不好意思，」他說：「我想邀這位小姐跳下一支狐步舞曲。」

「悉聽尊便。」甘乃威笑道。

陳查禮鄭重的伸出手來，引那位女孩開步起舞，音樂聲響了起來。

「我打個比方，」陳查禮說：「我的噸位和舞步看起來很不諧調。」

「沒有的事，」她回答道：「我打賭你從來沒有試過。」

「聰明的大象可不會去模仿猴子，」陳查禮說，隨即領著她走到欄杆旁邊的陰暗角落。「我帶妳來這裡可不只是為了妳的儀態萬千，同時還想問一個問題。」

「噢，我還以為有人在討好我。」她笑道。

「這對妳來說想必早已司空見慣，毫無納入記錄的價值，」他回答道：「妳能告訴我，有關哈尼伍寫給他太太的那封信，妳是否有透露給別人曉得？妳是否告訴了旅行團的其位成員，說妳外祖父的遇害是件意外？」

「噢，天吶，」她含糊的說：「我不該講嗎？」

陳查禮聳了聳肩。「俗話說，一張嘴，兩隻耳朵，你講一遍，人家卻聽了兩遍。」

「我真該死！」她說。

「別激動，也許還沒有不良影響。我只想知道妳告訴了誰。」

「噢，我告訴了露絲太太。」

「那很自然，還有呢？」

「另外只有一個，馬克……甘乃威先生。」

「哦，那妳今晚發現了嗎，甘乃威先生已把這消息傳給了泰特先生？」

「噢，我發現到了，而且這讓我很生氣。我沒有告訴馬克說這是個祕密，但是他應該曉得。那傢伙，真的讓我很火。」

「讓妳很火？我應該說……」

「是的，我懂你意思——我跟他講了很多。但是天吶，我應該挑誰講呢？費維安嗎，還是基恩？真是毫無指望。每次我需要一位男士，譬如說跳舞的時候，我很自然的會挑上馬克，但那還不是一樣，他惹火了我。」

「所以妳這麼講。」

「我講的是真的。他的表現你一定也看在眼裡了，優秀得嚇死人。波士頓的大家族，唸的是哈佛，以及諸如此類的，我告訴你好了，我一想到頭都昏了。」

「也許，」陳查禮笑道：「那位令人發火的年輕人想向妳求婚吧？」

「你認為他會嗎？」女孩立刻問道。

「我哪裡曉得？」陳查禮說。

「噢，太不可思議了，陳先生，你是怎麼讓人跟你交心的。我可以告訴你，我希望他會向我求婚，事實上，我已經有一點在誘導他了。我希望他會向我開口求婚。」

「然後呢？」

「然後我會拒絕，那多神氣呀！波士頓的菁英遭到了粗野的中西部女孩的拒絕。」

陳查禮搖了搖頭，「女人心，海底針。」

「噢，我們才不那麼深不可測啦。我的動機很清楚，當然在某方面來說是滿可憐的，他也可以變得很棒，如果他肯……」

「嗯？」

「沒錯，只不過他很少這麼想。通常他就是像波士頓人那樣，冷冷的，很高傲，我知道他很看不起我家有錢。」她將修長的手放在陳查禮手臂上。「那又不是我的錯，」她愁容滿面的說：「誰叫我外祖父那麼會賺錢？」

「沒有人能為妳負責的，」陳查禮安慰她說：「不過妳如果已經有一點在誘導那位小伙子了，嗯，我想我們得回過頭去擺個樣子。」

他們又舞入甲板上的舞曲之中。

「他不該告訴泰特先生的，」女孩說：「我應該抓他來罵一罵，但是我想我開不了口，這是個溫柔的夜晚。」

「那就繼續維持下去吧，」陳查禮敦促她：「我也比較喜歡這樣。」

他注意到，甘乃威看到女孩再次走出來時並沒有心煩的樣子，潘蜜拉．波特似乎也沒有特別惱火。當陳查禮轉過身的時候，船上的事務長出現在他面前。

「陳先生，請跟我來。」林區道。他領著陳查禮到了他的辦公室。

鹿島在一張椅子上垂頭喪氣的坐著。

「怎麼了?」陳查禮問。

鹿島抬起頭。「我很抱歉!」他低低的說,陳查禮的一顆心又沈了下去。

「你的助手惹上麻煩了。」事務長解釋說。

「我怎麼知道她會回來?」日本人說。

「你在打啞謎哩,」陳查禮對他說:「誰回來了?」

「是米欽太太,」事務長插嘴道:「她不久前返回客艙,發現這位小朋友在搜東搜西。她行李箱有價值上百萬的細軟,她尖叫了起來,聲音大得連遠在上海的亞斯特酒吧都聽得到。我答應她我會親手將這傢伙丟出船外。現在我們不能讓他在客艙出現了,得另外找地方安置他。恐怕他無法再為你效勞了。」

「我很抱歉!」鹿島又說了一遍。

「先等一下,」陳查禮說:「要抱歉你等會兒還有很多時間抱歉。你先告訴我,你在麥司・米欽房裡有沒有發現什麼奇怪的東西?」

鹿島立刻站起來。「我想有的,老陳。我東找西找,到處搜,你說我是一個很好的搜索者……」

「是啦，是啦。你發現到了什麼？」

「我發現他收藏了各家大飯店的標籤，都好好的，沒貼在任何東西上。那些飯店都是他們去過的，譬如說格蘭飯店、史普藍迪飯店、宮廷飯店……」

「有沒有一個是加爾各答的大東方飯店？」陳查禮問。

「沒有，我看了兩遍。那家飯店的標籤並不在裡頭。」

陳查禮露出了笑容，拍拍小日本的背。「你別再看不起自己的本領了，鹿島，」他勸道：「你一直朝著結實纍纍的大樹扔石頭，有一天你會發現置身在一大堆水果之中。」

【第二十章】潘蜜拉小姐所列的表

陳查禮轉過去跟事務長商量了幾分鐘，鹿島未來在船上何去何從的問題遂解決了。根據安排，他將被調到低一層的客艙，一直到旅途結束，他都得避開那個嗓門特大的莎蒂．米欽。小日本羞愧滿面的走了，陳查禮又回到甲板上，再一次站在欄杆旁邊，思索著最新的案情發展。

假如亞瑟總統號上都可以找到這些沒使用過的飯店標籤，那麼甘乃威行李袋上的那支鑰匙就更不可能是在加爾各答貼上去的了，而魏比在橫濱發現這支鑰匙時，鑰匙也不在目前的位置。不，之前它無疑在其他地方，為其所有人所持有。那個人不想將鑰匙丟掉，又多少被魏比的事件嚇到，於是想出了妙計，貼在甘乃威的行李袋上，就在之前去過的那家飯店的標籤底下。他知道哪裡可以取得這樣的標籤，甚至自己也有一個，而他說不定就是麥司．米欽。

陳查禮自顧自笑了笑，又到圖書室逗留了一陣子後，返回他的客艙。他的第一個動作是把杜夫的辦案記錄拿出來，重新研究了一遍。檔案裡的內容似乎讓他讀得很高興，因此心情愉快的上了床，享受自搭上這艘船以來最充分的休息。

隔天一早，陳查禮碰到正在甲板上踱著方步的麥司．米欽，一面走還一面認真的運動著。他上前陪著這位黑道老大一起走。

「哈囉，警官，」麥司說：「暴風雨過後的一個美好的早晨。」

「暴風雨？」陳查禮不解的問。

「我是說昨晚那頓氣氛火爆的晚宴，嘿嘿，搞不好他們那些鳥人不相來往了？你昨晚還愉快吧？」

「愉快極了！」中國偵探笑道。

「嗯，我倒是有一點急躁，」麥司回答道：「一個人身為主人，碰到氣氛那麼火爆的場面卻排解不了。我還想到最後會有哪個鳥人戴上手銬哩，但是當所有的話都講過，該做的事情已經做過之後，我想你還是跟之前一樣，不肯用手銬。」

陳查禮大大歎了一口氣。

「恐怕我就是這樣。」

「那可真玄！」麥司接著說：「以我來說，那個老傢伙人那麼好，我就想不出怎麼有人要去撩他。泰特講的話裡頭讓我想到，也許這全都是因為一個錯誤——搞不好德瑞克把大家都騙了，害大家還以為他是什麼重要的人物。這種事真的發生過，我記得有一次在芝加哥——噢，幹嘛要提這個廢話——我現在要講的是，昨晚我們那個客艙發生了一件小亂子。」

「哦，什麼樣的事？」陳查禮假裝好奇的問。

「像我們這種有錢人，就得不時張大眼睛注意，」麥司接下去說：「有話傳說我們是在錢堆裡打滾，那又怎麼樣！我搞不懂這個世界是怎麼搞的，都不尊重別人的財產了嗎？真是可惡。莎蒂回到了客艙，居然有個船上服務生在搜刮著東西，活像是堪薩斯龍捲風。」

「真晦氣，」陳查禮答道：「相信沒有貴重的物品被拿走吧？」

「你提的這個角度很有趣。我們房裡都是莎蒂砸銀子買來的珠寶，貴重得很，我也曉得，錢是我付的。當莎蒂進了房間，就發現了那個中國鬼——」

「什麼！」陳查禮失聲道，隨即又控制住了，「——噢，呃，沒事。」

「然後就發現了那個中國鬼，手上拿了一大把飯店標籤。」

「你蒐集那些標籤？」陳查禮問。

「對呀，我們到過的每一家飯店我都有拿。我要拿回去給小麥司——就是我兒子啦，這樣他就能貼在書包上。他也想跟我們一起來，但是我告訴他讀書最重要。我說，你留下來把書讀好，現在這個時代，就連賣私酒的也要能說出一口漂亮的話，還要跟那一行最上流的人打交道。既然我要小麥司留在家裡，那他想要什麼拉風的玩意兒我都會給他。我於是對他說，我給你那些標籤，那些東西跟出去旅行一樣好。剛剛講了，莎蒂那些貴重的珠寶弄得一地都是，而那個中國鬼卻看中了那些標籤，不過他只有機會弄走一塊。」

「哦，丟了一塊？」

「對呀，還是我老婆事後發現的。那裡頭最漂亮的一張，我們兩個都還記得那是什麼時候得到的，小麥司看到會多高興啊。那是加爾各答的飯店，但現在東西沒了，我們到處找都找不到。」

陳查禮轉過頭注視著黑幫老大，那張黝黑的臉上單純不解的表情讓他大感驚訝。除了一個溺愛孩子的父親流露出來的惋惜之外，其他一無所有。

「我去跟事務長抗議，」米欽先生接著講：「可是他告訴我，他搜過那個中國鬼，而那傢伙身上是乾淨的。我猜那個標籤被他幹走了，如果在以前的芝加哥，他可會在湯裡頭發現一枚手榴彈。不過，呃，算了吧。小麥司又不會曉得有哪塊標籤丟了，而且是最漂亮的那塊。」

「這真是要恭喜你了，」陳查禮說：「生活的歷練已經讓你看開了，以後的日子一定會過得風平浪靜。」

「我現在最渴望的就是那樣！」米欽回答。之後他們一路無話的結束了散步。

下午稍早陳查禮見到了人不太高興的基恩上尉，中國偵探想裝作沒看見，但是基恩攔住了他。

「怎樣？」基恩開口道。

「什麼事？」陳查禮回道。

「昨晚那頓飯，有點進展了吧。」

「相當多進展。」陳查禮點頭。

「對我也是，」基恩回答道：「按我看，這案子越來越簡單了。」

「你認為是班勃？」

「班勃個頭！少跟我胡扯了。打從一開始，我就認為是勞夫頓幹的。你知道嗎，他在聖雷蒙的時候告訴我說，這次的旅程結束了。他為什麼這樣講？很簡單嘛，我親愛的陳先生，杜夫施壓要他繼續下去，而他不想，因為他的事情辦完了。」

「你認為那樣能說服英國的法庭？」

「沒錯，我也認為不行，不過我在動這件案子的腦筋。波特小姐授權我進行下去，她答應如果我幹得不錯的話會付我錢。」

陳查禮注視著他。「你沒提到我的名字吧？」

「我幹嘛提？到這件案子結束之前，你只會當個旁觀者。繼續下去吧，看清楚一點。我猜你認為我查錯了方向？」

「才不。」陳查禮回答道。

「什麼？」

「我幹嘛要這麼認為？鎮上最笨的人也指得出學校在哪裡。」

「你這話什麼意思？」

「沒什麼意思，中國人的老話。」

「我可不會動這個腦筋！」基恩回答道，自顧自的走了開。

下午一晃就過去了，海面風平浪靜，陽光普照，輪船順利的前進。夜晚來到了，還剩下兩個夜晚，陳查禮和大海一樣的平靜。他準備好要去用餐，才剛踏出甲板，看見泰特正要進入吸菸室。

「一起來抽根菸吧，陳先生？」老律師邀請道。

陳查禮搖搖頭。「我在找甘乃威先生。」他回答道。

「我出來的時候，他還在客艙裡頭。」泰特說。

「房間號碼是？」中國偵探問道。

泰特還是告訴了他其實無需詢問的號碼，陳查禮走開了去。他發現甘乃威正在打一條黑領帶。

「噢，陳先生，請進，」小伙子招呼道。「我只是想讓外表看起來像樣點。」

「噢，對，跟潘蜜拉小姐相處的時間越來越短了。」陳查禮笑道。

「幹嘛提那個？」甘乃威問道。「我的信條是：永遠以最好的一面見人。搞不好附近就有人想雇我當律師。」

陳查禮關上房門。「我想私下跟你談件事，」他開口說：「你必須保證，這話絕不能講出去。」

「那當然。」甘乃威似乎有些驚訝。

陳查禮蹲下來，從床鋪底下拉出一個行李箱，上面貼有大東方飯店的標記。他指著那個標記。

「請你注意看這個。」

「你是指這個，加爾各答大東方飯店的標記？怎麼回事？」

「你記不記得，你離開加爾各答的時候這東西貼上去了嗎？」

「咦，那當然啊。我在鑽石港上船的時候有注意到它，它很醒目，你不太能視而不見。」

「你確定當時親眼看到？」

「噢，這種事我怎麼能確定？我看到了這樣的一個東西。」

「很好。」陳查禮答道：「你看到了這樣的一個東西。但是這個你該沒看到吧？」

甘乃威靠近了點。「你是指什麼？」他問。

「我是指過了不久之後，一模一樣的標籤貼在原來的那個上面，在這前後兩塊標籤之間——你用手指摸摸看。」

年輕人照著吩咐做。「這是什麼？」他皺起眉頭：「感覺好像是根鑰匙。」

「的確是一根鑰匙，」陳查禮點點頭：「跟休・摩里斯・德瑞克在倫敦被殺時，手中握的那根一模一樣。」

甘乃威輕輕的噓了口氣。「是誰貼上去的？」他問。

「我在懷疑！」陳查禮緩緩的說。

年輕人在床緣坐下來，仔細思索著，眼睛落在房間裡頭另一張床上，那裡還擺著一套睡衣。「我也在懷疑！」他說道，跟陳查禮交換了一個深長的眼神。

「我把行李箱放回原位。」偵探忽然說道，隨即將東西放了回去。「這件事你絕不能對任何人講，好好看住這根鑰匙。我想在船到港之前有人會把它取下來，假如它不見了，請你告訴我是什麼時候不見的。」

客艙的門忽然被打開，泰特走了進來。「噢，陳先生，」他說：「很抱歉，你們在談私人的事嗎？」

「沒有啊！」陳查禮答道。

「我發現手帕忘了帶，」泰特解釋道，他打開抽屜取出一條來。「兩位要不要跟我一起吃個開胃小菜？」

「很抱歉無法奉陪，」中國偵探答道：「我最需要的可不是開胃小菜喔。」他帶著笑臉，安詳的離去。

晚飯過後，他發現露絲太太和潘蜜拉．波特在甲板的涼椅上並肩而坐。

「可以打擾一下嗎？」他問。

「坐吧，陳先生。」老太太答道。「這一路上不常看到你，我想你很忙吧？」

「並不如我預期的忙。」他輕輕的回答。

「真的嗎?」她送出一個疑問的眼神。「今晚夜色不錯，對吧?這樣的天氣讓我想到了南非的大草原，我在那邊住過一年。」

「妳對世界地圖調查得真仔細。」

「對呀，我以前就是這樣。現在我想好好在帕薩迪納定居下來，不過每當我長途旅行結束了，往往會有這種感覺。哪天我經過一個櫥窗，看到裡頭都是輪船的宣傳品，我又會想離開家了。」

陳查禮轉向那位女孩。「我可不可以冒昧的請教一下昨晚的事?那個小伙子——妳是否更進一步的誘導他了呢?」

「我很小的時候堆過雪人，」她笑道：「現在碰到一個會走路的雪人，還真有趣。」

「還有兩個晚上，美好的月光仍很充裕。」

「如果是在極地，夜晚長達六個月，月光就幫不上什麼忙了，」她說：「我眼看就要無功而返了。」

「別洩氣，」陳查禮回答道：「鍥而不捨，金石可鏤，我就曾經從自身的努力中體驗到。對了，妳是否答應過基恩上尉，如果他查出殺害妳外祖父的兇手，妳就付給他報酬？」

「嗄，沒有啊。」

「但是他跟妳談過啊。」

「他沒有跟我談過任何事。」

陳查禮眼睛半瞇起來。「那他沒講實話，這件事就當作沒提過。」他看到女孩手中拿著鉛筆和白紙。「很抱歉，我想我打擾了——妳在寫信？」

她搖搖頭。「噢，不，不是，其實我只是對這件案子感到迷惑，你知道，時間越來越少了。」

「沒有人比我更清楚。」他認真的點點頭。

「我覺得，我們並沒有任何進展——噢，我很抱歉，不過你是那麼晚才開始調查這件案子，根本沒有機會。我只是把我們這個旅行團裡的男士列一張表，一邊寫上他們的名字，另一邊寫上對他們不利的事實。依我所見，除了米欽先生和馬克·甘乃威外，他們每一位或多或少都有令人起疑之處。」

「妳表上寫得並不對，那兩位的記錄並非如此清白。」

她大驚。「你是說團裡每一個男的都有問題？」

陳查禮站起來，從她手上拿過那張紙，將紙撕成碎片，走到欄杆旁，將碎紙片丟出船外。

「妳那個美麗的腦袋瓜不要想這些有的沒的，」他走了回來，奉勸道。「大事已經底定了。」

「你這話什麼意思？」她驚呼道。

「當然啦，要應付英國法庭的苛求，還有證據必需取得，不過遲早會到手的。」

「你是說，你知道誰殺了我外祖父？」

「妳自己並不知道嗎？」陳查禮問。

「當然不知道。我怎麼會知道？」

陳查禮露出了笑容。「妳擁有的機會跟我一樣多，只不過，妳的心思被那個惹惱妳的小伙子佔滿了。而我可沒有這些不利的條件。」

他向兩位女性漂亮的施了一禮，若無其事的走下甲板。

【第二十一章】英國人散步大道

潘蜜拉．波特眼睛睜得老大，轉頭望著露絲太太。「陳先生說那話到底是什麼意思？」她嚷道。

露絲太太露出了笑容。「親愛的，他是說他知道是誰殺死妳的外祖父。我看他是查出來了。」

「但是他是怎麼查出來的？他說我也應該知道，但我想像不到……」

老太太聳了聳肩。「就妳這一輩的人來說，妳算是一個聰明的女孩子了，這我看得出來，就像我們常講的，聰亮得像一枚錢幣。」她說：「不過妳的聰明是比不上陳查禮的，很少人比得上他，這點我也看出來了。」她站起來。「小甘乃威來了，我看我去交誼廳吧。」

「噢，請別走嘛。」

「潘蜜拉，我也許是個監護人，但我自己也年輕過啊。」她向遠處的一道門走去。

甘乃威猶豫的向著老太太留下來的椅子坐下來。

「嗯，」他說：「又過一天了。」

女孩點點頭。

「妳似乎不太想講話。」小伙子探道。

「該讓嘴巴休息一下，」她答道：「我忙著思考，陳先生剛剛告訴了我最驚人的事情。」

「什麼驚人的事？」

她搖搖頭。「不行，我不能告訴你。之前我告訴過你一件事，你卻沒有保守祕密。」

「我不知道妳在講什麼。」

「那沒關係。我們現在不必講這個。」

「我如果做了什麼不對的事，我都道歉，」他說：「我這是真心的。」他一臉賠罪的樣子，在初升起的月光底下顯得十分英俊。有好一會兒兩人都沒有講話，突然年輕人臉上掠過一個關切的表情。「我說——陳先生是不是告訴妳，他查出他想要查的人了？」

「怎麼會？」

「我不知道，但是今晚發生了一件事，」他又靜默下來，眼睛望著夜空。「我懷疑……」最後他又吐出這三個字，聲音有些沙啞，甚至是恐懼。

潘蜜拉．波特凝視著他，以前有個底特律的男孩子也得到過這樣的凝視，之後就不再有了。「我們在這艘船上還有兩晚。」她提醒他道。

「我知道。」他一臉沮喪的回答。

「當這場戰役結束後，我們會懷念它的。」

「我會的，」他點點頭：「但是妳……妳會回到底特律過著好日子，一個汽車王國的小公主，全部鄉下人見了妳都頭低低的。」

「少胡扯了。你會回到波士頓，高貴血統的聚集地，成為貝肯大街甘乃威家族的一員。我猜白朗寧社區會因你的返回開歡迎會。」

他搖搖頭。「拜託別取笑我。不知怎的，我似乎不再覺得那有什麼樂趣了。」

「怎麼啦，我還以為你很興奮呢，旅途就快抵達終點，全都要結束了。最後終於擺脫了泰特先生——還有我。」

「我知道，」他同意道：「我理當是世界上最快樂的人的，但事實卻不是。唉，好吧，這無疑就是生活吧。」

「而那位漂亮的女孩會在見克灣區等著你歸來。」

「什麼女孩？」

「你將訂婚的那位。」

「我……訂婚？我看起來有那麼虛弱嗎？在波士頓是有很多不錯的女孩子，不過謝天謝地，我並沒有和誰訂婚。」

「你哪天應該試試，那挺有趣的。」

「我猜妳試過了？」

「噢，是啊，經常試。」

「是寫信給妳的其中一位嗎？」

「其中一位？我才不那麼沒膽，他們每一個都試過了，在不同的時間裡。」

「噢，挑一個嘛，把他騙過來。」他建議道：「我們已經不那麼年輕了。」

「是啊，我是有這打算。你會寫信給我嗎，我們分別後？」

「為什麼要寫信？」

「我喜歡收到信。」

「我很討厭寫信。更何況，我會很忙，即使能力普通，我也會一輩子勤奮努力。總不成每個人都去製造汽車吧。」

「沒的事！現在公路上已經夠擁擠了。這樣的話，當我們說再見的時候，再也不會見面了？」

「還有一天啊！」他強顏歡笑的說。

「這就變得更浪漫了，是吧？好了，你最好進去打橋牌吧，我猜泰特先生已經在等你了。」

「想必是吧！」小伙子同意道。

「你希望我也加入嗎？」

「隨妳吧。妳也知道，妳打得很菜。」

「我想也是！」她歎息道。

「不過當然啦，妳讓可憐的泰特先生覺得很高興，只要你不是他的搭檔的話。」

「那算你倒楣——我是說，找我當你的搭檔吧。」

他聳了聳肩，站起來。「噢，我並不介意，我知道這又不是永遠的。」

潘蜜拉站起來，他伸手幫她。「既然你堅持，」她說：「那我也參加。」

「感激不盡！」他苦笑道。兩人進到船艙之內。

露絲太太和泰特已經坐在橋牌桌旁，泰特正四下巴望的看著，看到甘乃威進來，他的眼睛一亮。

「噢，小兄弟，」他喚道：「要不要來呀？」

「好啊！」甘乃威回答道。

「謝謝你喲，我本來不想開口請你的，我已經佔用了你太多時間，而你在船上的時間就只剩今晚和明晚了。」

「沒關係啦，」小伙子肯定的說：「我也沒別的事要幹。」

「上帝賜福發明橋牌的人，」潘蜜拉．波特說：「來吧，少年仔，跟我說一遍。」

「說什麼？」甘乃威問。

「你的最佳反駁用語應該是：『你有空應該多學學。』」

他大笑起來。「我不可能那麼沒禮貌的啦！」他表示反對道。

「哦，不可能嗎！」她回答道。

與此同時，陳查禮進到圖書室挑了本書，坐下讀了起來，那樣子彷彿是加入了讀書會，希望朋友一整年都別來找他。他看書看到十點，到甲板上閒逛了一會，回到他的客艙。周公沒隔多久就來找他，一夜無夢。

第二天早上八點，他登上了陽光普照的甲板，旅程最後的二十四小時，最為關鍵的時刻來臨了。假如理解了這點會對他構成什麼影響的話，那顯然是使他變得鎮定。從神態看來，顯然他就是那種胸有成竹，曉得下一步會怎麼樣的人。

上午稍後一點，他接到杜夫打來的無線電報，電文稍長，他帶回客艙去看。陽光斜射進來，照在他的肩膀上，他讀道：

「天大的好消息。我該如何感謝你呢？證據務須到手，老陳。不過我知道你會辦到的。我的督察長來電說，經調查加爾各答珠寶店的那名店員，發現他曾在南非非法收購鑽石。經查詢，阿姆斯特丹鑽石業者指出另一事實：十五年前左右，在慶伯利有個非法買賣鑽石的不肖商人，名叫吉姆．艾弗赫。該線索或許有用。那兩袋小石頭也請留意。蘇格蘭警場駐紐約的惠爾斯警官於我受傷時奉上級命令出發，現已在舊金山，該員將會在碼頭會合，著手逮捕。與他一起的尚有我們的朋友法蘭納利。彷彿又回到從前。我很遺憾無法到場，目前傷勢正快速復原中，我將很快趕赴西岸，請等待我即將致上的謝忱。恭喜恭喜。祝好運。

杜夫」

陳查禮又將電報內容重讀一遍，當看到法蘭納利隊長的名字，笑容不禁在寬臉上漾開來，心想命運真是個奇妙的舞台經理，他很樂意跟法蘭納利重逢。他把這封電報撕成碎片，從舷窗丟出去。

白天的時間無事的慢慢過去。下午稍後班勃跑來找他。

「陳先生，不知道你曉不曉得，我們今晚也邀請你哩，」他說：「少了你我們無法進行，是你說的，全世界都有警察。」

陳查禮行了個禮。「我十分樂意，你是要放影片給大家看嗎？」

「是啊。我安排好了，找了間豪華套房當放映室。八點半大家會合，銀幕我向事務長借來架好了。必須一提的是，好像沒什麼人感興趣。」

「我非常感興趣！」陳查禮對他說。

「對呀，但問題是其他人──我還以為他們會很想看那些影片哩，都是自己玩過的地方啊。」他歎息道。「不過事情就是這樣，扛攝影機的人從來不會有人打氣。如果是在亞克朗放映的話，放映室的門得鎖著。就這麼說了，八點半，在A客艙。」

「謝謝你的好意，」陳查禮回答道：「我感到說不出的榮幸。」

晚上八點，多日來俯臨著亞瑟總統號的萬里晴空迷失在穿不透的帷幕之中，輪船小心翼翼的在濃霧中穿行，令人回想起休．摩里斯．德瑞克死於勃倫飯店的那個倫敦凌晨。每隔一段時間鳴放一次的濃霧號角，提醒著船上的每一個人要當心。

八點半，陳查禮推開了A客艙的門，旅行團每一位成員均已到齊。大夥兒都在走動著，海闊天空的聊著，不過班勃太太是個很能幹的女人，兩三下就招呼他們圍成半圓面對銀幕入座。在此之前，班勃先生忙著播放的細節，好讓大家看到他自製的影片。

正在等待的時候，陳查禮講話了。「我這一輩子都渴望能像在座的各位一樣，好好的旅行個夠，對這件事我始終懷有熄滅不了的欲望。在那麼漫長的旅途中，令各位印象最為深刻的是哪個畫面呢？露絲太太，您是最靈敏的旅行家，這趟環球之旅，您看到最有趣的事情是什麼？」

「我馬上就能告訴你，」老太太回答道：「那次在尼斯一家戲院觀賞雜耍，我永遠忘不了那幾隻受過訓練的貓，那是我這輩子見過最棒的一幕。」

勞夫頓博士露出了笑容。「陳先生，你不用詫異，」他說：「每次我在旅遊結束時問同樣的問題，答案往往扣人心絃。史派色太太，如果我問妳同樣問題的話？」

「讓我想想看，」那位舊金山的女人雙眼迷離起來。「我在巴黎聽歌劇時看到一件女人的晚禮服，那不光是晚禮服，還有一點點天堂的感覺。任何一個女人穿上那件衣服，都會變得年輕起來。」她想望的說。

「對我來說，本次旅行最亮麗的地點還沒到，」費維安說：「等明天早晨我們通過法亞隆島，俄羅斯山會從霧靄中慢慢升起——嗯，陳先生，到時候你再問我這個問題吧。我知道講這話很無禮，但我的感覺就是這樣。」

麥司．米欽拿出一根大號的雪茄，環顧滿屋子的人，又把雪茄收回自己的口袋。「我在義大利看到一個小鬼在趕牛車，」他說：「嘿，真希望小麥司能看到他，那會讓他對我出發前剛買給他的車子多一點新的看法。」

「有誰還記得楓丹白露森林裡的樹木？」羅斯問道：「我很喜歡樹，它們予人一種堅實、寧靜而又安詳的感覺。那裡的林地可真是大。」

「潘蜜拉小姐，妳還沒講話呢？」陳查禮提醒她。

「我有好多回憶，」她回答道。她身上的水藍色晚禮服是特別留給最後的夜晚的，在場所有的女士都注意到了，另有幾名男士亦然，可能讓史派色太太魂牽夢縈的就是這件。「我覺得要說哪件事情最吸引我很難，」女孩接著說：「不過在紅海的時候，有一條飛魚跳上我們船上來，牠那眼神好憂鬱，好深情，我就是忘不了牠。」她轉向身旁的小伙子：「你記得吧，我給牠取美國演員的名字約翰．巴瑞摩。」

「我倒覺得牠比較像另一名演員艾迪．坎托。」甘乃威笑道。

「這些事都好棒，」班勃太太說：「跟亞克朗的差別那麼大，我真想改變一下。我永遠忘不了那天下午我在德里街上走著，有個印度大君坐車經過，坐的竟然是勞斯萊斯！他穿著最豪華的衣服，金色的滾邊，那是……」她嚴肅的看了丈夫一眼，她老公還在忙著弄放映機。「艾馬，你快到家的時候一定要穿上禮服。」她說。

「這次旅行讓我感興趣的有好幾件事，」基恩插嘴道：「那天晚上的事情我最記得──就是橫濱的最後一晚。我到市區去逛了逛，然後進到一間電報局，勞夫頓博士人在裡面，還有個叫魏比的船上服務生。我問博士他是不是要回船上去了，但是他敷衍了我兩句，似乎不希望人打擾。所以我一個人走了，去到了港邊，很黑，很神祕，一整列倉庫，一群嬉笑的小孩子在黑暗中追著跑，舢舨上的漁火──很別緻的畫面，我到現在都還記得。那給我東方的感覺。」他停住，饒有意味的看著勞夫頓，眼睛露出邪惡的光芒。「魏比後來就是被人發現死在那個地方。」

「可以了，各位，」班勃先生大叫道：「甘乃威先生，麻煩關一下燈好嗎？謝謝。你們看，第一段影片，是我們正要離開紐約港，我在輪船的甲板上拍的，當時大家都不認識。我想再來是自由女神像──沒錯，看到了吧。老兄，把帽子脫掉，致敬一下吧。然後是我在橫渡大西洋時拍的，沒有幾位在這裡頭露面，我猜大部分的人都和甲板底下的臥舖有約吧。這位是可憐的德瑞克先生——幸虧他還不知道接下來所要發生的事。」

影片一面放，他一面自言自語。大家又看到倫敦了，也看到了勃倫飯店。班勃在街角遇到了芬維克兄妹，堅持把他們拍下來留給子孫看，於是大家談了芬維克兄妹幾分鐘。這位來自匹茲費爾德的瘦小男子顯然對如此的榮幸感到不悅。然後鏡頭拍到了杜夫探長，他從勃倫飯店門口開車走了，顯然他也不甘心成為班勃導演的演員。多佛港以及海峽渡輪。巴黎，以及之後的尼斯。

班勃先生的觀眾興致越來越濃。在放映尼斯的部分時，陳查禮忽然鬆開翹起的二郎腿，身體往前傾，他聽到身旁的泰特在叫他，聲音低低的。

「我要離開了，陳先生，」他說：「我……人很不舒服。」即便在晦暗的燈光下，陳查禮也看到他一臉慘白。「不必告訴甘乃威，這是他最後一個晚上，我不想打擾他。我回床上躺一會就沒事了。」他不驚不擾的離開了。

班勃放了另一捲影片，他的風景紀錄片似乎演不完似的，不過觀眾現在已經很投入了。埃及，印度、新加坡、中國，他老兄選景的確很有一套。

最後影片放映完了，大夥兒謝了他，慢慢離開這個房間，只剩下陳查禮和班勃夫婦留下來。偵探在檢視著膠捲上的捲軸。「今晚真有意思！」他說。

「謝謝，」班勃答道：「我看大家還樂在其中，你認為呢？」

「肯定是的，」陳查禮說：「班勃太太，這些東西很重，妳力氣不夠，不必動，我和妳先生一起搬到你們房裡好了。」他捧起好幾捲影片，搬向門口，班勃扛著放映機跟在後面，兩人走下樓去。

進到班勃的臥艙，把影片放在床上後，陳查禮轉向來自亞克朗的主人。

「請問一下，你這臥艙左右兩邊住的各是誰？」他說。

班勃愣了一下。「噢，後面這間露絲太太和潘蜜拉小姐在住，前面那間是空的。」

「等我一下，」陳查禮說道，他走出去，隨即進來。「現在那兩個房間都是空的，」他說：「走廊也空無一人。」

班勃笨拙的處理放映機，將機件放進箱子裡，又用黑色皮帶把箱子綑起來。「什，什麼事啊，陳先生？」他口吃的問。

「那些影片對你而言很珍貴？」陳查禮和氣的問。

「是啊。」

「你有沒有鎖頭很堅固的旅行箱？」

「噢，有啊。」房間角落有個衣服皮箱，班勃的頭朝那裡一點。

「冒昧建議一下，你可不可以把全部影片裝進那裡頭，然後用鎖牢牢鎖緊？」

「可以啊。但是為什麼呢？並沒有人……」

陳查禮的眼睛半瞇起來。「世事難料，」他說：「萬一你回到老家，卻發現心愛的影片不見了，那我會很惋惜的。舉例來說，影片裡頭有在尼斯拍的。」

「那又怎樣，陳先生？」班勃問。

「你在影片裡頭沒發現什麼異狀嗎？」

「我看不出來。」

「可能旁觀者清吧。不用氣餒，你只需把影片鎖好就行了。大家都把自己看到的事告訴了我，也許就不用請求蘇格蘭警場了。」

「蘇格蘭警場！」班勃驚叫道：「那他們是想──」

「請容我打岔一下。我必須問個問題：在尼斯街上拍的影片，確切的拍攝日期你記得嗎？」

「你是說英國人散步大道嗎？」班勃從口袋裡拿出一張皺巴巴的紙，仔細看著。

「那段影片是二月二十一日早上拍的。」他說。

「記錄得很好，」陳查禮讚許道：「非常感謝。我來幫你搬這些影片吧，嗯，這種是彈簧鎖，看來很牢靠的。」他轉過身要走。「班勃先生，你讓我受惠不少呢，首先，你拍了那麼多影片；其次，你還放映給我看。」

「嗄，噢，不用客氣啦！」班勃茫然的應道。

陳查禮離開後立刻上到最頂層的甲板，進到無線電報室。他先想了想，隨後寫道：

「惠爾斯警官，並請照會舊金山市地檢處法蘭納利隊長：

請以最速件辦理：二月二十一日左右曾有一人到法國尼斯英國人散步大道的英國裁縫師吉米·布林的店裡修改衣物，請求蘇格蘭警場當局取得吉米·布林對此人以及當日早上該君取件時之詳細修改內容描述，希望明早二位能成功在碼頭相會。

陳查禮督察」

陳查禮心情輕鬆的下到低一層的甲板，準備再好好整理一次思緒。船上到處瀰漫著濃霧，濕濕的，黏黏的，還滴著水。一路上沒什麼人，這跟前幾個晚上形成強烈對比，旅客有志一同的跑到燈光明亮的交誼廳。他逛了兩圈，對自己和世界感到心情愉快。

船尾的甲板籠罩在濃霧中，他第三度逛過去，突然他發現右手邊暗處有條黑色的人影，隱隱約約有金屬閃了一下。接下來的事一定要在他的功勳簿上畫上一筆，因他衝上前去，對方開槍了。陳查禮倒在甲板上，躺著一動也不動。

然後是腳步聲快速的離去，接下來是一陣令人窒息的寂靜。船上事務長的講話聲打破了寂靜，他在陳查禮身旁蹲下來。

「老天啊，警探先生，」他驚叫道：「到底是怎麼回事？」

陳查禮坐起來。「我一時之間竟發現躺下來比較舒服咧，」他說：「你看，我這個人生性比較保守。」

「有人對你開槍？」事務長問。

「是啊，」中國偵探答道：「打歪了，差一點點。」

「嗄！我們船上豈可發生這種事！」他切齒的說。

陳查禮緩緩站起來。「別激動，」他勸解道：「明早船一靠岸的時候，開槍的人將會落入警方的手裡。」

「但是今晚……」

「不要打草驚蛇。我感覺他並非真的想打中我，之前若遇上跟我同體型的人，他根本不會失手的。」

「那他只是警告囉？」事務長鬆了一口氣說。

「差不多是吧！」陳查禮回答道，慢慢走開了去。來到通往上下樓梯的門口，馬克．甘乃威趕了過來，臉色整個慘白，頭髮凌亂得很。

「陳先生，」他大聲說道：「快跟我來。」

陳查禮無言的跟了過去。甘乃威帶他到自已和泰特住的客艙，把門推開。泰特毫無生氣的躺在床上。

「啊，可憐的老先生，心臟病又再度發作了。」陳查禮說。

「顯然是吧，我剛剛進來的時候，發現他已經這樣了，」甘乃威答道：「但這又是怎麼回事呢？聽說剛有人朝你開了一槍——你看！」

他指著床鋪旁邊的地上，一把槍掉在那裡。

「槍管還是溫的，」年輕人聲音沙啞的說：「我摸過了，槍管還是溫的。」

陳查禮蹲下身，毫不在意的把槍撿起來。「嗯，是啊，還留有餘溫，」他說：「理由很簡單，因為它不久之前才向我這個胖子發射過。」

甘乃威在自己的床緣坐下來，兩手蒙住了臉。「泰特，」他喃喃唸道：「天啊，泰特！」

「沒錯，」他點點頭：「槍身上一定可以採到泰特先生的指紋。」他又蹲下來，將甘乃威的旅行箱從床底拉出來，那塊加爾各答的飯店標記似乎完好無損，陳查禮仔細觀察了半晌，再用手去摸。標籤正中央有個細縫，只比一根鑰匙的長度稍長，並且重新被貼回原位，上有一處還濕濕的。「正如我猜測的，幹得乾淨俐落，」他說：「鑰匙已經不見了。」

甘乃威胡亂的四下看著，「哪裡去了？」

「去到了我希望它去的地方。」陳查禮回答道：「就在剛剛開槍的那個人身上。」

年輕人眼睛望著另一張床。「你是說他拿去了？」

「不是，它不在泰特先生身上。」陳查禮搖搖頭，回答道：「而是在那個殘忍的殺人兇手身上——在那個想利用這位躺在床上的朋友的人身上。那個人今晚來到這裡拿他的鑰匙，看到泰特先生已經毫無意識，於是認為機會來了，他出去外面，朝我開槍，然後回來，將泰特的指紋蓋在槍身上，別有企圖的將槍丟在地板上。我還沒遇過那麼聰明的歹徒，等明天我把他交到老朋友法蘭納利手裡時，屆時我將會感受到無比的快樂。」

【第二十二章】有時下海捕魚

甘乃威站起來，一副大大鬆了口氣的表情。陳查禮把手槍放進自己口袋裡。

「謝天謝地，」小伙子說：「真是讓我如釋重負。」他看到泰特的身體微微顫動。「可憐的傢伙，我想他慢慢好轉了。我一整個晚上都在恍惚，問我自己，但我就是無法相信。他雖然脾氣不好，骨子裡還是個好人。我不相信他有能力辦到那些可怕的事。」

陳查禮走到門邊。「我相信你會守口如瓶，不會把剛剛告訴你的話講出去吧。」他說：「我們尚未著手逮人，不過對方肯定還沒起疑。他若是認為自己的計策已經得逞，我們未來的路就會更好走些。」

「我知道，你可以相信我。」甘乃威回答道。他伸手摸老律師的心口。「看來我終於能把泰特先生安全送回家了，到時就不必再幹這件差事了。」

陳查禮點點頭，「管好自己的命運可不是件輕鬆的工作，這對任何人而言均是如此。」

「的確如此，」甘乃威衷心表示同意，陳查禮打開房門。「呃，稍等一下，陳先生。假如你剛好要去找波特小姐，請告訴她等我一下好嗎？我還要多待個半小時，一旦泰特先生睡著了……」

「噢，好啊，」陳查禮笑道：「我很樂於替你傳話。」

「噢，不必專程找她啦，我只是想——你知道，這是最後一晚，我該向她道別的。」

「道別？」陳查禮重複了一遍。

「是啊，並沒別的。你剛剛講的什麼來的？管好自己的命運可不是件輕鬆的事。」

「對膽小之輩是如此，」陳查禮搶著把話說完。「很抱歉剛剛講的時候，心裡面想著別的事，糊里糊塗引錯了格言。」

「哦！」甘乃威茫然應道。陳查禮出去外面走道，把門帶上。

船長在主樓梯口等著他。「聽說剛剛出事情了，」他說：「我臥艙裡有特別的臥舖，我要你今晚睡那裡。」

「我受寵若驚，」陳查禮行了個禮：「可是你不必這樣的犧牲。」

「犧牲？你這話什麼意思？我這樣做是為了自己，不是為你。我可不要自己的船上發生任何意外。我會在房裡等你，這是船長的命令。」

「噢，那當然得服從。」陳查禮答應道。

他到了交誼廳，發現潘蜜拉．波特正在角落裡讀一本書，她把書放下，很關心的看著他。

「你被槍擊的事怎麼樣了？」她問。

陳查禮肩膀聳了聳。「沒下文，」他告訴她：「本船的負責人給了我小小的關注。不必掛心，我來傳話給妳，甘乃威先生想請妳等他一下。」

「哦，一個提議罷了！」女孩回答道。

「泰特先生心臟病發作得很嚴重。」

「啊，要不要緊？」

「正在恢復當中。情況許可之後，甘乃威先生會來找妳。」女孩不發一言。「他人很優秀。」陳查禮又說了一句。

「他還是惹火了我。」她堅決的說。

陳查禮露出笑容。「妳的感受我能體會。但是給我個面子吧，等他一下，讓他最後再惹火妳一次。」

「好吧，」她回答道：「但這只是看你的面子。」

陳查禮走後，她又拿起書看。過不久，書被擱到一旁，她披上披肩，出去外面甲板。太平洋今晚並不像它的名字那麼太平，暗暗的，發怒著，波濤洶湧。女孩走到欄杆旁，望著漫天濃霧，頭頂上的霧笛不時鳴放起來，聲音焦躁的嘶鳴著。

甘乃威突然來到了身邊。「哈囉，」他說：「陳先生幫我傳話了吧。」

「噢，傳不傳都無所謂，我還不想回房裡去，」她說：「那東西一直響來響去，想睡也睡不著。」

霧笛聲很奇特，長長鳴放著，兩人一直等到它停。

「響得很起勁哩，對吧？」甘乃威接著說：「我小時候，有一年得到的耶誕節禮物是支小喇叭，真是棒極了。」

「你怎麼突然這麼開心？」女孩問。

「噢，開心的原因有好幾個。我整晚一直在擔心著某件事，剛剛發現已經沒事了，情況正常得很。明早就要上岸了，泰特先生的兒子會來接，然後就沒我的事了。告訴妳，我……」

霧笛又響起來。

「你剛剛講什麼？」霧笛停下後，女孩問道。

「我講什麼？噢，對，我是說從明天起，我只需照顧自己就可以了。」

「這種感覺很棒，是不是？」

「可不是麼。要是明早我不再看到妳的話——」

「噢，你會看到我的。」

「我想說的是，認識妳真好，妳人那麼漂亮，那麼具有魅力，這趟旅程少了妳，真不知該怎麼辦才好。我會想念妳的——但是我不會寫信，記得……」

頭頂上霧笛又尖聲響了起來。甘乃威用喊的把話講完，但聽不清楚，女孩仰頭看著他，人忽然變得楚楚動人起來。他將她攬在懷裡，吻她。

「好吧，」她說：「如果你硬要堅持的話。」

「什麼事情好吧？」他不解道。

「如果你要求婚，那我答應。你剛剛講的不是這樣？」

「不是啊。」

「那我會錯意了，剛剛聽不太清楚。不過我好像聽到你講『嫁』這個字。」

「我是說希望妳嫁個好老公，生活得很幸福。」

「噢！真是抱歉。」

「等等，妳說妳真的願意嫁我？」

「提它幹嘛？你又沒有求婚。」

「啊，我要。我是在求婚。」

霧笛再度響起。甘乃威這下不再多嘴了，霧笛停止後才放了她。

「啊，你真的喜歡我？」她問。

「我愛妳愛得發狂。可是妳分明要拒絕我，所以我才沒有開口。這樣的話，妳不會拒絕我了？」

「你想到哪裡去了！」她回答道。

「哇，多麼美好的夜晚！」小伙子這麼說，對他而言是如此。「這附近好像有兩張椅子，噢，在船尾那邊暗暗的角落。」

「那兩張從過香港之後就一直放那裡了。」女孩答道，兩人相偕找去。

他們穿行在濃霧之中，霧笛第四度響起。「管那個霧笛的人明早將會有個大驚喜，」甘乃威說：「我要賞他紅包，好好嚇他一跳。」

同一時間在船長的臥艙裡，陳查禮人躺在陌生環境裡，但卻睡不著。他懷疑所有的老水手打的鼾都跟旁邊這位一樣的響。

隔天早晨敲門聲把他喚醒了，他趕緊跳起來，發現「室友」已經在穿衣服，準備開始一天的工作了。是送電報的小服務生，還有些生澀，船長從他手中接過電報，轉交給陳查禮。

「是舊金山刑警大隊法蘭納利隊長拍發的，」陳查禮看完後，說道：「他跟蘇格蘭警場的惠爾斯警官將要搭小艇過來這艘船上。」

「很好，」船長說：「對我來說越快越好。警探先生，我有點擔心哩，我是不是該把那傢伙先拘禁起來，再等他們到來，這樣做比較好？」

陳查禮搖搖頭。「謝謝你，沒這必要，我寧可到最後一刻都沒有打草驚蛇。泰特先生今早想必待在房裡，我看我去勞夫頓旅行團散布個小道消息，說我們要找的兇手就是他。相信真兇聽到之後，會更加的放鬆戒心。」

「就聽你的，」船長首肯道：「你也曉得，抓人這碼子事我不大在行，雖然聽了你昨晚講的案情之後，我已經拼上今年一整年的薪水賭你是對的。我已經交代大副盯住你講的那個人，直到他被警察抓住為止。你知道吧，乘客已接到通知將要搭接駁船上岸。」

「很高明的安排，」陳查禮同意道。「非常感謝你這次的幫忙。」他一面說一面快速的著好裝，隨即拿著行囊往門口走。「我到我房間盥洗，非常謝謝你讓我在這裡睡一晚。」

「那沒什麼。陳先生，你這回費了好大的勁哩，應該會因為這件案子而聲名遠揚。」

陳查禮聳聳肩。「飯都吃完了，誰還會珍惜湯匙的價值？」他答道，說完出去到船橋。霧氣迅速消散了，東方天空隱隱出現太陽的影子。

回到自己的臥艙，他以特有的從容打理好自己的門面。去吃早飯的途中，他在泰特和甘乃威的艙房停下來，兩人都起來了，老律師看起來好多了。

「噢，我很好啊，」對於陳查禮的問候，他如此答道：「我答應我會活著回到舊金山，不是嗎？在我有生之年，我還會再跑幾個地方啦。馬克認為我最好在床上待到準備上岸為止。根本是豈有此理，不過我還是答應了。」

「明智的選擇，」陳查禮點點頭說：「甘乃威先生告訴了你昨晚的事嗎？」

泰特皺起了眉頭。「他告訴我了。這種罪犯我絕不會為他辯護，給一百萬我也不幹。」

陳查禮向他描述了今早的行動梗概，老律師欣然同意了。

「我沒問題，只要能抓到他就好。」他說：「不過在我們上岸前，你當然會讓大家曉得事情的真相吧？」

「那當然。」陳查禮答道。

「那就去進行吧。你說你已經查出是誰了嗎？我不認為——」

「等晚一點好嗎，麻煩你。」陳查禮笑著離開了。

早餐過後，他在甲板上遇到了事務長。「你的上岸證在我這裡，」事務長說：「至於鹿島的嘛，我就不知道該怎麼辦了。他以前從未到過舊金山，當然也非出生於夏威夷，另外他還是偷偷上船的，他已向我承認，因此他最好立刻回夏威夷。我們公司有另一艘船停在同一個碼頭，預定今天下午兩點要開航，我只要把他交給另一艘船的事務長，請他們送他回夏威夷就好了。」

陳查禮點點頭。「我贊成這計畫，鹿島想必也會同意。他的工作做完了，做得不錯，而且他也歸心似箭了。我知道他很樂意立刻回去，接受組長給他的讚美。麻煩你們安排一下，讓他受到旅客的待遇，費用我替他付。」忙碌的事務長點個頭就走了。

中國偵探又在甲板上多走了一會，遇到了史都華．費維安，這位舊金山老鄉站在欄杆旁，手拿著一副望遠鏡，肩膀上吊著裝望遠鏡的盒子。

「早安，」他說：「我在看俄羅斯山。老天，我以前從未那麼高興看到它。」

「對於疲憊的眼睛，再沒別的比家鄉的景物更能帶來慰藉了。」陳查禮說。

「你說得對。早在好幾個禮拜前我就很受不了這趟旅行了，本來老早我就想脫隊了，但又怕你們警方會多作揣測。嗯，對了，有謠言說你已經查出兇手了？」

陳查禮點點頭。「很讓人遺憾的一件事。」

「嗯，的確如此。兇手的名字是祕密吧，我猜？」

「那倒不。泰特先生已經同意讓大家曉得了。」

「是泰特！」費維安驚叫道。他沈默了半晌。「那很有意思，對吧？」他看了一下手錶。「十分鐘後我們要在圖書室最後聚一下，到了舊金山後還有路要趕的人，勞夫頓會發車票給他們，也順便向大家道別吧，我想。這個消息會讓每個人大吃一驚！」

「大概會吧！」陳查禮笑道，走下了甲板。

二十分鐘後，船身的推動器總算停了下來，海水灰撲撲的翻攪著，大家等候海關、出入境管理局的人乘坐小艇前來。

小艇到達時，陳查禮已在登船口頂端等候了，不久身材魁梧、臉色紅潤的法蘭納利費勁的爬了上來。

「呵呵，」隊長叫道：「這不是我的老朋友嗎！陳警官，別來無恙吧。」

他們握起手來。「很高興再度重逢，」陳查禮說：「不過在當年旁觀你於布魯斯一案的卓越表現後，很多事情已有所改變，譬如說，我已經調陞為督察了。」

「真的嗎？」法蘭納利回答道：「嗯，你總不能老讓松鼠在地上跑跳對吧，中國有一句老話這麼說。」

陳查禮大笑起來。「看來你真的沒把我忘記喔。」在法蘭納利背後站著一位壯如山的男子。「這位我猜是……」

「噢，抱歉，」法蘭納利說：「來見過這位蘇格蘭警場的惠爾斯警官。」

「十分幸會！」陳查禮說。

「杜夫最新的情況好嗎？」那位警官問道。

「穩定的痊癒中，」陳查禮對他說：「說到杜夫，你想必是為了攻擊他的人而來，也就是在倫敦殺死休．摩里斯．德瑞克的那名兇手？」

「正是為此而來。」惠爾斯說。

「我很樂意將他交給你，」陳查禮說：「因此這件事不能太招搖，我有個小小的計畫，請二位跟我來好嗎？」

他帶他們到一一九號艙房，引大家進去，請兩人坐在柳條椅上。艙房裡有兩張床，分據一邊，床邊各堆了一些行李。

「請兩位在這裡等，兇手會進來，」他說道，轉向惠爾斯，「有件事我要問一下，我昨晚的電報你看到了嗎？」

「有，我看到了，」惠爾斯答道：「我立刻向總部取得聯繫，英國那裡是早上，幾個小時內他們問到了結果，我去找法蘭納利隊長，兩人正要離開辦公室時電報就到了。電報內容很有價值，吉米．布林告訴我們的人說，你講的那個人在二月二十號拿了件西裝外套給他修改，第二天就要了回去。那是一件灰色西裝，右邊的口袋被扯裂了。」

「噢，那就對了，」陳查禮點點頭：「那是在勃倫飯店的走道上，被一名老服務生扯破的，時間是二月七日凌晨。兇手應該把那件衣服扔了，但他的本性捨不得丟東西，從一開始他就覺得自己很安全。我打賭他是從倫敦寄送到尼斯，收件人是他自己，然後再去找能幹的布林先生替他修改，考慮得很不錯。我注意到今天很多西服店招牌上都寫著『修改不留痕跡』，銀幕上畫面太小，我沒看到布林的西服店有這幾個字，不過應該有才是。那件西裝我看過好幾次，不過布林先生顯然是個不留痕跡的好手。」他走到門邊。「不過，光說不練可不會有結果。請你們在這裡等兇手自投羅網。」他講完後，隨即離開。

他在圖書室找到勞夫頓那一行人，眾人之中獨缺了泰特，顯然每一個人都很興奮。

圖書室只有一道門，陳查禮在門口遇到第二名舊金山的官員，兩人簡單交談了幾句。

「好啦，各位，」官員大聲說道：「大家都知道，行李要在船上檢查，現在海關人員都準備好了，請你們回去艙房拿行李來。」

馬克．甘乃威和潘蜜拉．波特第一個走上前來，兩人興高采烈的。

「跟耶魯的熄燈號好像。」小伙子笑道：「陳先生，回房間吧，待會兒見，我們有個消息要告訴你。」

「那一定是個好消息！」陳查禮答道，不過他的表情很嚴肅。

米欽陪著他太太出來了。「後會有期，」陳查禮跟他們握手，說：「請代我問候小米欽，告訴他要當個好學生，用功讀書。笨腦袋瓜可是惡魔的工坊。」

「我會告訴他的，警官，」幫老大回答道：「你是我很高興遇見的條子之一。再見了。」

史派色太太從他面前走過，點了點頭，笑了笑以示道別。在她後面的是露絲太太。

「你到了南加州要讓我知道喔，」她說：「那裡是上帝腳下最棒的國土。」

「先別那樣判斷，陳先生，」班勃打岔道：「等我們帶你參觀過亞克朗再——」

「別聽他們的，到我們西北部來看看吧！」羅斯道。

「你們都錯了，」費維安反駁道：「半小時後他就到達神的國度了。」

基恩和勞夫頓走過來了，但是陳查禮沒有等他們，丟下站在門邊的海關官員，趕忙走開了去。

與此同時，法蘭納利隊長和蘇格蘭警場的人已經等得有點不耐煩了，惠爾斯站起來，焦躁的走來走去。

「希望別出差錯才好。」他喃喃唸道。

「放心好了，」法蘭納利老神在在的說：「陳查禮是金門以西最了不起的偵探——」

房門忽然打開了，法蘭納利立刻彈了起來。費維安站在門口。

「這是怎麼回事？」他問道。

「進來吧，」法蘭納利說：「把門關上，快，進來。你是誰？」

「我姓費維安，這間是我的臥艙。」

「你到床邊坐好。」

「這話什麼意思？你們對我下命令嗎？」

「我可不是開玩笑，快坐下來，別講話。」

費維安不情願的依從了。惠爾斯看著法蘭納利，說：「他應該會最後才到吧。」

「快聽！」法蘭納利低聲說。

門外的走道上，他們聽到手杖「噠、噠、噠」的聲音打在堅硬的地板上。

門打開來，羅斯走進來，一時之間他質疑的看著他們，接著又回頭看向門口。陳查禮站在那邊，客氣的說是他堵住了缺口。

「羅斯先生，」陳查禮說：「在你眼前是法蘭納利先生，舊金山刑警大隊隊長。」法蘭納利抓住了羅斯的手，沒遭到抵抗，陳查禮上前快速的搜過身。「我發現你一路上裝填得滿滿的械彈，到最後終於耗光了。」

「你……你這話什麼意思？」羅斯問道。

「非常抱歉，法蘭納利隊長有你的逮捕令。」

「逮捕？」

「蘇格蘭警場已經請求他將你逮捕，理由是你在今年二月七日凌晨於倫敦勃倫飯店殺害了休・摩里斯・德瑞克。」羅斯輕蔑的瞪著他。「另外還有幾件案子，」陳查禮接著說：「不過你不必為那些案件受審，那些案件是：尼斯的哈尼伍謀殺案，聖雷蒙的西碧兒・康威謀殺案，橫濱的魏比警官謀殺案，還有檀香山的杜夫探長槍擊案。羅斯先生，你可真是殺遍了全世界啊。」

「沒那回事！」羅斯聲音沙啞的說。

「咱們走著瞧。鹿島！」陳查禮的聲音揚了起來。「你現在可以出來了。」

一個髒兮兮的矮個子立刻從床底下滾出來，渾身都是灰絨、線頭和塵土。陳查禮去將他扶了起來。

「噢，你手腳已經有點僵硬了，鹿島，很抱歉沒辦法及早要你出來。」他說：「法蘭納利隊長，東方的入侵已經越來越嚴重了。給你介紹一下，這位是檀香山警察局的鹿島警員。」他轉向鹿島：「現在那根鑰匙哪裡去了，想期待你曉得，會不會是奢望？」

「我知道在哪裡。」小日本很自豪的說。他蹲下來，在羅斯西裝褲右腳踝翻褶的地方找出了那根鑰匙，得意揚揚拿高起來。

陳查禮拿在手裡。「看看這是什麼？惠爾斯警官，我看這是非常好的證據，某一家銀行保險箱的鑰匙，號碼是三二六〇號。羅斯先生，你早該把它丟掉的，但我明白，你擔心沒有了它，你就無法將那些貴重的財物取回來了。」他把鑰匙交給了惠爾斯。

「就是要這種東西給陪審團看。」英國警察滿意的說。

「你們那支鑰匙是栽贓的，我一概否認！」羅斯大喊道。

「否認一切？」陳查禮眼睛半眯起來。「昨晚的時候，大家排排坐，觀看班勃先生拍的影片，影片當中有一段你從尼斯的一家店出來，你以為我沒注意到嗎？若在平常，我可能會沒注意到，不過我知道兇手是你已經好幾天了。」

「什麼！」羅斯掩不住震驚道。

「那個等一下我再解釋，現在先談尼斯的事。那位裁縫師吉米·布林你還記得吧，他就記得那套灰色西裝的右邊口袋——」

羅斯想開口講話，但是中國偵探伸手阻止他。

「現在牌色不利於你，不容你開口了。」他繼續說：「你是個聰明人，自信心很夠，很難相信自己栽了，然而局面已然如此。說到聰明，嗯，你的確聰明。你聰明到將鑰匙隱藏在甘乃威的旅行箱上，那樣的箱子很自然的會被收在床底下，直到上岸才重見天日。把手杖的橡皮頭去掉時你也很聰明，拿手杖的時候還換手拿，希望有人眼睛尖，會留意到。有那麼多人遭到懷疑，你想你也免不了，於是採取頗具說服力的姿態予以擺脫——這點我承認你做到了。昨天晚上你又故技重施，朝我放了一槍，再把還在冒煙的手槍丟在可憐的泰特先生身邊，手法真是殘忍——而你本來就是個殘忍的人。可是你耍這個花招有什麼用！我剛才講過，幾天之前我就已經知道你是兇手了。」

「你剛才為何不解釋，」羅斯嗤道：「再說你又怎麼知道？」

「羅斯先生，你有一刻表現得不很聰明，我是因此知道的。當時是在米欽先生作東的晚宴上，你講了幾句話，話相當短，不過裡頭包含了一個字眼——一個無心講出來的字眼，那個字眼定了你的罪。」

「哦，是嗎？什麼字眼？」

陳查禮拿出一張名片，在上面寫了幾個字，交給羅斯，「留下來當紀念品吧！」

羅斯看了一眼，整個臉失去了血色，人頓時老了起來。他把卡片撕成碎片，丟在地板上。

「謝了，」他尖酸的說：「不過我從不蒐集紀念品。好吧，再接下來呢？」

【第二十三章】有時岸上曬網

接下來外面有位海關的檢查人員敲門，他就在這樣緊張的氣氛中檢查了費維安和羅斯的個人行李。在他後面跟來一名服務生，將大包小包的行李提到船艙底下。費維安乘此機會走了，鹿島簡單跟陳查禮講了幾句，也隨後離開。

法蘭納利警官拿出手帕抹著額頭。「這裡好熱，」他對惠爾斯說：「咱們把這傢伙帶到圖書室，看看他怎麼自圓其說。」

「我沒什麼好說的！」羅斯陰沈沈的說。

「是嗎？那好，我看過有人在你這種情況下回心轉意。」法蘭納利走在前頭，再來是羅斯，惠爾斯緊緊跟上，陳查禮殿後。

他們上樓梯時遇到馬克．甘乃威，陳查禮停下來講句話。

「人抓到了。」他說。

「是羅斯！」甘乃威失聲道：「天吶！」

「希望你把這件事傳到旅行團，替泰特先生洗刷污名。」

「看我的吧，」小伙子說：「我會打破保羅．里維爾的速度，他還騎馬咧。」（譯註：一七七五年，英軍突襲勒星敦，里維爾半夜飛馬馳報。）

出去到空曠的甲板上，陳查禮才發現船又開了起來，右邊是城寨區的低矮建築，正前方高聳的是邀卡崔茲島上的碉堡。四周的旅客圍在欄杆旁，陷入臨下船的狂熱之中。

圖書室空無一人，法蘭納利、惠爾斯與嫌犯相對而坐，陳查禮將門關上，門外的喧嚷降低成為嗡嗡一片。

中國偵探走過去的時候，羅斯給了他一個怨毒的眼神。此刻嫌犯眼中的光芒讓陳查禮回想起一週前跟杜夫吃午飯時，自己告訴那位英國偵探的話：「你找的分明是兩個不同的人。」這裡的羅斯，已不再是旅行團中認識的那位彬彬有禮、態度溫和的人了；他是另一個人，冷酷、無情而且殘忍。

「你最好老實招來。」法蘭納利說道。羅斯的唯一答覆是輕蔑的瞟他一眼。

「隊長是在勸你，」惠爾斯和氣的說，他的方式比法蘭納利溫和。「我吃這行飯那麼久了，從來沒見過這麼鐵證如山的案子。這真的要感謝陳督察。基於我的職責，我必須向你警告，你所說的任何一件事都可能列為對你不利的呈堂證供，不過我還是建議你認罪好了。」

「承認我沒做過的事？」羅斯怫然道。

「噢，行了，行了。我們有的不只是鑰匙，還有那位裁縫師告訴我們的事，他——」

「是啦，那做案動機呢？」嫌犯的聲音提高起來，「我才不管你那什麼狗屁鑰匙和西裝外套，你們無法證明我有任何行兇的動機，你自己知道，那才是重點。那些所謂被我殺害的人，我以前從未見過他們，多年來我一直住在美國西岸。」

「你有個非常明顯的動機，羅斯先生，」惠爾斯客氣的答道：「或者我應該稱呼你艾弗赫先生——吉姆·艾弗赫，對吧。」

嫌犯的臉轉為慘白，跟鬼一樣，一時之間他似乎要崩潰了。他奮力保持冷靜，良久良久，但卻徒勞無功。

「嗯，艾弗赫先生——或者羅斯先生吧，隨你高興，」惠爾斯平靜的說：「根據蘇格蘭警場幾天前才得到的情報研判，你的殺人動機清楚得很。後來我們並不擔心你的行兇動機，我們擔心如何把你這個人找出來，陳督察人很聰明，揪出你了。如果陪審團要問動機，我們只要告訴他們你以前去過南非，而哈尼伍是怎麼偷了你的女人——」

「還有我的鑽石！」羅斯忍不住說道：「我的鑽石和我的女人！但是她跟他一樣壞。」他從椅子上站起來一半，隨後又坐回去，頓時陷入沈默。

惠爾斯看了一眼陳查禮，兩人眼神相遇，但都小心不把聽到羅斯那些話的欣喜之情流露出來。

「我猜你大約是十五年前去到南非，」英國警官繼續說：「當時的身分是一個歌舞劇團的小提琴手，西碧兒．康威是該劇團的頭號女演員，你愛上了她。不過她很有野心，她要的是金錢、演藝事業，她要出人頭地。你得到一筆小小的遺產，那雖不夠，卻也足以讓你投入買賣，一個不見天日的買賣，非法買賣鑽石。你向原住民、向竊賊購買鑽石，一年之內那些贓物你一共買了兩小袋，西碧兒．康威答應要嫁你。你又去鑽石產區跑了最後一趟，把你的女人和那兩小袋鑽石留在開普敦。當你回來找她的時候……」

「我看到了那個人，」羅斯替他把話說完。「唉，有什麼用！你們讓我受不了，你和這個中國人。回去後的第一個晚上我看到了那個人——華特・哈尼伍・史灣，那是他的名字，就在西碧兒・康威住處的客廳。」

「他排行老么，」惠爾斯提起道：「在家裡不學好，去到南非卻當起警察來。」

「沒錯，我知道他是警察。他走了之後，我問西碧兒怎麼回事。她說那傢伙起疑了，在追查我，我最好趕快逃走，等表演檔期結束她再來找我。那天半夜有一艘船離開普敦，是去澳洲的。她催我趕快上船，臨開船之前，就在那個黑暗的碼頭，她將那兩個小袋子塞給我，我可以感覺裡面是石頭，卻不敢打開來看。她向我吻別，我們就這樣分手了。

「船離岸很遠後，我進臥艙打開那兩個袋子，兩袋都是石頭，那就是當時的樣子——小羊皮的袋子，各自裝了一百多顆大小不一的石頭。我被耍了，她愛那個警察更甚於我，把我出賣了。」

「於是你到了澳洲，」惠爾斯平靜的慫恿他講下去。「你聽說西碧兒・康威和史灣結婚了，現在他自稱華特・哈尼伍。於是你寫信過去，發誓要殺死他們。然而你破產了，要接近他們可不容易。時光飛逝，最後你到了美國，事業發達了，成為受人尊敬的公民。從前意圖報仇的執念成了往事，而然後——忽然之間，那念頭又回來了。」

羅斯頭抬起來，雙眼充滿血絲。「沒錯，」他緩緩說道：「它回來了。」

「怎麼回來的？」惠爾斯接下去說：「是因為你的腳受了傷而發生的嗎？當你躺在家裡，呆呆的，獨自一個人，有充分的時間想東想西。」

「是啊，是有東西可以想，」羅斯嚷道：「那整件事又回到我眼前，鮮活得像是昨天才發生的事。他們這樣對我，你以為我會怎麼想？我要讓他們付出代價。」他恨恨的看著他：「告訴你吧，如果有人因這樣的事免責……」

「不對，不對，」惠爾斯反駁道：「你應該忘掉從前的事，那樣的話，你今天就是一個快快樂樂的人了。在那一點上別指望任何僥倖。你殺了德瑞克也想免責嗎？」

「那是個錯誤，我很遺憾，那個房間太暗了。」

「那魏比警官呢？他是個很優秀的人？」

「我不得不這樣。」

「然後你又想殺害杜夫！」

「我並不想殺他，假如我真有此意的話，他已經死了。不，我只想暫時擺脫他。」

「你這個人既粗暴又殘忍，羅斯，」惠爾斯嚴厲的說：「你必須要付出代價。」

「這我已經有心理準備。」

「假如你根本不算這個舊帳的話，豈不是更好嗎？」惠爾斯接著說：「但是你卻做了。當腿傷比較好了，我猜你便收拾好你的貴重財物、你的積蓄，永遠離開了塔科瑪。你把所有財物寄放在某個陌生城鎮的一家銀行保管箱裡，那是哪裡呢？我們很快就會查出來。你前往紐約，去找哈尼伍夫婦。華特．哈尼伍正要進行環遊世界之旅，你也向那個旅行團報了名。

「你在勃倫飯店第一次著手行兇，那是個可怕的錯誤，但你堅持下去。你把西裝外套送去尼斯，就在那裡修改。你有一小段錶鍊被扯掉了，上面連著一支保管箱鑰匙，你在天人交戰，要不要把另一支鑰匙扔了？你知道蘇格蘭警場傾力在找一個三二六〇號保管箱的主人，如此你還會跑到一家不怎麼熟識的銀行，向他們承認遺失了那兩支鑰匙，引來不必要的注意嗎？不會的，你只會寄望另一支鑰匙還能夠再讓你看到那些貴重的財物。

「旅行團繼續開拔。現在華特·哈尼伍認出你了，但他跟你一樣，都極力避免讓身分曝光。他提出警告，萬一他出事的話，有一封信會把你抖出來。你到處搜，直到找到為止，找到的同一天晚上，你就在尼斯那家飯店的花園裡殺了他。你獲悉西碧兒·康威就在下一個目的地，不敢離開旅行團，於是隨團前往，尋找最佳時機，而那個升降梯竟然如了你的願。

「在那之後的行程似乎挺順利的，你開始以為運氣在你這一邊。杜夫辦案不順利，這你知道。你一路上太平無事，一直到了橫濱，你得知魏比發現那支鑰匙。對了，你是從哪裡知道的？」羅斯沒有回答。「我敢打賭，一定是你相當聰明之處。」惠爾斯繼續說：「不過那不重要。你察覺魏比上岸去打電報了，你還未及阻止，他訊息便已發出去了。你賭他並沒有提到你的名字，而他也真的沒有，當他回到碼頭時，你便槍殺了他。

「你又再度感到安全了。橫濱以後的事我所知不多，不過依我看，當到達檀香山港口見到了杜夫，你的眼睛又噴出了怒火。旅途的終點就快到了，再多行個幾海里，一切那麼平順，只除了杜夫。他知道多少呢？顯然是沒有。在最後這段路上他又會查出多少呢？假如你預作防範的話，什麼也查不出。你要擺脫他的追查，」惠爾斯看了一眼陳查禮。「在這點上，羅斯，我認為你犯下了這輩子最大的錯誤。」他話講完了。

羅斯站了起來。船現在靠岸了，由窗戶望出去，旅客正聚集在扶梯旁邊準備下船。

「好吧，那又怎樣？」羅斯說：「要不要上岸去了？」

他們在甲板上等著，直到群眾走到只剩最後的小貓兩三隻，這才下船。一名穿制服的警員來到法蘭納利跟前，說：「報告隊長，車輛準備好了。」

陳查禮跟惠爾斯握手道別。「我們還會再見吧，」他說：「杜夫探長的公事包在我行李箱裡，我對這件案子的研究現在結束了。」

惠爾斯熱情的握著手。「是的，而且以優異的成績考試通過。」他笑道：「我會在舊金山等杜夫前來，希望他到達時你還在這裡，我知道他要親自向你致謝。」

「我應該會在吧，誰料得準呢？」陳查禮答道。

「那好，不過你今晚必須跟我吃個飯，這案子還有若干細節讓我很好奇，譬如米欽請客的那晚羅斯所講的話。我們今晚七點在史都華飯店見面好嗎？」

「非常樂意，我自己就住那家飯店。」陳查禮回答道。

羅斯由武裝警察押住，隨著惠爾斯走了，終於被陳查禮破獲的男子現在繃著臉沈默就逮了。在最後的時刻裡，他刻意的迴避了陳查禮的眼神。

「老陳，你會在舊金山久待嗎？」法蘭納利走上來問。

「我還無法確定哩，」陳查禮答道：「我女兒在南加州唸大學，很想去看看她。」

「那很好啊！」法蘭納利脫口說道，他這下鬆了一口氣。「你去到那裡，出手幫一下洛杉磯警方吧，他們十分需要，假如有人肯幫的話。」

陳查禮輕輕的對自己笑了笑。「你這裡沒案子我可以效勞的嗎？」

「沒有欸，老陳。舊金山一帶大大小小的事都收拾得很好，我們還有一個強而有力的警網。」

陳查禮點點頭，「強將手下無弱兵。」

「你說對了，你那些中國的老話裡頭的確有不少真理。好了，老陳，要走之前來看看我吧，我得走了。」

陳查禮去拿行李時，遇到了事務長和鹿島。

「我正要送這傢伙上塔虎脫總統號呢，」事務長說：「下午兩點他就會回夏威夷。」

陳查禮向他的助手露出了笑臉。「他是載譽而歸的，」他說。「鹿島，你的表現讓我很驕傲，不但你在船上的搜索表現得很出色，就連在檀香山上船的那晚，你那懷疑的眼睛就已經注意到嫌犯了。」他在小日本的背部拍了兩下。「桃子即使種在陰暗之處，最後還是會長大結果。」他又說道。

「希望我這樣偷偷跑走，組長不會生氣。」鹿島說。

「組長將會帶著樂隊在碼頭大聲演奏，歡迎你回來。」陳查禮向他保證道。「我講的你似乎無法了解，鹿島。你是個英雄，我再講一遍，你是個載譽歸返的英雄，別老是夏天蓋毯子似的老往旁推。你現在上另一艘船，在檀香山等我回去，我會去城裡買件新的亞麻衫給你，你這身制服穿了六天，我想應該穿夠了吧。」

他拿著行李陪他們多走了幾步，來到塔虎脫總統號的登船口。

「現在我可要說再見了，」他說：「我還會再來看你，大概下午一點左右吧。你就要回家了，鹿島，身上披的不僅是光鮮的成功外衣，襯衫也衛生多了。」

「好吧！」鹿島溫馴的說。

陳查禮從碼頭的貨棧出來的時候，遇上了馬克．甘乃威。

「哈囉，我跟潘蜜拉在等你喔！」小伙子大聲叫道。「我租了輛車，你跟我們一起到上城去吧。」

「你太客氣了！」陳查禮答道。

「噢，我們的動機可不那麼無私喔，等一下再告訴你我們的企圖。」他們走到路邊，潘蜜拉坐在一輛大旅行車裡。「跳上車吧，陳先生！」小伙子說。

陳查禮並沒有「跳」，而是以他向來體面的方式上了車。甘乃威隨後跟上，車子隨即開動。

「兩位看起來都很快樂！」陳查禮探問道。

「這樣看來，我們準備好的消息是多餘了，」小伙子說：「其實呢，我們訂婚了。」

陳查禮轉向那女孩。「請原諒我這麼驚訝，結果妳接受了這個令妳發火的年輕人囉？」

「對呀。我是在他求婚前一分鐘就答應的，努力了那麼久，我可不想一無所獲喔。」

「熱烈的祝福二位。」陳查禮行了個禮。

「多謝，」女孩笑道：「馬克很好，所有的事都考慮到了。他答應把波士頓忘掉，到底特律開業。」

「再沒別的男人能得到更多的愛了。」甘乃威點頭道。

「所以這次旅行的結果是美好的，」女孩接下去說：「縱使一開始是不好的。」她臉色黯淡下去。「嗯，我再也不能等了，羅斯是兇手，我想知道你是怎麼曉得的。那晚你在甲板上說我也應該曉得，可是我想得頭昏眼花都沒用，看來我不是當偵探的料。」

「費維安幾分鐘前告訴我們說，關鍵是米欽那晚請客時羅斯說了什麼，」甘乃威補充道：「我記得他並沒有講幾句話，才正要開始講就被打斷了。」

「不過他尚未講到正題之前，卻先講出了一個最要緊的字眼，」陳查禮打岔道：「我幫你們把那個句子唸出來吧，我記得很清楚，注意聽了：『至於在倫敦的那個不幸的夜晚，當可憐的休．摩里斯．德瑞克死於勃倫飯店那間密不透風的房間裡』。」

「密不透風！」潘蜜拉．波特驚叫道。

「密不透風，」陳查禮重唸了一遍。「妳現在又變成我心目中的聰明女孩了。妳想想看，令外祖父被發現死亡時，地點是在一間密不透風的客房裡嗎？開偵查聽證會的時候，你們都聽到馬丁的作證了，杜夫探長的記事本上寫著馬丁說：『我開門進去房間，有一扇窗戶關上了，窗帘整個拉下來，另一扇窗戶是打開的，窗帘也是拉開的，光線從那裡照進來。』依個人的意見，我會說那房間裡不但有光線，也有大量的新鮮空氣。」

「那當然啊，」女孩大聲嚷道：「我應該會記得的。那時我在那裡跟杜夫先生講話，那扇窗戶還打開著，街上有人正在演奏〈長路漫漫〉，聲音吵死了。」

「哦，不過妳外祖父並不是在那裡遇害的，而是隔壁房間。」陳查禮提醒她。「當羅斯在晚宴上提起他這段記憶時，這幾句話讓他飲恨了。他回憶的不是妳外祖父最後被人發現的房間，而是被殺的房間。華特·哈尼伍寫給他太太的信妳有看嗎？」

「有啊。」

「妳還記得哈尼伍告訴她：『進去的時候我四下看了一下，他的衣服放在椅子上，助聽器在桌上，門窗全部緊閉』──注意到了吧，波特小姐，那是間密不透風的房間，妳外祖父就是在那裡遇害的。」

「當然是在那裡，」女孩回答道：「我外祖父患有氣喘，他覺得倫敦夜晚的空氣對他不好，所以在睡覺時，所有的窗戶都不打開。唉，我真的好笨！」

「妳心有旁騖嘛，而我沒有。」陳查禮笑道：「德瑞克先生那晚睡在密不通風的房間裡，知道這件事的有三個人。第一個是德瑞克先生自己，而他業已遇害；第二位，是進去那裡發現屍體的哈尼伍先生，他也死了；第三位，是偷偷潛入那個房間行兇的兇手，換句話說，羅斯先生是也。」

「太厲害了！」甘乃威大叫一聲。

「不過現在已經結束了，」陳查禮又說：「從前建造萬里長城的秦始皇說，今天不斷談論昨天的功業，到了明天就沒什麼好誇耀的了。」

汽車開到聯合廣場一家飯店門口停了下來，年輕人先下車，陳查禮隨後，他握住女孩的手。

「今早妳的眼睛讓我看了很高興，希望能一直保持下去，這是我最大的祝福。別忘了，好運會降臨歡笑之家。」

他跟甘乃威握過手，拿起行李，很快就在轉角消失了蹤影。

國家圖書館出版品預行編目資料

陳查禮接手／厄爾・畢格斯（Earl Derr Biggers）著；劉育林譯．--初版．--臺北市：臉譜出版：城邦文化發行，2002〔民91〕

面：　公分．--（陳查禮探案全集；6）

譯自：Charlie Chan carries on

ISBN 957-469-745-2（平裝）

874.57　　　　90017737